Der CFO in der digitalen Transformation

Alexander Reinhart

Der CFO in der digitalen Transformation

Persönliche Erfolgsfaktoren

1. Auflage

Schäffer-Poeschel Verlag Stuttgart

Bibliografische Information der Deutschen Nationalbibliothek

Die Deutsche Nationalbibliothek verzeichnet diese Publikation in der Deutschen Nationalbibliografie; detaillierte bibliografische Daten sind im Internet über http://dnb.dnb.de/ abrufbar.

Print: ISBN 978-3-7910-4740-9 Bestell-Nr. 11033-0001
ePub: ISBN 978-3-7910-4741-6 Bestell-Nr. 11033-0100
ePDF: ISBN 978-3-7910-4742-3 Bestell-Nr. 11033-0150

Alexander Reinhart
Der CFO in der digitalen Transformation
1. Auflage, Dezember 2021

www.schaeffer-poeschel.de
service@schaeffer-poeschel.de

Bildnachweis (Cover): © photon_photo, AdobeStock

Produktmanagement: Alexander Kühn
Lektorat: Jana Fritz – TEXTECHT, Stuttgart

Schäffer-Poeschel Verlag Stuttgart
Ein Unternehmen der Haufe Group SE

Für

Maximilian

Ferdinand

Felix

Inhaltsverzeichnis

1 Einführung

1.1 Eine Rolle im Wandel

CFOs sind voll im Trend: einzigartige Perspektive und umfassender Wirkungskreis!

Die Rolle des CFO hat sich in den vergangenen Jahren deutlich gewandelt und wird sich weiter verändern. Auch die Anforderungen an den CFO als Persönlichkeit sind vielschichtiger geworden. Etablierte Unternehmen sehen sich zunehmend der Gefahr von Störungen durch kleinere und agile Akteure oder Start-ups ausgesetzt, denen es gelingt, die Chancen, die sich aus neuen Technologien ergeben, besser oder schneller zu nutzen. Neue plattformbasierte Geschäftsmodelle gewinnen an Bedeutung und müssen parallel zu bestehenden Geschäftsmodellen betrachtet werden. Kundenorientierung und eine bessere Antizipation der Kundenbedürfnisse sind heute fester Bestandteil der Wachstumsstrategien von Unternehmen. Auch Faktoren des demografischen Wandels sind zu berücksichtigen.

CFOs werden bei strategischen und taktischen Entscheidungen immer stärker als aktive Business Partner mit dem operativen Management zusammenarbeiten. Dabei wird häufig die organisatorische und technologische Innovation des Finanzbereichs im Sinne der Neugestaltung des Finance Target Operation Models betont. Dies betrifft auch die Ansiedlung von Analytics Competence Centers sowie die Pilotierung digitaler Technologien innerhalb des Finanzbereichs.

Mit diesen Veränderungen gehen auch neue Anforderungen an die Personalentwicklung und das Recruiting einher. Als CFO müssen Sie die Rollenprofile Ihres Bereichs schärfen und wo nötig neu definieren. Auch die Personalgewinnung und die Definition neuer Berufsarten wie etwa »Datenwissenschaftler« werden zu einem entscheidenden Erfolgsfaktor.

Insgesamt tritt die gestaltende Rolle des CFO stärker in den Vordergrund. Auch im Rahmen der durch die Corona-Pandemie ausgelösten konjunkturellen Abschwächung in europäischen und globalen Märkten steigt der Kostendruck auf die Overheadfunktion Finance. CFOs müssen entscheiden, welche Services und Prozesse die von ihnen zu verantwortenden Bereichen in Zukunft anbieten und wie diese effizient, auch mittels neuer Technologien, ausgeführt werden. Dazu überarbeiten viele CFOs ihre funktionale Strategie für den Finanzbereich oder stellen diese Strategie neu auf.

Werden Sie den Erwartungen und Ambitionen dieser Berufsgruppe gerecht und erarbeiten Sie sich die Fähigkeiten und wechselseitigen Verbindungen, die erfolgreiche CFOs brauchen, um die digitalen Herausforderungen zu meistern und digitale Chancen zu nutzen. Die Digitalisierung wirkt in diesem Zusammenhang oft wie ein Katalysator, sodass auch Bereiche, Aufgaben und Themen, die augenscheinlich nichts mit der Digitalisierung zu tun haben, einem schnellen und enormen Wandel unterworfen sind.

Mit diesem Buch gebe ich Ihnen einen Leitfaden für Ihren Weg zum erfolgreichen digitalen CFO an die Hand. Dabei analysiere und kommentiere ich auch neue Themen und Herausforderungen, die für Sie persönlich von höchster Relevanz sind.

Aus eigener Erfahrung als Interim Manager im CFO-Bereich weiß ich, wie komplex und vielfältig Ihre Rolle ist. Vor diesem Hintergrund ist dieses Buch prägnant und zielführend auf Ihre tägliche berufliche Praxis ausgerichtet. Ich stelle Ihnen zahlreiche Ansätze, Informationen, Beispiele und Modelle zur Verfügung, damit Sie proaktiv Strategien für sich und Ihren beruflichen Alltag entwickeln können.

Ich wünsche Ihnen viel Erfolg und Spaß.

Augsburg, im Dezember 2021

Dr. Alexander Reinhart

1.2 Orientierung für den Leser

In diesem Buch finden Sie verschiedene Textelemente, die Ihnen eine bessere Übersicht über die Inhalte geben und eine schnelle Orientierung erlauben.

Textelement	Erklärung
Wichtig	In diesem Abschnitt finden sie Informationen oder Sachverhalte, die für das Verständnis besonders relevant sind und die Sie aufmerksam lesen sollten.
Definition	Um Missverständnisse zu vermeiden und ein gemeinsames Verständnis dafür zu schaffen, worüber ich spreche, definiere ich in diesem Buch immer wieder einzelne Fachbegriffe oder stelle dar, wie sie in der Praxis gebraucht werden.
Beispiel	Hier gebe ich Ihnen ein praktisches Beispiel, das Ihnen zur Veranschaulichung oder Umsetzung des theoretischen Inhalts dienen soll.
Übung	Praktische Übungen veranschaulichen die theoretischen Inhalte und helfen Ihnen bei der Umsetzung des Neugelernten.
Fazit	In diesem Abschnitt fasse ich noch einmal das Wichtigste für Sie zusammen, präsentiere ein Ergebnis oder ziehe eine Schlussfolgerung.
Praxistipp	Hier finden Sie Tipps für Ihre tägliche Praxis sowie Informationen darüber, wie Sie den Buchinhalt zielgenau in Ihren Arbeitsalltag integrieren können.
Arbeitshilfe	Hier finden Sie Checklisten, Vorlagen und Übersichten, die Ihnen als konkrete Hilfsmittel für Ihre tägliche Praxis dienen.

2 Der digitale CFO

2.1 Heute schon an morgen denken

Ihre Rolle als CFO ist geprägt durch die Geschwindigkeit, in der sich die Welt um Sie dreht. Und dies derzeit ziemlich schnell. Mitunter bringt genau diese Geschwindigkeit eine gewisse Rollenunklarheit mit sich. Diese ist verbunden mit Unsicherheit im Handeln und hohen Erwartungen. Um Ihrer Rolle als digitaler CFO gerecht werden zu können, müssen Sie diese definieren. Sie allein. Sie für sich selbst.

Ihre Rolle als CFO ist die Schnittmenge aus dem, was Ihre Organisation von Ihnen erwartet und bereit ist zu geben, und dem, was Sie von der Organisation erwarten und selbst bereit sind zu geben. Wenn über diese Schnittmenge – und sei es nur gefühlt – Einigkeit besteht, werden Sie dies als entlastend und Sicherheit gebend empfinden. Besteht hingegen keine Einigkeit oder herrscht Unsicherheit, führt dies langfristig zu Irritationen und mit hoher Wahrscheinlichkeit auch zu Konflikten.

Wichtig: Ein Geben und Nehmen

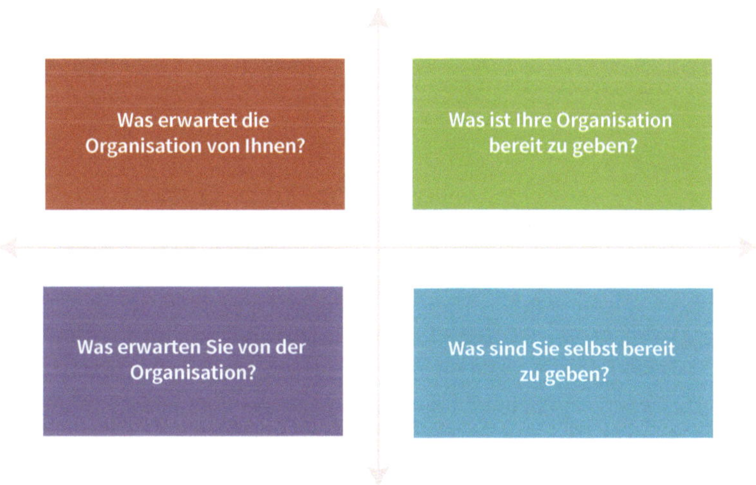

Um sich Ihrer eigenen Rolle klar zu werden, bietet sich das Erstellen einer **Erwartungslandkarte** an.

Praxistipp: Erstellung einer Erwartungslandkarte

1. Notieren Sie in der Mitte eines Blattes Ihre eigene Rolle.
2. Platzieren Sie auf dem Blatt um Ihre Rolle herum verteilt die Namen von Teams, Kollegen, Vorgesetzten, Auftraggebern und Kunden, die Einfluss auf Ihre Rollenwahrnehmung haben.
3. Zeichnen Sie von Ihrer Rolle in der Mitte der Landkarte ausgehend jeweils einen Doppelpfeil zu diesen Stakeholdern.
4. Notieren Sie neben den genannten Personen bzw. Gruppen, welche vermuteten oder definierten Erwartungen diese an Sie haben.
5. Notieren Sie neben den genannten Personen bzw. Gruppen, welche Erwartungen Sie an diese Personen bzw. Gruppen richten.
6. Bewerten Sie im Anschluss, an welchen Stellen es Übereinstimmungen zwischen den eigenen und den fremden Erwartungen gibt, wo Ihnen die Erwartungen der anderen unklar sind, wo Ihre eigenen Erwartungen unklar bzw. unbekannt sind, welchen Erwartungen Sie (nicht) nachkommen wollen und wo Sie akuten sowie langfristigen Handlungsbedarf sehen.
7. Werden Sie sich bei der Auswertung auch über die eigenen Ambivalenzen klar und entscheiden Sie sich für einen Umgang damit.

Eine junge Entwicklung in der Rolle des CFO stellt die Notwendigkeit von Innovation und Kreativität dar. Nicht zu verwechseln mit der Kreativität in der Buchführung. Ihrer Rolle obliegt es vielmehr, innovative Lösungen für Schlüsselbereiche zu finden, die Sie aber aufgrund der starken Veränderung jedoch zunächst identifizieren und definieren müssen. Das scheint auch vor dem Hintergrund aller zu erfüllenden Regularien und Compliance-Anforderungen nicht ohne Risiko. Ein Risiko für Ihr Unternehmen, Ihre Rolle und Sie persönlich. Dabei müssen Sie fantasievoll und anpassungsfähig sein und bereit, auch größere Risiken einzugehen, die sich im positiven wie im negativen Sinne auf Ihre eigene Karriere auswirken könnten.

Ihre Rolle verlangt von Ihnen, das Sie qualifizierte Fachmann bzw. qualifizierte Fachfrau mit breitem Know-how und breiter Erfahrung im Bereich Finanzen sind, aber auch in nicht den Finanzbereich betreffenden Themen. Sie verkörpern den Experten, der begeistert, motiviert, ein leistungsstarkes Finanzteam führt, Veränderungen gestaltet, eine dynamische Kultur etabliert und Visionen hervorbringt, die es Ihrem Unternehmen erlauben, durch die Herausforderungen der digitalen Transformation zu navigieren. Ein auf die Zukunft ausgerichteter Karriereweg wird Sie in Ihrer Rolle als digitaler CFO stets begleiten.

In der Vergangenheit war es möglich, sich beruflich Schritt für Schritt weiterzuentwickeln. Zukünftig müssen Sie die Karriereleiter stetig verschieben und anpassen, neue Wege gehen und mit hoher Wahrscheinlichkeit auf andere Steighilfen als die Ihnen bekannte Leiter zurückgreifen. Dies erfordert ein hohes Maß an Offenheit, Experimentierfreudigkeit und einem Sinn für Pfadfindertum.

Als CFO benötigen Sie eine seltene Kombination aus fachlichen und zwischenmenschlichen Kompetenzen. Gerade **Kommunikation** wird zu einer Ihrer wichtigsten Fähigkeiten gehören. Ebenso ein intensives

Beziehungsmanagement zu internen und externen Stakeholdern. Dies sind alles Fähigkeiten, die Sie in Ihrer Fachausbildung nicht erworben haben. Aber viele davon können Sie sich durch Erfahrungen und durch Orientierung an den richtigen Vorbildern und Mentoren aneignen. Allerdings, und das ist eine in meinen Augen eine nicht zu vernachlässigende Gefahr, gilt dies auch für Negativ-Vorbilder und -Mentoren. Sollten Sie noch am Anfang Ihrer CFO-Laufbahn stehen, empfehle ich Ihnen, auch Erfahrungen außerhalb der eigentlichen Finanzabteilung zu sammeln. Suchen sie nach Möglichkeiten, praktische Erfahrung zu sammeln, die Ihnen sowohl die Möglichkeit geben, sich persönlich weiterzuentwickeln als auch Ihre Kenntnisse und Ihr Fachwissen auszubauen. Dabei neue Länder und Kulturen kennenzulernen ist mit Sicherheit nicht von Nachteil. All das bereitet Sie auf die Unwägbarkeiten vor, die die digitale Transformation mit sich bringt. Sie wissen dann, mit Herausforderungen egal welcher Art umzugehen, und scheuen nicht vor kreativen Lösungen zurück. Diese Kompetenzen werden in der klassischen Finanzausbildung überhaupt nicht vermittelt. Und aufgrund der Neuartigkeit der auf Sie wartenden Herausforderungen müssen Sie auch Ihrer **Intuition** folgen und dieser vertrauen.

Und einen ganz zentralen Baustein Ihrer Rolle als digitaler CFO wird Ihre Fähigkeit einnehmen, die richtige Balance zwischen Technologie und Mensch zu finden und diese zu leben.

2.2 Die DNA des digitalen CFO

Was ist die DNA des digitalen CFO? Was zeichnet diese aus? Und noch entscheidender: Was ist Ihre persönliche DNA und Ihre persönliche Einschätzung, was die DNA eines erfolgreichen digitalen CFO ausmacht?

Lassen Sie mich zunächst die grundsätzliche Definition von DNA aufgreifen. Der Duden definiert den Begriff wie folgt:

Definition: DNA

Desoxyribonukleinsäure (Gebrauch: Biochemie)
Erbanlage (Gebrauch: umgangssprachlich)
Beispiel: Fußball steckt in der DNA deutscher Männer.

Da als einziges Beispiel für DNA der Fußball, der in deutschen Männern steckt, angeführt wird, habe ich mich gefragt, was dann im übertragenen Sinne wohl in Ihrer DNA als CFO stecken muss, damit Sie von sich behaupten können, ein digitaler CFO zu sein. Genau dies möchte ich in diesem Buch erörtern. Was ist die DNA, also die Erbanlage, die Sie als digitaler CFO auszeichnet, und wie können Sie diese DNA verändern? Mit meinen Anregungen möchte ich Ihnen im übertragenen Sinne ein neues Genwerkzeug an die Hand geben, mit dem Sie Ihre DNA wo nötig verändern können. Vieles zeichnet Sie jedoch bereits in Ihrer jetzigen DNA als CFO aus. Vielleicht müssen Sie nur ein paar Dinge dazulernen bzw. lernen, Talente und Fähigkeiten, die Sie bereits besitzen, stärker einzusetzen.

Wichtig: Gender Compliance

Nachdem im Beispiel des Duden lediglich deutsche Männer aufgenommen sind – übrigens auch nach der Gender-Reform des Duden 2020/2021 –, möchte ich an dieser Stelle die Gelegenheit nutzen und sagen, dass ich mir selbstverständlich eine große Anzahl an Leserinnen wünsche. Aus Vereinfachungsgründen verwende ich in diesem Buch jedoch ausschließlich die männliche Form. Vielen Dank für Ihr Verständnis.

Nun, was lässt sich für die DNA des digitalen CFO ableiten? CFOs sind voll im Trend: Sie haben eine einzigartige Perspektive und einen umfassenden Wirkungskreis. Als CFO wissen Sie aus erster Hand: Das globale Geschäftsumfeld ist komplexer denn je. In diesem Kontext hat sich Ihre Rolle als CFO vom reinen Fokus auf Kontrollen, Reporting und Analyse um einen großen Bereich erweitert: Sie spielen jetzt eine wichtige Rolle in der Strategie.

Meine Wahrnehmung ist, dass Sie aus allen Richtungen mit Informationen darüber, welche Fähigkeiten und Charaktereigenschaften ein starker digitaler CFO braucht, nahezu überschüttet werden. Das Problem dabei: Sie haben gar nicht die Zeit, sich all diesen im Einzelnen durchaus sehr relevanten Punkten zuzuwenden. Um herauszufiltern, was genau für Sie am zielführendsten sein könnte, sollten Sie für sich folgende Fragen beantworten.

Wichtig

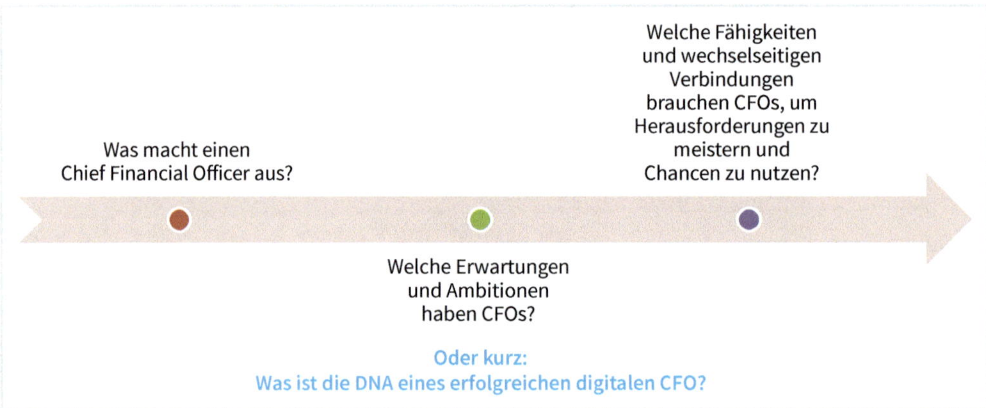

Die Beantwortung dieser Fragen im Allgemeinen, aber insbesondere für sich selbst, bedarf Zeit, Kontinuität, Hartnäckigkeit, einer fortwährenden und nachhaltigen Selbstreflexion sowie ständiger Anpassungsfähigkeit. Hier gilt: Kleine Schritte sind nachhaltig und ermöglichen einen stetigen Wandel in die richtige Richtung – hin zum erfolgreichen digitalen CFO.

Bei der näheren Analyse der DNA des digitalen CFO sollten wir unser Augenmerk vor allem auf die Bausteine der DNA, also die vier Nukleinbasen Adenin (A), Guanin (G), Cytosin (C) und Thymin (T), legen. Was sind aber die Bausteine der DNA des digitalen CFO?

Definition: Nukleinbasen der DNA des digitalen CFO

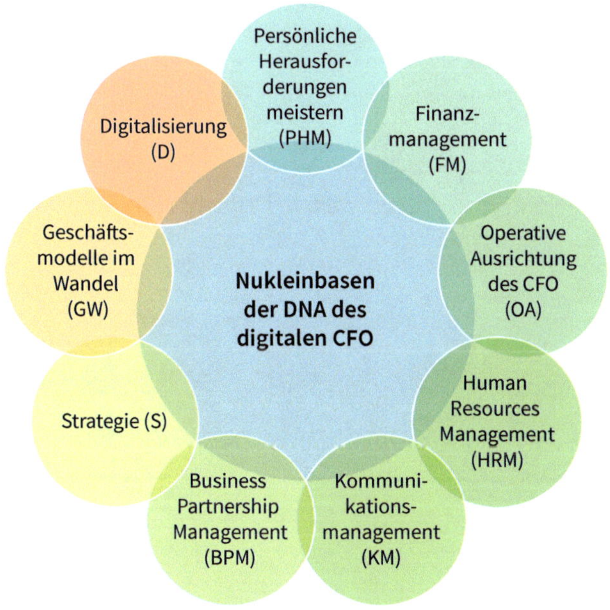

Interessant ist vor allem die Vielfalt der Kombinationen in der Zusammensetzung und Reihenfolge der Nukleinbasen sowie die millionenfache Kombination dieser mit den Aminosäuren als Bausteinen für die Realisierung. Sie sehen, die DNA des digitalen CFO lässt sich »ganz leicht« entschlüsseln. In diesem Buch möchte ich Sie anregen, die Nukleinbasen und Aminosäurebasen für sich und Ihre ganz persönliche DNA als digitaler CFO zu entschlüsseln.

Aus diesen Überlegungen heraus könnte sich ein genetischer Bauplan, eine Konstruktionszeichnung der DNA des digitalen CFO mit den Nukleinbasen PHM – FM – OA – HRM – KM – BPM – S – GW – D wie folgt ergeben.

Beispiel: Konstruktionszeichnung der DNA des digitalen CFO

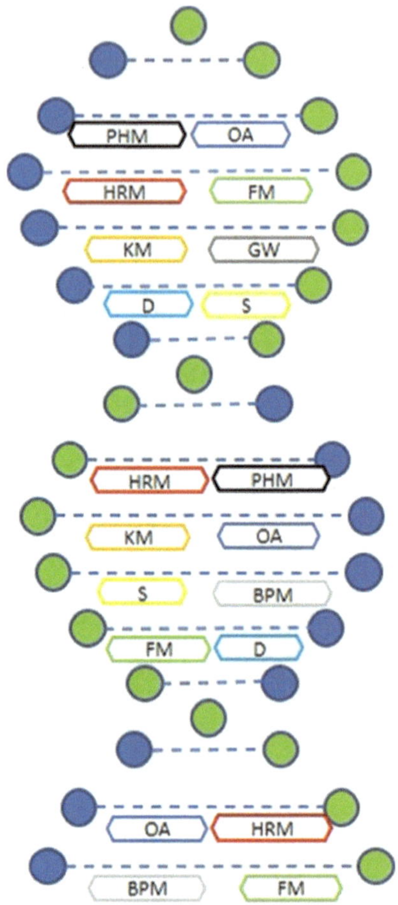

Nukleinsäuren
PHM: Persönliche Herausforderungen meistern | FM: Finanzmanagement |
OA: Operatives CFO-Ausrichtung | HRS: Human Resources Management |
KM: Kommunikationsmanagement | BPM: Business Partnership Management |
S: Strategie | GW: Geschäftsmodelle im Wandel | D: Digitalisierung

Die Nukleinsäurebasen sind die Grundlage der Konstruktionszeichnung der DNA des digitalen CFO. In diesem Zusammenhang möchte ich Ihnen einen für mich grundlegenden Aspekt meiner Arbeit mit CFOs ans Herz legen.

Wichtig

Das menschliche Genom enthält ca. 3,2 Milliarden Nukleinbasenpaare und Aminosäuren, aber nur ihre Abfolge bestimmt über unsere Gene. Übertragen auf die DNA des digitalen CFO bedeutet dies, dass eben diese Abfolge Sie als Mensch und in Ihrer Funktion als Führungskraft und CFO einzigartig macht. Nutzen Sie die Ihnen gegebene Abfolge für Ihren Erfolg. Und denken sie daran: Sie sind einzigartig in Ihrer CFO-DNA!

2.3 Fachlichkeit allein genügt nicht

2.3.1 CFOs stehen vor großen Herausforderungen

Das Finanzwesen von Firmen verändert sich grundlegend. Etablierte Unternehmen stehen unter dem Druck zukunftsweisender neuer Geschäftsmodelle, Regulierungen, Technologien und einer wachsenden Verantwortung für Nachhaltigkeit. Vor diesem Hintergrund drängen CEOs und Vorstände darauf, Strategien, Betriebsmodelle und Investitionen anzupassen. Dies führt zwangsläufig dazu, dass andere Unternehmensteile mehr vom CFO-Team verlangen. Diese Forderung beinhaltet nicht nur eine erhöhte Agilität, sondern auch die Wahrnehmung neuer analytischer und strategischer Aufgaben.

Damit einher geht die veränderte Rolle des CFO. In vielen Finanzbereichen zeigt sich klar, dass die derzeitigen Ansätze den aktuellen Herausforderungen nicht mehr gerecht werden. Diese Finanzfunktionen müssen auf breiter Front modernisiert werden.

Einen Großteil ihrer Ressourcen verwenden Unternehmen darauf, in die Kernfinanzprozesse zu investieren, während nur ein geringerer Teil für Themen mit höherer Wertschöpfung wie etwa Predictive Analytics eingesetzt wird. Positiv zu betrachten ist jedoch die Tatsache, dass eine Zahl von Unternehmen in naher Zukunft mehr oder deutlich mehr in digitale Technologien und Fähigkeiten investieren will. Dabei stellen mit Sicherheit die verbesserte Unterstützung von Geschäftsentscheidungen, gesteigerte Prozesseffizienz und die Nutzung qualitativ hochwertiger Daten die zentralen Bereiche des Wandels dar.

Als CFO wollen Sie sich diesen Herausforderungen stellen, entscheidendes Handeln wird jedoch häufig durch die Realität erschwert, zum Beispiel durch diese Faktoren:

- Regulierung und Compliance verlangsamen Entscheidungsprozesse erheblich.
- Ältere Mitarbeiter und ein begrenzter, aber sehr engagierter Talentpool, schränken die Fähigkeiten Ihres Teams ein.
- Veraltete ERP- und IT-Systeme machen Ihre Prozesse ineffizient.
- Begrenzte finanzielle und personelle Ressourcen reduzieren das Arbeitstempo und sorgen dafür, dass Sie sich auf das Tagesgeschäft konzentrieren müssen.

Auch wenn die Erwartungen an Sie hoch sind, so gibt es Antworten darauf. Diese bilden den Ansatz des digitalen CFO.

Angesichts der vielen zu berücksichtigenden Aspekte erfordert jede Entscheidung von Ihnen eine umfassende Analyse: Zunächst müssen Lösungen einen echten Mehrwert bieten. Die Entscheidung für ein Vorgehensmodell muss die für eine erfolgreiche Implementierung erforderlichen Ressourcen auch rechtfertigen. Transparenz ist ein weiterer Schlüssel: Technologien und deren Architekturen und Benutzerführungen müssen eine nachhaltige Einhaltung von Regularien und von internen Kontrollen ermöglichen. Und vor allem muss jede Lösung einfach und skalierbar sein, sodass sie kein Hindernis für M&A-Aktivitäten oder das Wachstum neuer Geschäfte und die Internationalisierung darstellt.

2.3.2 Vom Chief Financial Officer zum Chief Future Officer

CFOs steht zur Bewältigung ihrer Aufgaben eine stetig wachsende Zahl neuer Technologien und Prozesse zur Verfügung. In der Regel helfen erste Erfahrungen und Machbarkeitsnachweise, die neuen Paradigmen besser zu verstehen und das Transformationspotenzial zu erkennen. Die Funktion des Chief Future Officer ist eine Erweiterung Ihres Aufgabenspektrums. Eine Erweiterung, bei der es für Sie in einem ersten Schritt vor allem wichtig ist, eine klare Strategie und Vision für Ihre Organisation zu entwickeln. Diese hilft Ihnen, sich auf die wichtigsten Prioritäten zu konzentrieren, um im Laufe der Zeit konsequent gemeinsam mit Ihren Mitarbeitern in Projekte zu investieren, die Ihre Organisation auf die Bedürfnisse der Zukunft ausrichten.

Lassen Sie mich diesen Punkt verdeutlichen: Mein Eindruck ist, dass viele CFOs derzeit keine priorisierte Vision und Roadmap mit ihrem Vorstand oder ihren Teams teilen. Sie haben zu viele Prioritäten und es fehlt oft an einer klaren Strategie und Vision. Um aber ein Chief Future Officer zu werden, müssen Sie als CFO eine Vision, Strategie und Roadmap entwickeln und diese erläutern.

Die Umsetzung muss als ein schrittweiser Prozess betrachtet werden, der auf Basis einer Strategie des Finanzbereichs geplant wird und der sich an den Bedürfnissen und Herausforderung des Unternehmens orientiert.

Ein starkes Fundament als Basis

Dieser Prozess beginnt mit einem starken Fundament. Neue Datenerfassungs- und ERP-Systeme, die verzahnt miteinander arbeiten, sind die Basis für effiziente Prozesse. Darauf aufbauend bedarf es ganzheitlicher, datenbasierter Entscheidungen.

Synchronisierte und dynamische Tools unterstützen die Entwicklung neuer Back-office-Plattformen für die Finanz-, Supply-Chain- und Lohnbuchhaltungsabteilungen und stellen sicher, dass die Prozesse wirklich durchgängig sind und zur Steuerung des Gesamtunternehmens beitragen können. Dabei bedarf es neuer Rollen, Fähigkeiten und der dazu erforderlichen Governance, die die Nutzung der neuen Systeme und die Verwirklichung der strategischen Zielsetzungen unterstützen.

Auf Basis dieses Fundaments können Sie als Chief Futur Officer innovative Tools wie Cloud Computing, automatisiertes Reporting, Robotic Process Automation (RPA) und künstliche Intelligenz (KI) einführen. Diese ermöglichen es Ihnen und Ihrem Team, mit weniger Aufwand mehr zu erreichen, wodurch Ressourcen für Aufgaben von höherer Wertschöpfung frei werden.

Eine starke, datengesteuerte Kultur aufbauen

In der Praxis bedeutet dies die Einführung einer starken, datengesteuerten Kultur in vielen Bereichen des Unternehmens. Hierbei sollten innovative Designs und agile Programmmanagementmethoden eingesetzt werden. Ein Zusammenarbeiten der Bereiche Rechnungswesen, Controlling, Steuern, Einkauf und interne Revision ist dabei unabdingbar. So ist es zum Beispiel möglich, potenzielle Anwendungsfälle zu planen und die Pigmentierung von ausgewählten, erfolgversprechenden Anwendungsbeispielen zu kreieren. Denkbar wäre beispielsweise die Erkennung von Zahlungsplänen für Rechnungen, ein Rückstellungsmodell für Kundenforderungen oder die Reduzierung von Kreditkartenbetrug. In der Umsetzung haben dabei alle Anwendungsfälle einen positiven Wertbeitrag und bilden die Grundlage für weitere »CFO 4.0 Use Cases«.

Mitarbeiterpotenziale nutzen

Die Transformation des CFO-Bereichs wird auch Ihr Team verändern. Es geht nicht allein darum, die talentiertesten Kandidaten, die von einem aufregenden, zukunftsorientierten Arbeitsplatz angezogen werden, zu gewinnen. Nutzen Sie auch das Potenzial Ihres bestehenden Teams und fördern Sie es mithilfe von Weiterbildungsmaßnahmen. Im Ergebnis entsteht ein robuster und belastbarer Pool von Experten, auf den Sie sich bei den zukünftigen Transformationsschritten verlassen können.

Viele Finanzteams geben bereits positive Rückmeldungen zu übergreifenden Ergebnissen digitaler Investitionen. Dabei empfinden die meisten die operative Effizienz als den größten Nutzen, gefolgt von Transparenz, Sicherheit, Compliance und Kundenzufriedenheit. Aber auch die Unterstützung von Geschäftsentscheidungen spielt eine große Rolle, was wiederum das zusätzliche Potenzial und die Notwendigkeit weiterer Initiativen in diesem Bereich zeigt.

Fazit

Bildquelle: pixabay/OpenClipart-Vectors

2.4 Lebenslanges Lernen

Lebenslanges Lernen statt Stagnation

Die Welt entwickelt sich unabdingbar weiter. Berufsbilder und die damit verbundenen Tätigkeiten ändern sich aufgrund der Digitalisierung grundlegend. Auch die des CFO!

Sie können und müssen sich Flexibilität im Beruf bewahren. Hören Sie nie auf, wissbegierig zu sein. Nur durch einen fortwährenden Lernprozess ist es Ihnen überhaupt möglich, die zahlreichen Chancen, die sich bieten, zu ergreifen und Ihre Träume und Ziele richtungsweisend zu verfolgen.

Praxistipp

»You can never be overdressed or overeducated.«
Oscar Wilde

Die Redewendung »Was Hänschen nicht lernt, lernt Hans nimmermehr« ist deshalb in der heutigen Zeit nicht mehr ganz aktuell, auch wenn das natürlich nicht heißt, dass das, was Hänschen gelernt hat, keinen Nutzen mehr hat. Im Gegenteil. Der Lernprozess hört aber nicht schlagartig auf. Doch die Redewendung zeigt, wie stark unser Veränderungswille und unsere Bereitschaft zum lebenslangen Lernen von unserem Mindset, unserer Erziehung und unseren Glaubenssätzen abhängig ist. Das Konzept des lebenslangen Lernens zielt darauf ab, dass man alles zu jeder Zeit lernen kann und es nie zu spät dafür ist. Die Anforderungen, die Sie bei diesem Lernprozess an Ihren Beruf und nicht zuletzt auch an Ihr Privatleben stellen, erfordern die angesprochene Flexibilität und Anpassungsfähigkeit sowie den Willen zu Fort- und Weiterbildung. Dieser Wille bildet auch die Grundlage für Ihren Weg zum erfolgreichen digitalen CFO.

Das Wort »lebenslang« mag im ersten Moment etwas bedrohlich klingen. Dennoch ist es die Grundlage für Wissen, das nötig ist, um die eigenen Kompetenzen zu erweitern, sich neue Qualifikationen anzueignen und bisher Gelerntes anzuwenden und zu reflektieren. Ganz entscheidend für den Erfolg wird dabei auch sein, sich disziplinübergreifendes Wissen anzueignen.

Seien Sie mutig und verlassen Sie Ihre Komfortzone! Mit Sicherheit kostet das an der ein oder anderen Stelle Überwindung, Sie steigert dadurch jedoch nicht nur Ihr Wissen, sondern wachsen auch als Person.

Die Verantwortung über Ihre zeitlichen Ressourcen liegt bei Ihnen
Sie fragen sich, wie Sie das neben Ihrer täglichen Arbeit schaffen sollen? Schließlich sind Ihre zeitlichen Ressourcen sowieso schon knapp. Letzten Endes hängt es von Ihnen selbst ab: Wenn Sie für sich entschieden haben, dass die Punkte auf Ihrer Agenda zum digitalen CFO Sie auf Ihrem Weg zu Zufriedenheit und Selbstverwirklichung unterstützen werden, haben Sie schon die Grundlage gelegt. Der Rest lässt sich durch Selbstdisziplin und ein gutes Zeitmanagement erreichen.

Beispiel: Der CFO als Triathlet

Der CFO eines namhaften familiengeführten, mittelständischen Unternehmens aus Deutschland mit über 30.000 Beschäftigten und über 160 Tochtergesellschaften hat mich gerade in diesem Punkt während unserer 14 Monate dauernden Zusammenarbeit nachhaltig beeindruckt. Wir hatten beide die Angewohnheit, zum Mittagessen ziemlich spät in das Betriebsrestaurant zu gehen. Als wir uns zu Beginn unserer Zusammenarbeit dort zum ersten Mal zufällig trafen, fiel mir auf, dass die Größe der Portion, die mein Gegenüber auf seinem Teller hatte, nicht zu seiner sehr dünnen und durchtrainierten Figur passte. Als ich ihn fragte, wie er es bewerkstelligte, eine so beachtliche Menge zu essen, dennoch aber eine so hervorragende Figur besitze, gab er mir eine Antwort, mit der ich aufgrund meiner Erfahrungen mit Führungskräften nicht gerechnet hatte. Er sei schließlich von 11 Uhr bis 13 Uhr im Schwimmbad schwimmen gewesen, habe jetzt einen ordentlichen Hunger und müsse etwas für seinen Energiebedarf tun.

Ich schmunzelte und sagte, dass ich es gut fände, dass er ab und zu die Zeit findet, etwas für seinen Körper zu tun. Ich selbst würde gerade von meinem täglichen 30 – minütigen Mittagsspaziergang kommen und nun die restliche Pause mit Essen verbringen.

Im Verlauf des Gesprächs erfuhr ich, dass er jeden Tag zwischen 11 Uhr und 13 Uhr entweder Schwimmen, Laufen oder Radfahren gehe, um dann von 13 Uhr bis 13:30 Uhr zu essen. Er sei Triathlet, und es sei aufgrund seiner beruflichen Belastung notwendig, dass er dies jeden Tag zur gleichen Uhrzeit und unter Berücksichtigung seines Biorhythmus sowie der Wettkämpfe im Triathlon umsetzt.

Das überraschte mich doch sehr und ich hakte nach. Woraufhin mein Gegenüber erklärte, dass sein Terminkalender das komplette Jahr zwischen 11 Uhr und 13:30 Uhr blockiert sei und er zu dieser Uhrzeit auch niemals an einem Meeting teilnehme – da könne kommen, was wolle. Man könne ihn nahezu zu jeder Tages- und Nachtzeit erreichen, er würde sein halbes Leben in Flugzeugen und in Besprechungsräumen verbringen, aber eben nicht zwischen 11 Uhr und 13:30 Uhr. Dies habe er sich damals in den Verhandlungen mit der Eigentümerfamilie und dem CEO zusichern und als Passus in seinen Anstellungsvertrag aufnehmen lassen.

Jetzt werden Sie vielleicht einwenden, dass sich Alexander Nübel bei seinem Wechsel von Schalke 04 zu Bayern München im Sommer 2020 auch schriftlich eine feste Spielzeitgarantie zusichern ließ und nun dennoch nicht spielt, aber ich denke, das ist nicht ganz vergleichbar. Hier liegt es nicht an Nübel allein, ob er spielt. Für den Umgang mit Ihren Ressourcen aber sind Sie allein verantwortlich.

2.5 Seien Sie der Beste

Sie sind als CFO beruflich erfolgreich und haben ein spannendes Fachgebiet? Dann bleiben Sie dabei und bauen Sie dieses aus. Es ist besser, ein Top-Experte auf Ihrem Fachgebiet zu sein, als mit oberflächlichem Wissen auf vielen Gebieten überzeugen zu wollen. Ein Top-Experte ist verlässlich und in der Lage, komplexe Themen anschaulich und verständlich zu vermitteln. Nicht für Insider, sondern für die breite Masse. Seien Sie als CFO in der Lage, von der Fachsprache in die Alltagssprache zu übersetzen.

Um sich als Top-Experte auf Ihrem Gebiet zu positionieren, sollten Sie Ihre Marke, Ihr CFO-Branding, nach dem Best-of-Prinzip nachhaltig herausarbeiten und aufbauen: Wofür sind Sie bekannt? Woran sollen andere als Erstes denken, wenn Ihr Name fällt? Wenn Sie den Namen »Otto Waalkes« hören, denken Sie folgerichtig an Unterhaltungskomik, Sven Plöger ordnen Sie dem Wetter zu und Robert Habeck der Partei Bündnis 90/Die Grünen. Diese drei Personen haben gemeinsam, dass sie ihr Thema gefunden haben und dieses verlässlich nach außen vertreten. Ihr Verhalten ist erwartbar, sie verändern ihre Haltung und ihr Thema nicht.

Natürlich ist es verlockend, gerade bei so vielen Einflüssen, die durch das Thema digitale Transformation auf Sie einprasseln, die eigene Kernkompetenz zu erweitern, und mal etwas anderes auszuprobieren. Doch Profil-Veränderungen sind für Ihr Umfeld schlecht greifbar, das Vertrauen in Sie schwindet eventuell schnell, und im schlechtesten Fall verspielen Sie sogar Ihren Expertenstatus. Oder wollen Sie von Otto über das Wetter informiert werden oder eine Comedyshow mit Robert Habeck sehen? Auch wenn beides sicher Unterhaltungswert hätte. Mehr zum Thema Personal Branding als CFO erfahren sie in Kapitel 3.1.11.

In diesem Sinne: Bauen Sie auf Ihre Stärken, auch in Bezug auf die digitale Transformation, und seien Sie der Beste!

3 Persönliche Erfolgsfaktoren des digitalen CFO in der Transformation

3.1 Persönliche Herausforderungen meistern (PHM)

Im Zeitalter der digitalen Transformation scheint es modern geworden zu sein, Themen, die einen bewegen, bedrücken oder einem Angst machen, als Herausforderung zu bezeichnen. Das Wort »Herausforderung« bedeutet dabei:

Eine Aufgabe bzw. Arbeit, die sehr anspruchsvoll ist	oder	die Aufforderung eines Gegners zu einem Zweikampf

Ihren persönlichen Herausforderungen müssen Sie sich täglich in allen Bereichen des Lebens stellen. Häufig müssen Sie sich die Herausforderungen dabei gar nicht selbst suchen. Sie begegnen Ihnen von allein. Und ist es nicht eben genau dieser Umstand, der Sie auch in Ihrer Rolle als CFO gerade in Zeiten der digitalen Transformation das ein oder andere Mal Ohnmacht ob der Größe der persönlichen Herausforderungen, die damit einhergehen, verspüren lässt?

Persönliche Herausforderungen können aber auch Prüfsteine für Sie sein. Prüfsteine, an denen Sie wachsen können. Für mich ist dabei entscheidend, dass Sie Ihre persönlichen Herausforderungen benennen können, um den Umgang mit diesen Herausforderungen und das damit verbundene Ergebnis positiv für sich nutzbar zu machen. Die nachfolgende Übersicht zeigt, welche persönlichen Herausforderungen Sie sich als CFO zu stellen haben und wie Sie lösungsorientiert damit umgehen können.

Ganz wichtig dabei: Der Einzige, der Ihre persönlichen Herausforderungen meistern und damit den Stier bei den Hörnern packen kann, sind Sie selbst!

Wichtig: Persönliche Herausforderungen

3.1.1 Fahren Sie Ihre persönliche Agenda

Sie haben Ihre Stärken, Vorlieben und Neigungen. Diese sind geprägt von vielen großen und kleinen persönlichen Eigenschaften, die wiederum durch unterschiedlichste Einflüsse entwickelt wurden: Erziehung, Begabung, Geschicklichkeit, Erfahrungen, Beziehungen und persönlichen Interessen. Dies ist auch in Ihrer Rolle als CFO so. Sie wissen am besten, ob Ihre Vorliebe beispielsweise die Finanzen betrifft, das operative Geschäft, die strategische Arbeit oder das Führen von Menschen.

Um Ihre persönlichen Herausforderungen meistern zu können, bedarf es einer großen Portion Willenskraft. Willenskraft, die Sie nur dann aufbringen können, wenn Sie in Ihrer Position als CFO nicht nur an die Bedürfnisse des Unternehmens und Ihrer Mitarbeiter denken, sondern auch Ihre eigenen Bedürfnisse in den Fokus Ihres Handelns stellen.

Fordern Sie sich mit Ihrer persönlichen Agenda selbst heraus. Sie werden sowohl persönlich als auch in Ihrer Rolle als CFO daran wachsen und Ihre Perspektive wird sich positiv verschieben. Damit Sie dabei Erfolge erzielen, reicht es wie im sportlichen Training nicht aus, sich einer einmaligen persönlichen Herausforderung zu stellen. Vielmehr kommt es auf die Regelmäßigkeit der Herausforderungen im Training und im Wettkampf an.

Doch was genau ist Ihre persönliche Agenda? Besitzen Sie eine? Und haben Sie diese im Kopf oder – wie jedes gute Strategiepapier von Ihnen – schriftlich und visuell festgehalten?

Ich möchte Sie in diesem Buch bei dieser persönlichen Agenda unterstützen, unabhängig davon, ob Sie diese noch finden müssen oder sie anpassen oder erweitern wollen. Dabei bilden die folgenden zwei Grundsätze das Fundament für Ihre Entwicklung und Ihr Wohlbefinden.

Fazit

+	–
Fahren Sie Ihre persönliche Agenda.	**Don't listen to the naysayers.** (Arnorld Schwarzenegger's rules of success)

3.1.2 Achten Sie auf eine gute Work-Life-Balance

Ob junger CFO oder gestandener Top-Manager: Eine ausgeglichene Balance zwischen Beruf und Freizeit/Familie wird immer wichtiger. Es war nach meinem Verständnis übrigens schon immer so. Nachvollziehbare Gründe für eine ausgewogene Work-Life-Balance sind zum Beispiel Ihre eigene Gesundheit, Ihre Ausgeglichenheit und Ihre Zufriedenheit – sowohl im Beruf als auch privat.

Work-Life-Balance bedeutet für Sie eine intelligente Verzahnung von Arbeits- und Privatleben vor dem Hintergrund einer veränderten und sich dynamisch verändernden Arbeits- und Lebenswelt. Betriebliche Work-Life-Balance-Maßnahmen zielen darauf ab, Ihnen eine erfolgreiche Berufsbiografie unter Rücksichtnahme auf private, soziale, kulturelle und gesundheitliche Erfordernisse zu ermöglichen. Ein ganz zentraler Aspekt ist dabei die Balance von Familie und Beruf. Integrierte Work-Life-Balance-Konzepte beinhalten bedarfsspezifisch ausgestaltete Arbeitszeitmodelle, eine angepasste Arbeitsorganisation, Modelle zur Flexibilisierung des Arbeitsortes wie etwa Telearbeit, Führungsrichtlinien sowie weitere unterstützende und gesundheitspräventive Leistungen für die Beschäftigten.

3.1.3 Arbeiten Sie an Ihrer Persönlichkeit

Seit jeher versuchen Psychologen, Instrumente zu entwickeln, die es erlauben, Menschen zu kategorisieren bzw. ihre Persönlichkeit zu beschreiben. Die Literatur definiert Persönlichkeit als »einzigartiges Muster von Eigenschaften eines Menschen, die relativ überdauernd dessen Verhalten bestimmen« sowie »in vielen Situationen und über einen längeren Zeitraum hinweg beeinflussen«[1]. Soziale Lerntheorien und kognitive Ansätze verstehen Persönlichkeit als Summe offener und verdeckter Reaktionen, die regelmäßig aufgrund von Verstärkungsgeschichten einer Person ausgelöst werden. Viele Definitionen betonen, dass Persönlichkeit die gesamte Person und deren Individualität umfasst, das heißt das komplexe Zusammenwirken oder die intraindividuelle Organisation von Kognition, Emotion und Motivation sowie damit einhergehende biologische Korrelate und Muster.

Zudem sei die Individualität der Persönlichkeit einer Person darauf zurückzuführen, dass Menschen mithilfe von Beobachtungen des Verhaltens anderer durch soziale Nachahmung lernen können. Hierdurch bildet der Mensch gewisse Gewohnheiten aus, die in Summe seine Persönlichkeit bilden. Unsere Reaktion auf ein bestimmtes Ereignis ist letztlich abhängig von vielen Variablen.

Wichtig: Variablen, die unsere Reaktion auf Ereignisse bestimmen

Dies sind allesamt Variablen, denen Sie sich zunächst bewusst werden sollten, an denen Sie aber auch arbeiten können. Selbsterkenntnis ist ein elementarer Teil der psychoanalytischen Arbeit. Dabei stellt das Selbstkonzept ein mentales Konstrukt Ihrer verfügbaren Fähigkeiten und Eigenschaften dar.

1 Kratzmeier (2008), S. 472 und Zimbardo/Gerrig (2004), S. 601.

Wichtig: Komponenten des Selbstkonzepts

Das Selbstwertgefühl bildet eine generalisierte wertende Einstellung gegenüber dem eigenen Selbst, die sowohl Stimmung als auch Verhaltensweisen beeinflusst und starken Einfluss auf eine Reihe von persönlichen und sozialen Verhaltensweisen ausübt. Als CFO sollten Sie Ihr Selbstwertgefühl gesund einschätzen können. Dies gibt Ihnen die Sicherheit, dass Ihre Fähigkeiten und Kompetenzen ausreichen, um erfolgreich handeln zu können.

Studien haben festgestellt, dass Menschen von Situation zu Situation unterschiedliches Verhalten zeigen, das heißt, ihre Persönlichkeit ist von der jeweiligen sozialen Situation abhängig, in der sie sich befinden. Seit vielen Jahrzehnten besteht in der Forschung Einigkeit darüber, dass für die Beschreibung der Persönlichkeit mindestens fünf breite Persönlichkeitsdimensionen heranzuziehen sind: die sogenannten Big Five.

Studien haben gezeigt, dass sich insbesondere Extraversion und Neurotizismus auch kurzfristig, das heißt innerhalb von vier bis acht Wochen, durch Psychotherapie, Training und Coaching verändern lassen. Dieser Befund ist für Sie wichtig, weil Persönlichkeitsmerkmale wie die Big Five mit zentralen Kriterien wie beruflichem Erfolg, Wohlbefinden, Lebens- und Beziehungszufriedenheit einhergehen. Die Erkenntnis, die wir daraus ziehen können, ist, dass Persönlichkeit kein unveränderbares Schicksal ist.

Ähnlich stellt es sich mit Ihrer Charakterstärke dar. Der Begriff »Charakterstärke« fast positiv konnotierte Persönlichkeitsmerkmale zusammen, die schon seit längerer Zeit erforscht werden.

Wichtig: Persönlichkeitsdimensionen

Wichtig: Charakterstärke

Das, was Persönlichkeit, Selbstwertgefühl und Charakterstärke in ihren Einzelaspekten ausmachen, zeichnet Sie als anerkannten CFO aus. Auch wenn es nicht immer leichtfällt, an diesen Themen zu arbeiten, lohnt es sich sehr. Wie oben kurz dargelegt lassen sich Extraversion und Neurotizismus auch kurzfristig durch Training und Coaching verändern. Extraversion bezeichnet dabei Ihre seelische Einstellung, die durch Konzentration der Interessen auf äußere Objekte gekennzeichnet ist. Auch Neurotizismus, die gesamte Verfassung, die durch emotionale Labilität, Schüchternheit und Gehemmtheit charakterisiert ist, können Sie sehr gut mit einem ausgebildeten Coach trainieren und verbessern (siehe dazu auch Kapitel 3.1.6).

Fazit

Arbeiten Sie an Ihrer Persönlichkeit und stärken Sie dadurch sich selbst!

3.1.4 Strukturieren Sie Ihre persönlichen Themen

Struktur bezeichnet ursprünglich eine Eigenschaft eines Ganzen, dessen Aufbau, die Anordnung von dessen Teilen oder die Gliederung dieser Teile. Die umfasst auch die geordnete Gesamtheit und die Zusammenhänge dieser Teile. Struktur ist der Oberbegriff für Organisation, Ordnung, Systeme und Routinen. Dabei bedeutet Strukturierung, etwas in eine bestimmte, geeignete und Regeln folgende Struktur zu bringen. Idealerweise geschieht dies durch Unterteilung und Gliederung.

Als CFO sind Sie permanent dabei, Dingen und Themen Struktur zu verleihen. Was ist aber mit der Strukturierung Ihrer persönlichen Themen? Erfahrungsgemäß fällt diese gegenüber geschäftlichen Themen in der Priorisierung deutlich zurück. In meinen Coachings erlebe ich häufig, dass das Aufgreifen und Reflektieren persönlicher Themen Führungskräften wie CFOs eher schwerfällt, obwohl durchaus ein ausgeprägtes Gespür für und ein – mitunter unterdrücktes – Verlangen nach positivem Empfinden in Bezug auf persönliche Themen gegeben ist. Unter persönlichen Themen verstehe ich an dieser Stelle nicht nur rein familiäre Angelegenheiten, sondern ganz grundsätzlich Themen, die Sie persönlich beschäftigen, wozu Ihre Familie, Ihr Wohlbefinden und durchaus auch persönliche berufliche Themen zählen können.

Um es vorwegzunehmen: Eine der Hürden, die es mit der Umsetzung zu überwinden gilt, ist wie immer der Gap zwischen Theorie und Praxis. Um als CFO und in Ihrem Leben erfolgreich zu sein, brauchen Sie ganzheitliche Strukturen, die Ihre individuellen Rahmenbedingungen einbeziehen, etwa Ihr Umfeld, Ihre Persönlichkeit und die Anforderungen Ihres Geschäfts als CFO. Nur dann ist es Ihnen möglich, ein stimmiges Gesamtbild zu entwickeln und daraus wirkungsvolle und funktionierende Abläufe, Routinen und Systeme abzuleiten.

Welche persönlichen Themen das sind, können nur Sie selbst beantworten. Ihre persönlichen Themen bestimmen sich in Abhängigkeit von Ihrer Persönlichkeit, Ihren Anlagen, Ihren Bedürfnissen, Ihren Erfahrungen und Ihren Gewohnheiten, aber auch durch äußere Gegebenheiten. Und auch hier gilt selbst verständlich, dass es viele Bereiche gibt, in denen es für Sie hervorragend läuft und mit denen Sie rundum zufrieden sind. Dennoch sollten Sie gerade diese Bereiche bei der Strukturierung Ihrer persönlichen Themen in den Fokus rücken, denn sie sind es, aus denen Sie Kraft für schwierigere Themen ziehen können.

Nur wenn Sie alle persönlichen Themen strukturiert, bestenfalls visualisiert, vor sich haben, können Sie wie in geschäftlichen Fragen auch viel bewusster Schwerpunkte setzen. In einem ersten Schritt helfen Ihnen die nachfolgenden Fragen, Klarheit darüber zu gewinnen, welche persönlichen Themen für Sie wichtig sind. In einem zweiten Schritt können Sie dann Ihre persönliche Gewichtung und Strukturierung vornehmen.

Arbeitshilfe: Fragestellungen zu persönlichen Themen

	Habe sehr gute Antwort	Habe gute Antwort	Habe mangel-hafte Antwort	Habe unge-nügende Antwort	Habe keine Antwort
Wer bin ich?	.	.	.	.	.
Wer möchte ich sein?	.	.	.	.	.
Wo stehe ich aktuell?	.	.	.	.	.
Welche persönlichen Herausforderungen habe ich aktuell?	.	.	.	.	.
Welche persönlichen Visionen habe ich?	.	.	.	.	.
Welche persönlichen kurzfristigen, mittelfristigen und langfristigen Ziele habe ich?	.	.	.	.	.
Welche persönlichen Pläne habe ich?	.	.	.	.	.
Ist meine Planung auf meine Ziele ausgerichtet?	.	.	.	.	.
Was ist mir im Leben wichtig?	.	.	.	.	.
Warum tue ich das, was ich tue?	.	.	.	.	.
Worauf hätte ich am meisten Lust?	.	.	.	.	.
Nach welchen Kriterien plane ich meine Tage und Wochen?	.	.	.	.	.
Wie setze ich Prioritäten im persönlichen Bereich?	.	.	.	.	.
Worauf richte ich persönlich meinen Fokus?	.	.	.	.	.
Was tue ich, um meine persönlichen Ziele und Pläne zu verwirklichen?	.	.	.	.	.
Woran scheitert es, wenn ich meine persönlichen Ziele nicht erreiche?	.	.	.	.	.

	Habe sehr gute Antwort	Habe gute Antwort	Habe mangelhafte Antwort	Habe ungenügende Antwort	Habe keine Antwort
Habe ich einen guten Überblick über meine persönlichen Themen und Herausforderungen?	.	.	.	.	.
Von welchen Zielen könnte ich mich verabschieden?	.	.	.	.	.
Welche Ziele könnte ich etwas zurück stellen?	.	.	.	.	.
Welche Ziele möchte ich etwas stärker in den Fokus rücken?	.	.	.	.	.
Welche persönlichen Ziele, die ich bislang nicht angegangen bin, möchte ich neu verfolgen?	.	.	.	.	.
Wie viel Energie habe ich noch für meine persönlichen Themen?	.	.	.	.	.
Welche Energiequelle hilft mir, meine persönlichen Themen voranzutreiben?	.	.	.	.	.
Welche Energiefresser hindern mich daran, meine persönlichen Themen weiterzuverfolgen?	.	.	.	.	.
Wie viele Zweifel und Ängste habe ich?	.	.	.	.	.
Wie könnte ich Pausen und Auszeiten gestalten, damit sie mir Energie für meine persönlichen Themen geben?	.	.	.	.	.

Das sind ganz schön viele Fragen, ich weiß. Und die sich daran anschließenden Fragen und Gedanken, die Ihnen beim Lesen der Liste durch den Kopf gegangen sind, mögen zunächst vielleicht so erdrückend sein, dass Sie überlegen, lieber die Finger von dieser Aufgabe zu lassen. Doch auch hier gilt: Haben Sie Geduld mit sich und beginnen Sie mit kleinen Schritten. Kein Mensch schafft es, diese schwierigen Fragen im Stakkatoschritt hintereinander weg zu beantworten. Wenn Sie bei der Beantwortung zu schnell vorgehen, erkennen Sie eventuell nicht, welche Kraft diese Fragen für Sie haben können. Vielleicht trauen Sie sich auch nicht, ehrliche Antworten zu geben und flüchten sich lieber in schnelle und oberflächliche Antworten. Seien Sie mutig! Nehmen Sie sich die Zeit, picken Sie sich einzelne Fragen heraus und beschäftigen Sie sich immer wieder mit diesen, wenn Sie das Gefühl haben, dass es Sie weiterbringt und Ihnen guttut. Und wenn es Ihnen hilft, lassen Sie sich dabei helfen. Den meisten Menschen fällt die Beantwortung dieser Fragen mit einem Coach an ihrer Seite deutlich leichter (siehe hierzu auch Kapitel 3.1.6). Und ein Coach hält sie bei der Stange, wenn es unangenehm wird und Sie Ihre Komfortzone verlassen müssen.

Fazit

Ich bin mir sicher, dass Sie bei der Beantwortung der Fragen einen bunten Blumenstrauß an Antworten erhalten.

Öffnen Sie den Blumenstrauß,
sortieren Sie die einzelnen Blumen,
trennen Sie sich von verwelkten oder weniger schönen Blumen,
und stellen Sie die für Sie schönen Blumen mit frischem Wasser
und in einer schönen Vase mitten in Ihr Leben.

3.1.5 Was zeichnet mich aus?

Konkurrenten bzw. Mitbewerber gibt es überall. In der Schule, im Privatleben, beim Sport, während der Ausbildung oder des Studiums und im Berufsleben. Ständig müssen Sie versuchen, sich zu behaupten, sich durchzusetzen und zu zeigen, was Sie auszeichnet. Sie brauchen ein Alleinstellungsmerkmal, um auf sich aufmerksam zu machen und im Getümmel aufzufallen. Machen Sie sich Gedanken darüber, was Sie von anderen am deutlichsten unterscheidet. Was zeichnet Sie aus?

Werden Sie sich über Ihr eigenes Profil klar und analysieren Sie Ihre Stärken und Schwächen. Um Ihr persönliches Alleinstellungsmerkmal herauszufiltern, ist der direkte Vergleich mit anderen erst einmal überhaupt nicht notwendig. Der erste Schritt besteht vielmehr in der Reflexion und Analyse Ihrer eigenen Person: Wie arbeiten Sie? Worin sind Sie besonders gut? Was bringen Sie mit, was für den Unternehmenserfolg entscheidend sein wird?

Nach der Selbstreflexion sollten Sie sich aus einem anderen Blickwinkel betrachten bzw. betrachten lassen. Das können zum Beispiel Freunde und Familienmitglieder übernehmen, die Ihnen Ratschläge und Feedback geben. Wo sehen sie Ihre größten Stärken und Besonderheiten, die Sie von anderen abheben? Dieses Fremdbild deckt sich nicht immer mit Ihrem Selbstbild; es liefert Ihnen aber wichtige Informationen.

Behalten sie dabei immer Ihre Position als CFO im Hinterkopf. In dieser wollen Sie schließlich mit Ihrem Alleinstellungsmerkmal überzeugen. Stellen Sie in allen Phasen einen möglichst konkreten Bezug zu Ihrer Position und Ihrem Unternehmen her.

Die folgende Übung hilft Ihnen herauszufinden, was Sie auszeichnet, und dies auf den Punkt zu bringen.

Übung: Drei #s auf Ihrer Visitenkarte

Sicherlich wissen Sie es, wofür das #-Symbol steht, ich fasse es aber trotzdem noch einmal zusammen:

Als Hashtag wird ein Wort oder eine Wortkette bezeichnet, denen ein Rautezeichen, also ein Doppelkreuz (#), vorangestellt ist. Ein Hashtag dient zur Kommunikation in sozialen Netzwerken wie Twitter, Facebook oder Instagram. Nutzer dieser Netzwerke können Wörter mit der Raute versehen (zum Beispiel #CFO), wodurch diese für andere Nutzer anklickbar werden. Ein Klick auf einen Hashtag führt zu einer Übersichtsseite, die sämtliche Nachrichten, die von den Usern mit diesem Hashtag versehen wurden, in chronologischer Reihenfolge bündelt. Diese Form der Verschlagwortung erfolgt auch innerhalb eines Fließtextes, etwa: Unser #CFO ist spitze.

So bestimmen Sie drei # für Ihre Visitenkarte:

1. Gehen Sie in sich und überlegen Sie, welche Hashtags Ihre Alleinstellungsmerkmale am besten wiedergeben. Lassen Sie Ihren Gedanken zunächst freien Lauf und sammeln Sie alles, was ihnen in den Kopf kommt. Notieren Sie Ihre Einfälle auf einzelne Karteikarten, damit Sie diese im Anschluss zur Visualisierung Ihrer Gedanken verwenden können. Und geben Sie sich Zeit – es dauert!
2. Suchen Sie aus Ihren #-Alleinstellungsmerkmalen die vier # heraus, die Sie gerne auf Ihrer Visitenkarte hätten.
3. Lassen Sie sich neue Visitenkarten drucken.

Die # auf meiner Visitenkarten lauten zum Beispiel:

- #interimfinancemanagement
- #digitaltransformationofpeople
- #digitalCFOpersonality
- #digitalCFOskills

3.1.6 Lassen Sie sich von einem Coach begleiten

Seit ca. 1885 spricht man in England und in den USA im sportlichen Bereich von Coaching. Im Sport steht Coaching für eine umfassende Betreuung von Spitzensportlern, die weit über das Training der körperlichen Leistungsfähigkeit hinausgeht. Dabei arbeitet der Coach mit psychologisch fundierten Trainingsmethoden.

Vor diesem Hintergrund ist Executive Coaching eine Kombination aus individueller Beratung auf Prozessebene sowie persönlichem Feedback und praxisorientiertem Training. In diesem Prozess liefert der Coach selbst keine direkten Lösungsvorschläge, sondern begleitet den Coachee – den Klienten – dabei, eigene Lösungen zu entwickeln. Es wird von der Grundannahme ausgegangen, dass der Coachee selbst über hervorragende Ressourcen verfügt, die er zur Lösung seiner Themen und Problemstellungen nutzen kann. Bei der Bearbeitung dieser Themen geht es im Coaching immer um die beiden Perspektiven des Coachees: Der Coach unterstützt hierbei den Coachee im Finden von Lösungen, die den Rollenanforderungen gerecht werden und gleichzeitig zur Person passen.

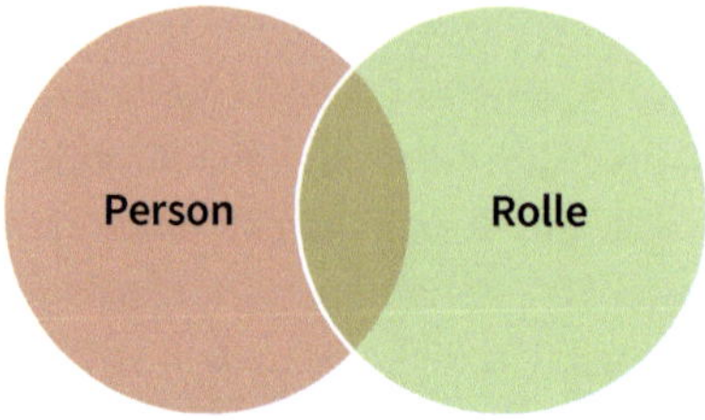

Von oben und aus anderen Perspektiven betrachtet sieht die Welt viel kleiner aus. Das Bild von oben kann ganzheitlich betrachtet werden, neue Gedanken entstehen, neue Wege tun sich auf. Aus diesem Grund ist Coaching eine bevorzugte Weiterentwicklungsmaßnahme. Durch die richtigen Fragestellungen und effiziente Techniken gelingt es dem Coach, Impulse zu setzen und neue Spielräume zu öffnen.

Der Coach als Sparringspartner
Auch der Austausch mit dem Coach als Sparringspartner kann ein hilfreicher Wegweiser für Sie als CFO sein und Ihnen Inspiration für die Themen auf Ihrer Agenda liefern. Nicht nur durch Ihre Führungsposition an sich, sondern auch durch die zunehmende Kommunikation über digitale Medien und das Zusammenarbeiten in virtuellen Teams wird es für Sie als CFO mitunter einsamer. Wenn es Ihnen an Personen fehlt, mit denen Sie sich ohne den antrainierten Filter aus politischer Gepflogenheit austauschen können, ist die Hinzuziehung eines Coaches eine der gewinnversprechendsten Optionen. Sie sollten diese Möglichkeit nutzen, um Ihren eigenen Reflexionsraum zu öffnen, der für nachhaltiges Management so wichtig ist. In vielen Situationen gewinnen Sie Klarheit, was zu tun ist, wenn Sie es laut ausgesprochen haben. Klingt simpel, ist aber im Alltag von Führungskräften oft nicht vorgesehen.

Die Digitalisierung als neue Herausforderung verlangt auch nach neuer Führung. Etwas, das man inzwischen fast überall in Unternehmen hört. Was aber genau bedeutet das für Sie? Diese Frage bleibt trotz Kenntnis der vielen Attribute, die eine digitale oder agile Führungskraft aufweisen sollte, häufig mit großen Fragezeichen im praktischen Leben verbunden. Denn neue Führung will gelernt sein. Wie in jedem Trainings- und Lernprozess brauchen Sie jemanden, der mit Ihnen gemeinsam einen Trainingsplan entwirft. Und Sie selbst müssen üben, üben und üben, was Sie wiederum sehr viel Zeit kostet, die Sie in Ihrem Alltag als CFO eigentlich nicht haben. Hinzu kommt die Erwartungshaltung Ihres Teams, dass Sie als Chef naturgemäß auf alles eine Antwort haben und dabei die notwendige Sicherheit ausstrahlen sollen. Kein einfaches Unterfangen in Zeiten, in denen sich Unternehmensführung zunehmend agil gestaltet (siehe auch Kapitel 3.4.6).

Sie als CFO werden daher durch professionelles Coaching befähigt, zukunfts- und lösungsorientiert zu handeln und dabei agil zu bleiben. Denn Ihre Worte und Handlungen haben große Auswirkungen auf die Leistungsstärke des gesamten Teams und Unternehmens. Unter dem Strich sind Sie als oberste Führungskraft der Hebel für die Produktivität Ihres Bereichs – und nicht selten darüber hinaus.

3.1.7 Meistern Sie komplex versus kompliziert

Wichtig: Komplex versus kompliziert

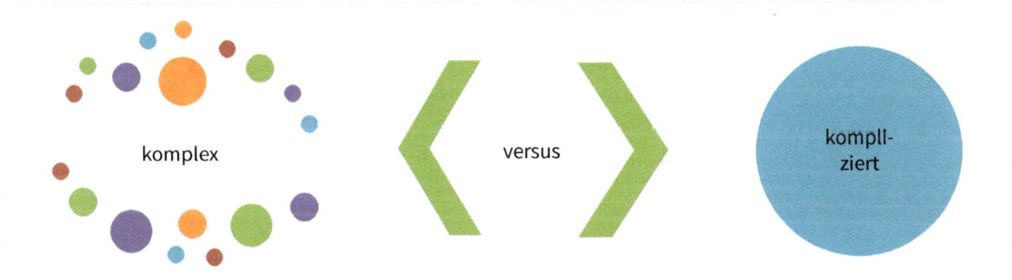

»Kompliziert« und »komplex«: zwei Wörter, die im Sprachgebrauch nicht selten durch unsaubere Verwendung synonym verwendet werden – ähnlich wie »effektiv« und »effizient«. Doch wenn Sie sich die Bedeutung der beiden Wörter und die Konsequenzen daraus vor Augen führen, können Sie viele wertvolle Schlüsse für Ihren Umgang mit entscheidenden Themen – auch bezüglich der digitalen Transformation – ziehen, etwa in Bezug auf Interpretationen, Herangehensweisen und Lösungsansätze, die Ihnen zum Teil übermächtig erscheinen mögen. Denn es macht einen großen Unterschied, ob etwas kompliziert ist oder ob Sie vor einer komplexen Herausforderung stehen. Die jeweiligen Herangehensweisen und Lösungsmöglichkeiten, auch hinsichtlich deren Verlässlichkeit, sind unterschiedlich.

Beispiel

Betrachten Sie einmal die beiden folgenden Bilder. Welches davon würden Sie als kompliziert einstufen, welches als komplex? Und was sind die Gründe für Ihre Entscheidung?

Bildquelle: Adobe Stock/Dirk 70

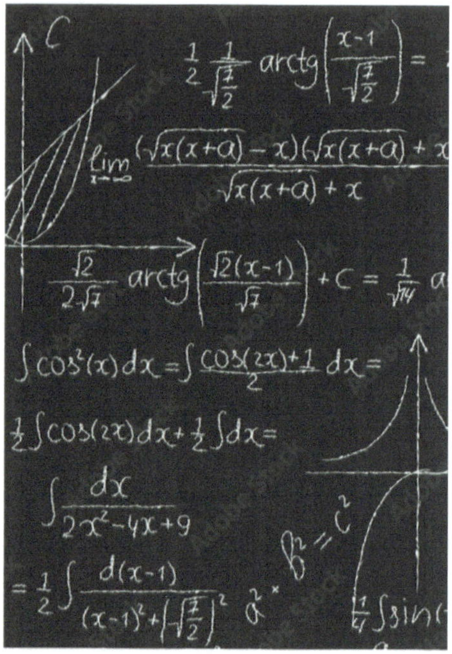

Bildquelle: Adobe Stock/Sunnycatty

Beginnen möchte ich mit Bild 2: Für viele von uns ein ziemlich chaotisches Bild. Ich war zwar sowohl in der Schule als auch im Studium, in dem ich mit sehr viel Mathematik konfrontiert wurde, meist recht gut. Allerdings kannte und kenne ich meine Grenzen diesbezüglich. Bei Bild 2 muss ich daran denken, wie ich damals meinen besten Studienfreund zur Vorstellung des Schwerpunktfachs Mathematik für das Hauptstudium begleitet habe. Ich bin, so glaube ich mich zu erinnern, eher aus Langeweile mitgekommen – inhaltlich getrieben mit Sicherheit nicht. Als wir beide den Hörsaal betraten, hatte der Dozent des Mathematiklehrstuhls bereits eine ähnliche Formel wie in Bild 2 an die riesige Tafel geschrieben. Als die Vorstellung des Schwerpunktfachs losging, drehte er sich zu uns Studenten um und fasste sich kurz. Den exakten Wortlaut möchte ich hier zur Wahrung der guten Sitten nicht zitieren. Er sagte aber sinngemäß: »Wenn Sie beim Anblick dieser Formel eine sexuelle Erregung verspüren sollten, sind Sie in unserem Schwerpunkt richtig. Falls nicht, möchte ich Sie bitten, die Veranstaltung zu verlassen.« Wir sind geblieben! Mich hat die Komik fasziniert. Warum mein Freund geblieben ist, kann ich nicht sagen. Ich habe ihn vorsichtshalber nicht gefragt. Den Schwerpunkt Mathematik haben wir allerdings beide nicht gewählt.

Welchem Begriff ist aber nun das zweite Bild zuzuordnen?

Sehen wir uns dazu noch kurz die Definition der beiden Begriffe an:

Definition: Kompliziert und komplex

Kompliziert: schwierig; verwickelt; aus vielen Einzelheiten bestehend

Komplex: vielschichtig; viele verschiedene Dinge umfassend; aus verschiedenen, ineinandergreifenden Merkmalen bestehend

Wenn's kompliziert wird, helfen Experten
Folgt man diesen Definitionen, ist das in Bild 2 Dargestellte kompliziert. Es ist schwierig und verwickelt und besteht aus vielen Einzelteilen. Bei komplizierten Dingen, die wir selber nicht beherrschen, können wir einen Experten zurate ziehen, der uns das Komplizierte auflöst und uns ein konkretes Ergebnis liefert. In unserem Fall hätten wir den Dozenten bitten können, die Formel aufzulösen und uns das Ergebnis zu nennen – auch wenn wir den Lösungsweg mit ziemlicher Sicherheit nur in kleinen Teilen verstanden hätten und auch die Lösung für uns wohl kaum nachvollziehbar gewesen wäre. Aber der Experte hätte uns eine konkrete Lösung gegeben.

Wenn Sie dies einmal auf Ihre Situation als CFO übertragen, bedeutet das, dass Sie bei komplizierten Herausforderungen auf das Wissen und die Lösungen von Experten zurückgreifen können. Ihre Aufgabe ist es, diese Experten zu finden und die von den Experten vorgeschlagenen Lösungswege und Lösungen zu bewerten und letztlich darüber zu entscheiden.

Komplexität reduzieren
Bei Bild 1 sieht es hingegen ganz anders aus. Dieses Bild ist komplex. Es ist, qua Definition, vielschichtig, umfasst viele verschiedene Dinge und weist verschiedene, ineinandergreifende Merkmale auf. Demnach ist das, was Bild 1 verkörpert, komplex.

Komplexität bezeichnet das Verhalten eines Systems oder Modells, dessen viele Komponenten auf verschiedene Weise miteinander interagieren können, nur lokalen Regeln folgen und denen Instruktionen höherer Ebenen unbekannt sind. Es handelt sich dabei um eine Gesamtheit aller voneinander abhängigen Merkmale und Elemente, die in einem vielfältigen, aber ganzheitlichen Beziehungssystem stehen. Die Elemente selbst haben dabei eine Vielfalt an Verhaltensmöglichkeiten. Die Komplexität ist durch die Anzahl und Art der Elemente und deren Beziehungen untereinander bestimmbar. Komplexe Prozesse weisen eine Eigendynamik auf und sind irreversibel, sodass Handlungen nicht rückgängig gemacht werden können.

Häufig haben Sie es als Entscheider mit Intransparenz und der Veränderbarkeit von Wirkungsverläufen zu tun, was Ihnen die Suche nach Lösungen erheblich erschwert. Sie haben keine Möglichkeiten, das Netzwerk zirkulärer Kausalität intuitiv zu erfassen, keine Möglichkeiten, exakte Modellierung oder Prognosen zu erstellen. Sie müssen grundsätzlich mit Überraschungen und Nebenwirkungen rechnen. Dies verlangt Ihnen ein hohes Maß an Wissen über die kausalen Zusammenhänge der Systemelemente ab und setzt die Fähigkeit voraus, Komplexität auf wenige Merkmale und Muster zu reduzieren.

Diese Komplexitätsreduktion ist eine der wichtigsten Eigenschaften, die Sie zukünftig als erfolgreicher CFO auszeichnen wird. Komplexe Systeme, wie sie die digitale Transformation zuhauf in unserem Arbeitsumfeld generiert, lassen sich nur iterativ Schritt für Schritt abarbeiten. Dabei können Sie durch das iterative Erkennen von Zusammenhängen Regeln – Heuristiken – ableiten, die es Ihnen ermöglichen, ursprünglich komplexe Zusammenhänge in komplizierte oder einfache Zusammenhänge zu überführen.

Arbeitshilfe: So lösen Sie Komplexität auf

Damit sie Ihr Wissen in Produktivität umsetzen können, müssen sie bildhaft dargestellt lernen, sowohl das Spielfeld als auch jeden einzelnen Akteur auf dem Spielfeld zu sehen. Den Ausgang des Spiels der digitalen Transformation kann keiner vorhersagen. Dazu ist das Spielsystem der digitalen Transformation – auch in Ihrem Umfeld – zu komplex. Wir sind nicht einmal in der Lage, das genaue Ende des Spiels der digitalen Transformation zu bestimmen. Und selbst wenn wir der Meinung wären, dass wir dies könnten: Im Zweifel bestimmen andere System und Akteure darüber. Wir haben zum Beispiel Schiedsrichter im Spiel, die trotz einer angezeigten Nachspielzeit von drei Minuten fünf Minuten nachspielen lassen. Und ausgerechnet in diesen zwei Extraminuten passieren häufig entscheidende Dinge, die den Spielverlauf und das Spielergebnis auf den Kopf stellen.

Aber genau diese Erkenntnisse zeichnen Sie als wahren Leader Ihres Unternehmens und Ihres Teams aus.

Sie können nicht alles kontrollieren

Der erste Schritt, um erfolgreich mit komplexen Sachverhalten umzugehen, ist die Erkenntnis, dass Sie sie nicht kontrollieren können. Sie können zwar versuchen, sie zu unterbrechen und ein Stück weit beherrschbar zu machen. Allerdings sollten Sie erkennen, dass sie diese Systeme niemals komplett durchdringen und kontrollieren können.

Verlassen Sie sich dabei nicht zu sehr auf Zahlen. Lassen Sie lieber Ihren Menschenverstand arbeiten und versuchen Sie, die Komplexität des jeweiligen Systems dadurch zu reduzieren, dass Sie Faktoren, die aus Wahrscheinlichkeitssicht nur einen sehr geringen Einfluss haben, temporär aus Ihrer Betrachtung ausklammern. Und wie der mathematische Begriff »ausklammern« bereits beinhaltet, bedeutet dies nicht, dass Sie diese Faktoren und deren Wirkung komplett aus Ihren gedanklichen Formeln eliminieren. Sie ziehen Sie eben nur vor die Hauptklammer und berücksichtigen Sie im ersten Schritt – bei der Berechnung der Hauptklammer – nicht.

Verändern Sie Ihren Planungshorizont

Eine weitere wesentliche Strategie im Umgang mit Komplexität ist die Veränderung Ihres Planungshorizonts. Sobald Sie feststellen, dass es sich um ein komplexes System handelt, ist es wenig sinnvoll, langfristige Planungen aufzustellen. Reduzieren Sie den Planungshorizont vielmehr und führen Sie häufigere Planungsrunden ein.

Der britische Professor Ralph Douglas Stacey hat sich mit Organisationstheorie und komplexen Systemen befasst. Die nach ihm benannte Stacey-Matrix visualisiert den Zusammenhang zwischen

1. der Klarheit, dem Wissen um die Anforderungen oder das Ziel einer Aufgabenstellung und
2. dem Bekanntheitsgrad des Prozesses, der Kenntnis über die Vorgehensweise oder die Technologie, mit der die Aufgabenstellung gelöst werden soll.
3. In Abhängigkeit dieser Größen – Klarheit etc. bzw. Bekanntheitsgrad des Prozesses etc. – stellt die Stacey-Matrix die Charakteristiken der Anforderungen und der Technologien in deren Interaktion dar.

Wichtig: Die Stacey-Matrix

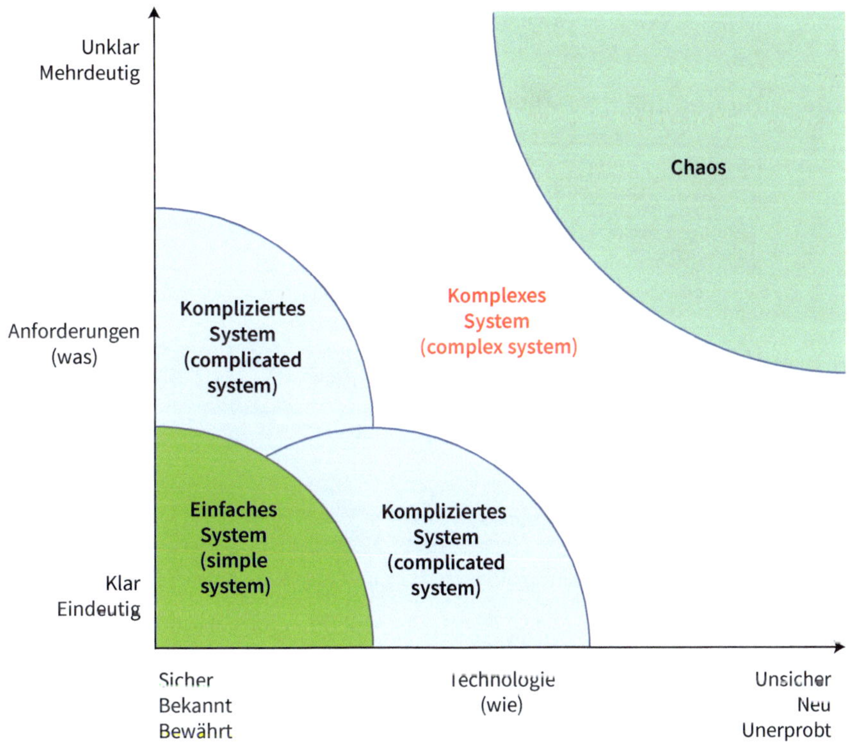

Die aus der Stacey-Matrix ableitbaren Bereiche und Konstellationen und die damit verbundenen bestmöglichen Herangehensweisen sind in der folgenden Übersicht zusammengestellt.

Wichtig: Charakteristiken von Aufgabenstellungen in Bezug auf kompliziert und komplex

Einfaches System (simple system)

- Beziehung zwischen Ursache und Wirkung ist bekannt
- Klare, eindeutige Lösung
- Herangehensweise: erkennen/wahrnehmen – beurteilen/klassifizieren – reagieren/agieren (sense – categorize – response)

Kompliziertes System (complicated system)

- Beziehung zwischen Ursache und Wirkung ist bekannt
- mehrere unterschiedliche Wirkungszusammenhänge
- Wirkungszusammenhänge sind verborgen
- Wirkungszusammenhänge lassen sich durch Analyse oder Experten herausfinden
- Keine Best Practice, nur Good Practice
- Optionen haben jeweils Vor- und Nachteile
- Herangehensweise: erkennen/wahrnehmen – Daten sammeln und analysieren – reagieren/handeln (sense – analyse – response)

Komplexes System (complex system)

- mehrere Ursache-Wirkungs-Beziehungen
- Beziehungen zwischen Einflussgrößen sind unbekannt
- Beziehungen zwischen Einflussgrößen bedingen einander teilweise
- Beziehungen zwischen Einflussgrößen sind emergent
- Zusammenwirken von Einflussgrößen ist (noch) unbekannt
- Zusammenhänge sind oft erst im Nachhinein erkennbar
- häufig Neuland
- Herangehensweise: probieren – erkennen/wahrnehmen – handeln (probe – sense – response)
- probieren = bewusstes Aufstellen von Hypothesen, kein zufälliges Trial-and-Error

Chaotisches System (chaotic system)

- kein systematischer oder logischer Zusammenhang zwischen Ursache und Wirkung erkennbar
- Ziel: Stabilisierung des Systems
- Priorität hat das Handeln, nicht die Analyse

Nicht-Wissen (disorder)

- Sie wissen nicht, in welchem der vier Typen sie sich befinden.

Viele Themen der digitalen Transformation sind für Sie als CFO und Ihr Team komplexe Sachverhalte – sowohl hinsichtlich der gestellten Anforderungen als auch hinsichtlich der Technologien, die Sie einsetzen, um die Frage zu beantworten, wie diese Anforderungen erfolgreich gestaltet werden können. Auch die Vielzahl der komplexen Sachverhalte, die durch die digitale Transformation stetig zunimmt, verlangt von Ihnen neue Herangehensweisen, aber auch einen neuen Führungsstil. Komplexe Systeme lassen sich nur iterativ Schritt für Schritt abarbeiten. Ihre Hauptaufgabe besteht darin, die entsprechenden Muster im jeweiligen System zu erkennen und die infolge der erkennbaren Logik plausiblen Handlungsalternativen und Möglichkeiten voranzutreiben (zum Thema Mustererkennung siehe auch Kapitel 3.9.19.4).

Betrachten Sie die Stacey-Matrix noch einmal aus einem anderen Blickwinkel. Sie werden erkennen, dass in diesem System auch ein Zusammenhang zwischen dem Wissen des Betrachters und dem System besteht. Für Betrachter, die ein hohes Fach- und Erfahrungswissen haben, sind gewisse Aufgabenstellungen mit hoher Wahrscheinlichkeit einer der Kategorien »einfach« oder »kompliziert« zuzuordnen. Hat der Betrachter jedoch nur ein geringes Wissen, wird dasselbe System für ihn komplex oder gar chaotisch. Ihre Aufgabe als Führungskraft ist es nun, auch in der Auswahl der jeweiligen Teammitglieder einen speziellen Fokus auf diese Herangehensweise zu legen. Sollten Sie dabei feststellen, dass Ihr derzeitiges Team nicht in der Lage ist, die ihm gestellten komplexen Herausforderungen allein zu lösen, müssen Sie durch den Einsatz erfahrener Kräfte oder durch andere Lösungsansätze das Team so weit ausbauen, dass es befähigt wird, auch mit komplexen Herausforderungen lösungsorientiert umzugehen.

Dies verlangt Ihnen eine große Portion Geduld ab. Denn durch die Hypothesenbildungen und das Ausprobieren der wahrscheinlichsten Hypothesen in der Umsetzung kommt es natürlicherweise immer wieder zu Rückschlägen. Aus diesen müssen Sie und Ihr Team die entsprechenden Rückschlüsse ziehen und daraus lernen. Komplexe Aufgaben lassen sich dabei nicht analytisch lösen. Die Thesen können zwar aus analytischen Betrachtungen abgeleitet werden, das unbekannte bzw. angenommene Zusammenwirken muss aber über entsprechende Versuche beobachtet und nachgewiesen werden. Dies erfordert Zeit und Geduld, um die jeweiligen iterativen Schleifen durchlaufen zu können.

Eine Möglichkeit, Thesen auf ihre Wirkung und Zusammenhänge hin zu überprüfen, ist die Szenario-Technik, in der bestimmte Systeme und Verläufe anhand unterschiedlicher Szenarien durchgespielt werden. Dadurch werden die Zusammenhänge für Sie klarer.

Wie unschwer zu erkennen ist, nimmt die Komplexität in unserer zunehmend vernetzten Welt immer weiter zu. Aufgrund der hohen Ungewissheit und der jederzeit möglichen Überraschungen wird eine Planbarkeit immer schwieriger. Dies bedeutet, dass traditionelle Führung, wie Sie sie kennen und gelernt haben, nicht mehr zu den Anforderungen passt.

Als CFO sollten Sie die vier folgenden Herausforderungen aktiv in Ihrer Führung angehen.

Wichtig

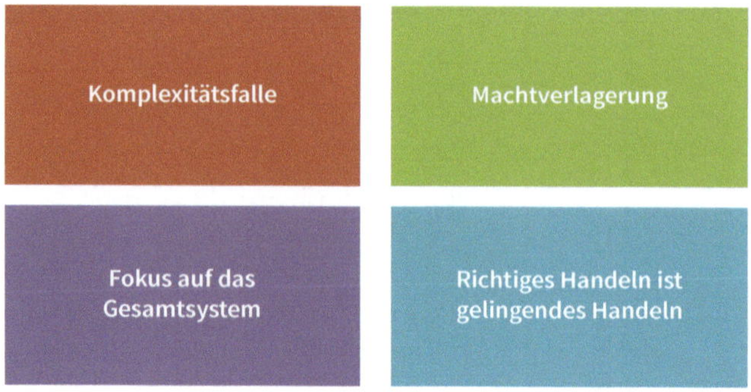

Komplexitätsfalle – Muster erkennen und Schlüsse daraus ziehen
Es geht für Sie nicht mehr nur um die Ausrichtung des Handelns in Ihrer Organisation, sondern auch um die Reduzierung von Komplexität durch Mustererkennung. Muster zu erkennen, nicht in die Falle möglicher Überforderungen komplexer Muster zu tappen und kluge Schlüsse aus der Mustererkennung für Ihr Handeln in der Organisation zu ziehen wird zu einer Ihrer Kernaufgaben. Die Mustererkennung wird damit zu einer wichtigen Herausforderung für Sie. Einerseits wünschen Sie und Ihre Mitarbeiter sich Orientierung. Andererseits funktionieren die alten Navigationsinstrumente aber nicht mehr zuverlässig. Sie sind nicht länger Planer erfolgreicher Umsetzungsprozesse, sondern Partner im Kontext klärender Reflexion. Unterstützen Sie den einzelnen Mitarbeiter dabei in seiner Überforderung. Auch Sie allein schaffen es nicht mehr, wie gewohnt als Vordenker zu agieren. Intelligente Lösungen entstehen zukünftig in Netzwerken, die Sie schaffen müssen.

Wenn Sie glauben, ein Muster erkannt zu haben, können Sie sich mit den Ursachen beschäftigen. Mit den Strömungen, die die Wellen an der sichtbaren Oberfläche aufwerfen. Dabei spielen zwei wichtige Faktoren eine Rolle: Kultur und Struktur.

Auf der einen Seite gibt es kulturell verankerte Glaubenssätze in Ihrem Unternehmen, die bestimmte Verhaltensmuster fördern. Glaubenssätze beziehen sich auf tradierte Werte, Erfahrungen und Überzeugungen. Meist werden sie uns von direkten Bezugspersonen mit auf den Weg mitgegeben, als eine Art Belehrung oder Einschärfung für unser Denken und Handeln. Glaubenssätze beinhalten die für uns als Wahrheit deklarierten Gedanken und Lebensregeln, die wir für uns, die anderen und die Welt als solche anerkennen. Organisationale Glaubenssätze sind Überzeugungen, nach denen sich Ihr Handeln und das Handeln Ihrer Mitarbeiter ausrichtet, die aber weder von Ihnen noch Ihrem Team geteilt werden oder irgendjemandem bewusst sein müssen.

Beispiel: Organisationale Glaubenssätze

Nur die Führungsebene hat wertvolle Ideen.	Wir können hier nur Leute gebrauchen, die sich unterordnen.	Schulungen sind bei uns eine Belohnung, die man sich verdienen muss.
Wir können nicht jedem alle Zahlen zeigen.	Wir müssen Kosten senken, um profitabler zu werden.	Menschen brauchen klare Vorgaben und Führung.
Fehler dürfen nicht passieren.	Wir sind offen für alles, was in unser System und in unsere Norm passt.	Mitarbeiter missbrauchen Freiräume und schaden so aktiv dem Unternehmen.
Wenn ich mein Wissen teile, werde ich von anderen ausgenutzt und beklaut.	Jeder Mitarbeiter ist ersetzbar.	Der Kunde ist das Wichtigste.
Ein Abteilungsleiter besitzt das gesamte Know-how seiner Abteilung.	Never change a running system.	Schwierigkeiten lösen die »Spezialisten« für uns.
Dafür haben wir keine Zeit.	Die Führungskraft muss alles können, was ihre Mitarbeiter können.	Wir haben keine Zeit für Personalentwicklung.
Unsere Mitarbeiter haben keine Ideen.	Unsere Mitarbeiter wollen keine Verantwortung übernehmen.	Für den Erfolg einer Schulung ist der Trainer zuständig.

Vor dem Hintergrund der genannten Beispiele: Welche Antworten geben Sie auf die folgenden Fragen?

Arbeitshilfe: Glaubenssätze in Ihrem Unternehmen

	Habe sehr gute Antwort	Habe gute Antwort	Habe mangel-hafte Antwort	Habe unge-nügende Antwort	Habe keine Antwort
Welche Glaubenssätze herrschen in Ihrem Unternehmen?	.	.	.	.	.
Welche Glaubenssätze herrschen in Ihrer Abteilung?	.	.	.	.	.
Welche Glaubenssätze haben Sie?	.	.	.	.	.
Welche Strukturen haben Einfluss auf bestehende Probleme bzw. Symptome?	.	.	.	.	.
Wie hängen Strukturen und Glaubenssätze zusammen?	.	.	.	.	.
Welche Strukturen fördern welche Glaubenssätze und umgekehrt?	.	.	.	.	.
Welche Dynamik entsteht aus diesem Zusammenspiel?	.	.	.	.	.

Auf der anderen Seite provozieren vorhandene Strukturen wie Abteilungsgrenzen, Ziele oder Entscheidungskompetenzen bestimmte Verhaltensweisen. Dabei greifen Kultur und Struktur ineinander und beeinflussen sich gegenseitig – vergleichbar mit der Beschaffenheit des Meeresbodens, die Einfluss auf die Strömungen hat. Andersherum beeinflussen aber auch starke Strömungen den Meeresboden und formen diesen.

Machtverlagerung – von der Kontrollinstanz zum Teilnehmer und Impulsgeber

Seien Sie offen für Machtverschiebungen und Machtverlagerungen in Ihrem System. Nicht mehr Sie als Sender bestimmen das Handeln, sondern die Herausforderung und Ihre Mitarbeiter. Sie müssen in der Lage sein, umzuschalten und vom hierarchischen zum vernetzten Denken und Handeln überzugehen. Die Frage, wohin das System gesteuert werden soll, rückt zunehmend in den Hintergrund. Zur zentralen Frage wird vielmehr, wohin sich die Eigendynamik des Systems entwickelt. Seien sie nicht mehr Vordenker und Kontrollinstanz, sondern werden Sie Teilnehmer und Impulsgeber im Netzwerk.

Beantworten Sie für sich und Ihr Team die zentrale Grundsatzfrage, in welchen Teams Sie aktiv sind und dies zukünftig sein möchten. Eine der Zielfragen in der gemeinsamen Arbeit mit Ihrem Team lautet dabei, was gemeinsames Handeln überhaupt sinnvoll macht. Dies bedingt einen offenen Umgang mit der Thematik, sich selbst und Ihrem Team in dieser schwierigen Phase.

Dabei sollten Sie grundsätzlich im Hinterkopf behalten: Menschen wissen, was sie nicht wollen, aber noch nicht, was sie wollen. Genau diese Erfahrung mache ich sehr häufig in meiner Zusammenarbeit mit CFOs, wenn ich versuche, den Fokus weg von Problemstellungen hin zu Idealzuständen zu lenken. Es fällt Menschen schwer, vollkommen uneingeschränkt von allen Konventionen einen Idealzustand zu benennen.

Fokus auf das Gesamtsystem

Achten sie darauf, dass Sie beim Umgang mit komplexen Systemen den laut schreienden Einzelproblemen, den beherrschbaren oder akuten Thematiken nicht zu viel Platz einräumen. Dies würde dazu führen, dass Sie nicht das relevante Gesamtsystem im Blick haben, sondern lediglich kleine Reparaturarbeiten vornehmen, die kurzfristig zu lokalen Verbesserungen führen, aber bald neuen Reparaturbedarf an der gleichen oder an anderen Stellen auslösen. Auch wenn Ihnen das das gute Gefühl gibt, ständig unterwegs zu sein und etwas zu unternehmen. Aber ohne den Fokus auf das Gesamtsystem wird in diesem keine Verbesserung eintreten.

Wenn Sie sich dem Gesamtsystem widmen, wirken sich entscheidende Maßnahmen häufig erst nach einer gewissen Zeit aus. Bewahren Sie Geduld und vermeiden Sie Übersteuerungseffekte und überhastete Nachbesserungen.

Richtiges Handeln ist gelingendes Handeln

Fokussieren Sie sich auf bestimmte Zielvorstellungen, Realitätsausschnitte und Zusammenhänge. Unterscheiden Sie dabei relevante und weniger relevante Informationen. Gehen Sie für die gewünschten Ergebnisse in komplexen Situationen Schritt für Schritt vor. Ob Sie dabei in Bezug auf Relevanzbestimmung und die Wirkungsverhältnisse in der Realität bei den gewählten Schritten jeweils richtig liegen, entscheidet sich erst beim Ergebnis.

Das Ergebnis wird immer davon abhängen, was Sie erreichen möchten. Sollten die von Ihnen gewählten Schritte nicht funktionieren, sollten Sie alte Vorstellungen hinterfragen, durch neue Hypothesen ersetzen und diese erneut in der Realität erproben. Selbst wenn Ihre Vorhaben gut umgesetzt sind, ist das kein Beweis dafür, dass die von Ihnen gewählten Annahmen richtig sein müssen. Versuchen Sie herauszufinden, ob noch unbekannte Ursachen wesentlich zum Erfolg beigetragen haben könnten. Dies können Sie schaffen, indem Sie versuchen, im Umgang mit komplexen Systemen neugierig, unbekümmert und kreativ an das Testen Ihrer Vorstellungen heranzugehen. Bleiben Sie bei der Überprüfung und Bewertung der Ergebnisse ehrlich und gelassen. Flüchten Sie nicht vor Situationen, die Ihnen dadurch unangenehm erscheinen, dass Sie das Gefühl haben, sich nicht auszukennen und bestimmte Dynamiken nicht mehr im Griff zu haben. Dabei würden Sie sich viel zu oft in falscher Sicherheit wiegen.

Versuchen Sie nicht, in großen Würfen zu denken, sondern richten Sie Ihr Mindset auf kleine, überprüfbare und notfalls revidierbare Schritte aus, die in die von Ihnen gewünschte Richtung gehen. Dies erleichtert Ihnen auch das spätere Lernen.

Kompliziert oder komplex? Wie sieht es bei Ihnen aus?

Was würden Sie nun nach all dem, was Sie über kompliziert und komplex wissen, sagen: Ist die Situation, in der Sie sich im Zuge der digitalen Transformation befinden, eher kompliziert oder eher komplex? Da geht es schon los. Was ist kompliziert? Was ist komplex? Was für den einen kompliziert erscheinen mag, ist für den anderen komplex. Man könnte sage: Ist doch vollkommen egal, ob etwas kompliziert oder komplex ist. Doof bleibt doof, und schwierig bleibt schwierig. Egal wie man die Situation bezeichnet.

Wie würden Sie »kompliziert« und »komplex« definieren? Nehmen Sie ein weißes Blatt Papier oder die nachfolgende Arbeitshilfe, gehen Sie die für Sie im Moment schwierig erscheinenden Situationen durch, benennen Sie anschließend die Top 5, und ordnen Sie diese den Begriffen »kompliziert« und »komplex« zu.

Arbeitshilfe: Schwierige Situationen – kompliziert oder komplex?

Top	Schwierige Situation	Kompliziert	Komplex
1			
2			
3			
4			
5			

Welche Schlüsse ziehen Sie aus Ihren Antworten?

3.1.8 Denken und handeln Sie lösungsorientiert

Wir alle haben ein ganzes Bündel von persönlichen Themen, die es zu lösen gibt. Wie bereits dargestellt sollten Sie diese persönlichen Themen zunächst aufgreifen und strukturieren. Entscheidend für Ihren Erfolg als CFO ist dann, wie Sie mit diesen persönlichen Themen umgehen, sie annehmen und angemessen lösen. Doch Sie wissen auch, dass es Hunderte von Facetten gibt, Probleme und Problemlösungen anzugehen. Dies hängt schon allein von Ihrem eigenen Problemlösungstyp ab.

Welchem der nachfolgenden Typen von Problemlösern würden Sie sich zuordnen?

Wichtig: Typen von Problemlösern

Der Panikmacher	• Alarmglocken schrillen
	• Rennt ziellos durch die Gegend
	• Zeigt blinden Aktivismus
	• Hat das Gefühl, etwas getan zu haben
	• Hat dadurch scheinbar die drohende Katastrophe abgewendet
Der Nörgler	• Hat immer gewusst, dass Probleme auftreten
	• Sieht seine Vorahnung(en) bestätigt
	• Beschwert sich über zusätzliche Arbeit
	• Glaubt sowieso nicht an Problemlösungen
Der Unbelehrbare	• Sieht kein Problem
	• Verschließt die Augen vor Problemen oder deren Anzeichen
	• »Solange ich es nicht eingestehe, gibt es auch kein Problem.«
Der Macher	• Bewahrt einen kühlen Kopf
	• Konzentriert sich ganz auf die Lösung
	• Lässt sich vom Problem nicht verrückt machen
	• Sammelt Vorschläge für mögliche Lösungen
	• Glaubt daran, eine Lösung zu finden
	• Hat ein klares Ziel vor Augen

Manch einer blüht regelrecht auf, wenn er vor ein Problem gestellt wird. Diesen Menschen scheint weder der Druck noch der Frust eines Problems zuzusetzen, stattdessen sprühen sie nur so vor Alternativvorschlägen, sind überzeugt, alles wieder geradebiegen zu können, und schaffen es, jedes Problem zu meistern, egal wie plötzlich es auftaucht oder wie groß es am Anfang erscheint. Oder wie hat es einer meiner Coachees, ein CFO, der für 2.000 Mitarbeiter verantwortlich war und noch immer ist, einmal zu mir gesagt: »Ich bin so froh, dass es Probleme gibt, sonst wäre ich arbeitslos. Denn mein Job ist es, Probleme zu lösen.«

Typ 4 in der Grafik oben (der Macher) ist der Einzige, der an Probleme lösungsorientiert herangeht. Die meisten Menschen betrachten Probleme als etwas Negatives und Hinderliches. Als etwas, das Unannehmlichkeiten verursacht. Dabei verrennen sie sich derart in diese Sichtweise, dass sie sich damit enorm selbst im Weg stehen.

Was bedeutet es, lösungsorientiert zu denken und zu handeln? Lösungsorientierung ist eine Einstellung. Diese Einstellung erfordert, nicht das Problem in den Mittelpunkt des eigenen Denkens und Handelns zu stellen, sondern die Lösung. Es ist ein zukunftsorientiertes Handeln.

Ein Element der Lösungsorientierung ist, sich von Anfang an auf die Lösung und nicht auf das Problem zu konzentrieren. Konzentrieren Sie sich darauf, Änderungsmöglichkeiten zu sehen, und diese Möglichkeiten als Auslöser für entsprechende Veränderungsprozesse zu nutzen. Lösungsorientierung ist die gedankliche Vorwegnahme einer bestimmten Situation in der Zukunft, die frei von Problemen und frei von den auslösenden unangenehmen Gefühlen ist. Das Bild eines konkret definierten Zielzustands beschleunigt Ihr Streben nach diesem Zielzustand und verleiht Ihnen positive Energie für den Weg dorthin.

Ihre menschlichen Probleme und Ihre Lösungen haben wenig miteinander zu tun. Das Wort »Problem« hat seinen Ursprung im Griechischen (πρόβλημα, próblema) und bedeutet übersetzt »das Vorgeworfene, das Vorgelegte«; »das, was (zur Lösung) vorgelegt wurde«. Es ist nicht wichtig, das Problem zu lösen, sondern sich vielmehr von dem Problem zu lösen. Das Problem in all seine Facetten zu zerlegen und zu analysieren hält Sie in diesem Problem und der damit verbundenen schwierigen Situation gefangen. Die Lösung ergibt sich ausschließlich durch die Analyse erfolgversprechender Lösungsmöglichkeiten.

Den lösungsorientierten Ansätzen von Steve de Shazer folgend sollten Sie einen gewünschten Zielzustand entwickeln und die dafür notwendigen Fähigkeiten analysieren. Die konkrete Beschreibung des gewünschten Zielbildes zeigt Ihnen indirekt auf, welche Ressourcen Sie momentan nicht im gewünschten Ausmaß zur Verfügung haben, ohne dabei permanent schlechte Gefühle zu triggern, die automatisch mit Ihren Problemen einhergehen.

Stellen Sie sich in diesem Prozess ausschließlich konstruktive, lösungsorientierte Fragen. Dadurch konstruieren Sie eine angenehme Zukunft und verändern gleichzeitig Ihre Wahrnehmung, denn über Ihre Spracheschaffen Sie eine andere Realität.

Damit Sie dies umsetzen können, gibt Ihnen die nachfolgende Arbeitshilfe ein paar Beispiele.

Arbeitshilfe: Lösungsorientierte Fragen

1. Was ist eine Lösung für dieses Thema?
2. Wofür ist das gut?
3. Warum ist mir das wichtig?
4. Wofür wäre das gut?
5. Was hätten ich verändern können?
6. Hätte ich Ressourcen, die mir helfen würden?
7. Habe ich solch eine Situation schon einmal positiv gelöst?
8. Welche Ressourcen standen mir für diese positive Lösung zur Verfügung?
9. Woran würde ich erkennen, dass die Lösung gut ist?
10. Woran würden andere erkennen, dass die Lösung gut ist?
11. Wann läuft es gut, sodass es dieses Problem dann nicht mehr gibt?
12. Was ist dann anders, als wenn es schlechtläuft?
13. Was ist notwendig, damit ein reibungsloser Ablauf sichergestellt ist?
14. Wer könnte dabei helfen?

Vermeiden Sie indes problemorientierte Fragen, denn diese halten Sie im Problem gefangen.

Arbeitshilfe: Problemorientierte Fragen

1. Warum ist das ein Problem?
2. Was ist mein Problem?
3. Wie kann ich das Problem am besten schildern?
4. Was habe ich erlebt?
5. Wie ging es mir damit?
6. Habe ich so etwas schon einmal erlebt?
7. Welche Situation verschärft das Problem für mich?

Probleme, oder wie es immer so schön heißt: »Herausforderungen«, gehören zum Arbeitsalltag dazu. Kennen Sie das auch: Immer, wenn man im beruflichen Kontext von »Problem« spricht, hat man den Eindruck, als suggeriere man seinem Gegenüber damit, dass man selbst zu einer Lösung nicht in der Lage sei. Verwendet man hingegen das Wort »Herausforderung«, so brennen oft – gerade bei männlichen Alphatieren – sämtliche Fantasiesicherungen durch. Aber gut, das mag meine subjektive Wahrnehmung der Welt sein.

Beispiel: Lösungsorientiertes Denken (Achtung Witz!)

Angela und Olaf (Namen frei erfunden) laufen gemütlich der Abendsonne in der afrikanischen Wildnis entgegen. Auf einmal hören sie hinter sich lautes Gebrüll. Als sie sich umdrehen, sehen sie, wie der König des Dschungels, ein Prachtexemplar von Löwe, mit lautem Gebrüll auf sie zurennt. Olaf ruft: »Komm Angela, lass uns rennen!«

Während Olaf losrennen möchte, beugt sich Angela ganz ruhig nach unten, öffnet ihren Aktenkoffer, holt ihre brandneuen Nike Air Max aus dem Koffer und zieht sich diese in aller zur Verfügung stehenden Ruhe an.

Olaf, dem der Schweiß auf der Stirn steht, fragt ganz aufgeregt: »Angela, lass uns rennen, oder glaubst du, dass du damit schneller bist als der?«

Angela schaut kurz nach oben, bindet sich weiter die Schuhe zu und antwortet: »Nein, nicht als der, aber als du!«

Problemlösungskompetenz, oder lieber Herausforderungslösungskompetenz, ist für Sie als CFO ein wichtiger Erfolgsfaktor. Allgemein versteht man darunter eine durchdachte und systematische Auseinandersetzung mit Problemen und Herausforderungen mit dem Ziel, diese zu überwinden. Klingt sehr theoretisch. Praktisch bedeutet es, Schwierigkeiten sofort zu erkennen, schnell darauf zu reagieren und eine passende Lösung zu finden, bevor unter Umständen weiterer Schaden entstehen kann. Dabei ist Problemlösungskompetenz keine einzelne Handlung, sondern vielmehr ein Prozess, der aus mehreren Schritten besteht, die aufeinander aufbauen.

Folgen Sie den nachfolgend dargestellten einzelnen Schritten und Sie werden Ihre Herausforderungslösungskompetenz stetig verbessern.

Wichtig: So steigern Sie Ihre Problemlösungs- bzw. Herausforderungslösungskompetenz

Distanzierte Haltung einnehmen		
Andere Ebene als die des Problems einnehmen	Distanz einnehmen	Situation sachlich betrachten
Eine positive Haltung einnehmen		
Selbstwirksamkeit	Daran glauben, dass Sie etwas verändern können	Sich auf Lösung und Zielzustand konzentrieren
Optimistisch bleiben		
Seien Sie wirklich überzeugt	Nicht den Kopf in den Sand stecken	Kein Grund, aufzugeben
Das Problem von der Lösung trennen		
Problem (griech.) = das, was (zur Lösung) vorgelegt wurde	Vom Problem freimachen	Sich vom Problem loslösen
Das Problem identifizieren		
Wo genau ist etwas schiefgelaufen?	Warum wurde ein Ergebnis nicht erreicht?	Aus welchen Gründen konnten Erwartungen nicht erfüllt werden?
Das wahre Problem erkennen		
Dem Problem auf den Grund gehen	Keine Symptome abarbeiten	Die wahre Ursache liegt meist tiefer
Analysieren		
Warum konnte das Problem entstehen?	Warum haben wir es nicht früher erkannt?	Woran liegt es, dass das Problem bislang noch nicht behoben werden konnte?

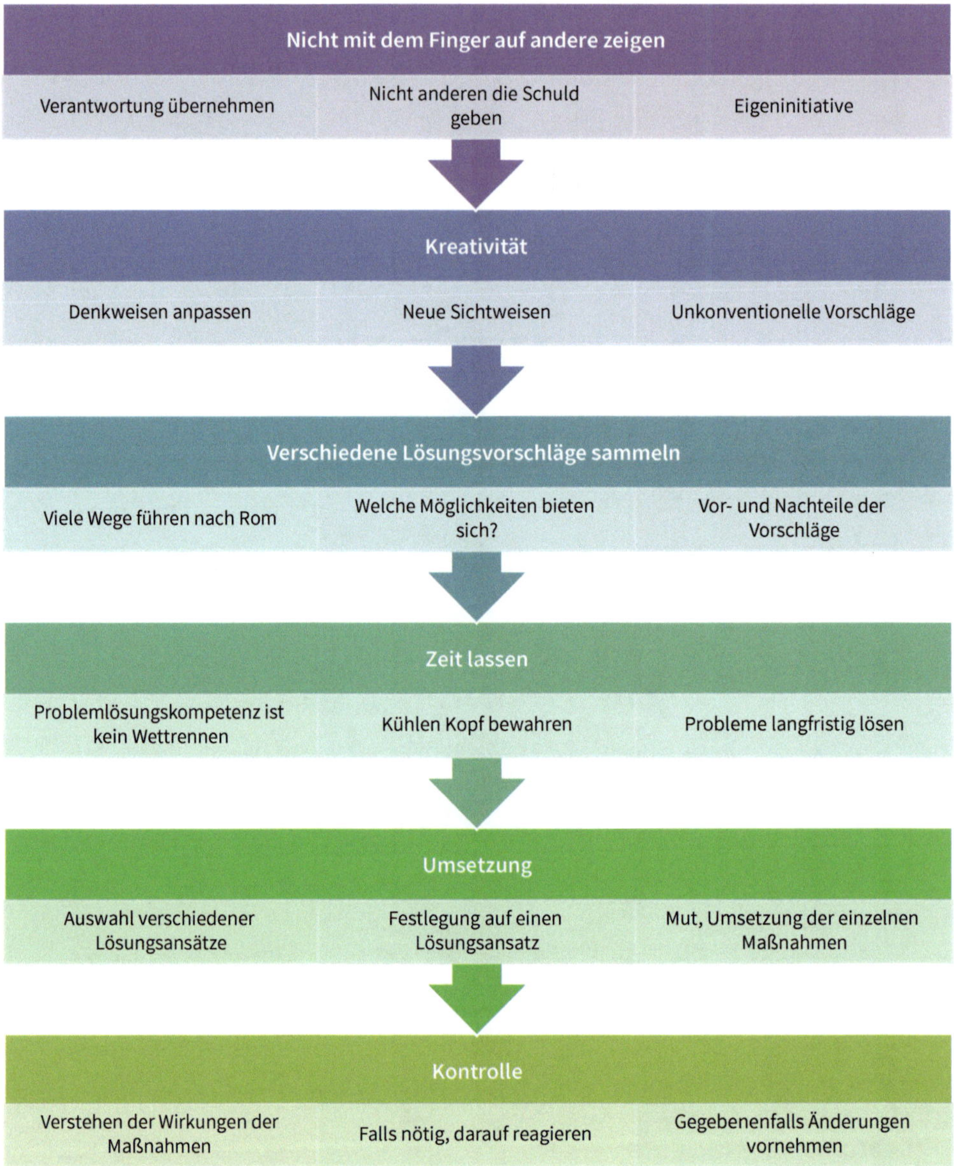

Und denken Sie daran: Auch hier verbessern Sie sich immer nur in kleinen Schritten. Wichtig ist, dass Sie diese Schritte gehen.

3.1.9 Sammeln Sie internationale Erfahrung

Finanzchef im Ausland: Für viele Nachwuchsmanager ist das ein wichtiger Schritt auf der Karriereleiter. Viele Finanzverantwortliche packen ihre Koffer, um für ein deutsches Unternehmen im Ausland zu arbeiten. Headhunter formulieren es oft so: Ohne Auslandserfahrung wird es heutzutage immer schwieriger, einen CFO-Posten bei einem deutschen Unternehmen zu ergattern. Die internationale Erfahrung spielt in jeder Branche eine wichtige Rolle. Industrieunternehmen mit einer Vielzahl internationaler Standorte bieten dabei häufig gute Chancen. Je globaler ein Unternehmen aufgestellt ist, umso zentraler wird die Auslandserfahrung für Bewerber für den CFO-Posten der Hauptgesellschaft.

Sollten Sie sich für eine internationale Station entscheiden, spielt der Zeitpunkt eine entscheidende Rolle für die weitere Karriere. Um bereit für das nächste Level, die CFO-Ebene, zu sein, sollten Sie idealerweise zwischen 40 und 45 Jahre alt sein und rund 20 Jahre Berufserfahrung mitbringen.

Für deutlich jüngere CFOs, die weniger Erfahrung haben, ist die Auslandsstation schwieriger. Sie sind zu Hause im Unternehmen noch nicht so sehr gefestigt und können sich womöglich beruflich nicht so durchsetzen wie ältere CFOs.

Für einen möglichen Karrieresprung ist es zentral, dass Sie sich eine für das Unternehmen strategisch wichtige Region aussuchen. Je wichtiger die Region, desto eher erhöht sich Ihr Marktwert für das eigene Unternehmen, aber auch für Dritte.

Bedenken sollten Sie, dass es während Ihrer Abwesenheit passieren kann, dass am Hauptstandort in Deutschland die zentralen Führungsrollen an die nächsten übergeben werden. Deshalb sollte die Länge Ihrer Auslandsaufenthalte nicht länger als zwei oder drei Jahre sein und mindestens halbjährliche Besuche im Headquarter in Deutschland vorsehen.

Und Seien sie nach dem Rückflug realistisch: Die nächste Beförderung erwartet Sie nicht gleich. Manchmal bleiben CFOs, die aus dem Ausland zurückgekehrt sind, zunächst auf einer Parkposition, bis etwas Geeignetes frei wird. Einige von ihnen müssen auch das Unternehmen wechseln, um befördert zu werden.

Fazit

Sehen sie eine Auslandsstation immer als eine langfristige Investition in Ihre Karriere – und Ihr Leben.

3.1.10 Arbeiten Sie Ihren Beitrag als CFO heraus

Stellen Sie sich vor, Ihre Performance ist herausragend, aber keiner kriegt es mit. Es liegt einzig an Ihnen, Ihren Beitrag als CFO in allen Belangen, vor allem aber in Bezug auf den Gesamterfolg des Unternehmens angemessen herauszuarbeiten. Vom Zahlenfreak zum Strategen – das sollte doch nicht versteckt bleiben!

Ihre Rolle als CFO und die Ihrer kompletten Abteilung haben sich längst verändert. Technologien ermöglichen Ihnen präzise Vorhersagen und bringen neue Aufgaben mit sich, die Sie weit über die eigentlichen Kernaufgaben des Finanzwesens hinaus wahrnehmen. Durch die digitale Transformation können Sie als CFO als zentraler Navigator im Unternehmen einen deutlich größeren Wertbeitrag liefern als bisher. Die datengestützte strategische Beratung der gesamten Geschäftsführung wird zukünftig der größte Wertbeitrag sein, den Sie und der Finanzbereich insgesamt im Unternehmen leisten. Sie werden durch die Digitalisierung noch mehr zum Sparringspartner des CEO, mit dem Sie mit hoher Wahrscheinlichkeit zukünftig ein festes Tandem bilden werden. Nutzen Sie die einzigartigen Möglichkeiten, die Sie als Finanzverantwortlicher im Unternehmen haben – etwa durch die neuen Technologien Daten in Echtzeit zu erfassen und zu analysieren.

Der entscheidende Schritt dabei wird sein, Ihren eigenen Wertbeitrag zu ermitteln und diesen den jeweiligen Stakeholdern gegenüber, intern wie extern, herauszuarbeiten.

Fazit

Tue Gutes und rede darüber!

3.1.11 Betreiben Sie Expert Branding

Wie werde Sie zur Marke? Und warum sollten Sie überhaupt eine Marke sein wollen? Und noch viel wichtiger: Welche Marke wünschen sich Ihre Stakeholder?

Beispiel: Jeff Bezos

Jeff Bezos, der Gründer von Amazon, hat es einmal wie folgt formuliert:

»Marke ist das, was andere Menschen über mich sagen, wenn ich den Raum verlasse.«

Dabei kommen für Sie als CFO grundsätzlich zwei verschiedene Marken-Typen infrage:
1. Personen-Marke = Personal Branding oder
2. Experten-Marke = Expert Branding

Klassische Personal Brands finden sich zum Beispiel im Celebrity-, Medien-, Musik-, Fashion-, Film- und Sport-Business wieder. Hier geht es in erster Linie um Image, Show, Glamour, Trends und Quote.

Die Expert Brand spielt für Sie als CFO die wichtigere Rolle. Hier werden Ihre Expertise und Ihre Persönlichkeit optimal vereint und in den Vordergrund gestellt. Menschen, und somit auch Ihre Stakeholder, wollen Spezialisten und keine Generalisten. Denn immer da, wo es Persönlichkeit gepaart mit Fachwissen und Fachkompetenz braucht, wird klar auf Expert Brands gesetzt. Denn Ihre Stakeholder haben einen Mangel oder ein Bedürfnis, das sie stillen möchten und für das sie eine Lösung suchen. Für diese

Lösung suchen sie insbesondere nach einem vertrauensvollen Experten. Wenn Ihre Experten-Marke dann an den richtigen Touchpoints zu diesen Stakeholdern mit der richtigen Strahlkraft leuchtet, liegen die Chancen sehr hoch, dass Sie beide zueinanderfinden und eine fruchtbare Zusammenarbeit entstehen kann.

Um Expert Leadership innerhalb eines Themengebietes oder einer Branche zu erreichen, sollten Sie kontinuierlich an Ihrem Experten-Status und Ihrer Experten-Marke arbeiten und eine Markenstrategie für sich entwickeln. Die Experten-Marke hat eine lange Lebenszeit und entwickelt sich kontinuierlich mit Ihnen als Person und Ihrem Fachwissen weiter.

Beispiel

Ich bin aufgrund meiner Erfahrungen, die ich in jungen Jahren als IFRS-Experte in Deutschland gemacht habe, noch immer sehr geprägt von dem Thema Grauhaarigkeit als Hauptmerkmal eines Experten. Vielleicht zur Auflockerung ein, zwei kleine Anekdoten von mir, als ich mit 25 Jahren zum IFRS-Expert-Branding kam und welche skurrilen Auswirkungen meine blonden Haare auf meine »Stakeholder« und deren Erwartungshaltung hatten.

So erwähnte ich 1995 im Vorstellungsgespräch bei meinem späteren Arbeitgeber Arthur Andersen, dass ich parallel zu meiner Arbeit in München bei Herrn Prof. Dr. Dr. h. c. mult. Adolf G. Coenenberg an der Universität Augsburg zum Thema der Auswirkungen einer Umstellung der Rechnungslegung deutscher Unternehmen auf International Accounting Standards (IAS) auf die erfolgswirtschaftliche Jahresabschlussanalyse promovieren werde. Kurz nach meinem Arbeitsbeginn mutierte ich aufgrund einer Anfrage des CFO eines großen Konzerns, welche Auswirkungen es wohl haben würde, wenn der Konzern auf IFRS umstellte, zum gefragten Mann. Ich hätte schließlich beim Vorstellungsgespräch gesagt, ich würde über IFRS promovieren, also sei ich Experte. Das war mein erstes großes Umstellungsprojekt, das ich quasi im Alleingang zu bewältigen hatte. Dies brachte mir organisationsintern den unangefochtenen Experten-Status als IFRS-Experte ein. Mein Branding war geboren.

Die Grauhaarigkeit kam dabei häufig dann ins Spiel, wenn ich allein auf mich gestellt die Themen auf Vorstandsebene besprechen sollte. Ein CFO hat dabei einmal zu mir gesagt, dass er gerne noch auf meinen Chef warten wolle, bevor mir mit dem Meeting beginnen, und wann dieser denn nun endlich käme. Und ich hatte mich schon gewundert, warum wir nicht anfangen hatten, sondern die Zeit mit Smalltalk und Keksen überbrückten. Nun verstand ich mich mit meinem Chef sehr gut – ich funktionierte mit meinem IFRS-Thema gut und die Honorare stimmten –, aber wie das so ist, wenn Chefs auch anwesend sind: Man weiß nie, was passiert. Ich wusste nicht, dass er auch kommen sollte, und habe mich furchtbar erschrocken. Lange Rede kurzer Sinn: Der CFO musste mit mir vorliebnehmen, mein Chef kam nicht.

Oder als ich eines Tages in Berlin nach einem begehrten Early-Bird-Flug in eine Vorstandsbesprechung kam, schauten mich alle verwundert an und fragten mich, wann denn Herr Reinhart käme.

Als ich in die Enge getrieben sagte: »Ich bin ich« – so wie die Bayern ja auch »mia san mia«, konnte man das kaum glauben. Ich hatte keine grauen Haare.

Das Ende des Liedes war, dass ich von da an bis zu meinem 49. Lebensjahr unter der Woche mit grau gefärbten Haaren getourt bin. Ab da hat die Natur etwas nachgeholfen. Das hat meinem Status als IFRS-Experte enorm geholfen.

Was sind Ihre grauen Haare, an denen Sie gemessen werden? Und wie sieht es mit Ihrem Experten-Status aus? Wodurch zeichnen Sie sich als Experte aus?

Wichtig: Experten-Persönlichkeit

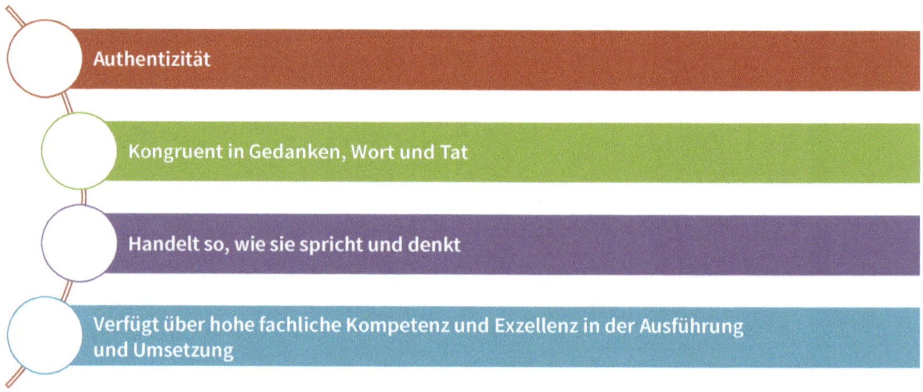

Dabei stehen Sie als Experte für eine Sache. Für ein Thema. Und nicht für zehn. Sie müssen sich eindeutig positionieren, Stellung beziehen, einen Standpunkt einnehmen und klar kommunizieren, wofür Sie mit Ihrer Expertise stehen.

Ich weiß, das scheint etwas im Widerspruch mit den vielen Themen zu stehen, die uns die digitale Transformation vorgibt und die Sie als CFO zu meistern haben. Aber was halten Sie von der Idee, beispielsweise Experte für die digitale Transformation im Rechnungswesen zu sein? Und das ist schon ein sehr großes Feld, um wirklich Experte sein zu können. Denn auch hier müssten Sie mit Sicherheit etwas eingrenzen.

Wie bei allem, was wir uns vornehmen, ist auch hier das Wichtigste: Beginnen Sie! Warten Sie nicht, bis alles perfekt ist. Gerade jetzt sollten Sie die Zeit nutzen, um sich in den vielen Themenbereichen der digitalen Transformation ein Expertenfeld zu suchen und darin Expertenstatus aufzubauen. Folgen Sie auch hier dem Paretoprinzip, nämlich dass Sie mit bereits 20 % des Gesamtaufwands ca. 80 % des Ergebnisses erzielen können.

Beim Aufbau Ihres Branding sollten Sie drei Schlüsselaufgaben beherzigen.

Praxistipp

Wer nicht sichtbar ist, ist nicht existent. Haben Sie den Mut zur Sichtbarkeit! Um jeden Tag etwas für Ihr Expert Branding zu tun, können Sie für sich die folgenden Fragen beantworten.

Arbeitshilfe: Als Experte sichtbar

	Habe sehr gute Antwort	Habe gute Antwort	Habe mangelhafte Antwort	Habe ungenügende Antwort	Habe keine Antwort
Was kann ich heute für meine Sichtbarkeit tun?	·	·	·	·	·
Wie kann ich heute meine Expertise nutzen und gewinnbringend für meine wichtigsten Stakeholder erlebbar machen?	·	·	·	·	·
Welche Kommunikationskanäle unterstützen mich am effektivsten und wirkungsvollsten dabei?	·	·	·	·	·

Damit Sie dies konsequent und zielorientiert neben Ihrem Alltagsgeschäft leisten können, sollten Sie sich eine Experten-Marketing-Strategie sowie eine Experten-Marketing-Roadmap als Fahrplan erstellen. Dabei kann Sie die nachfolgende Arbeitshilfe mit wichtigen Schlüsselfragen unterstützen.

Arbeitshilfe: Schlüsselfragen – Eine Experten-Marketing-Strategie und eine Experten-Marketing-Roadmap entwickeln

	Habe sehr gute Antwort	Habe gute Antwort	Habe mangel-hafte Antwort	Habe unge-nügende Antwort	Habe keine Antwort
Welches Ziel möchte ich mit meiner Positionierung als Experte erreichen?	.	.	.	.	.
Welche Ziele möchte ich mit meiner Ziel- und Stakeholdergruppe jeweils erreichen?	.	.	.	.	.
Welche Ziele möchte ich über die jeweiligen Kommunikationskanäle erreichen?	.	.	.	.	.
Wie kann ich meine Ziele festhalten?	.	.	.	.	.
Welche Mile stones und Timelines gebe ich vor, und wie lege ich diese fest?	.	.	.	.	.
Sind konkrete Einzelmaßnahmen definiert und geplant?	.	.	.	.	.
Welche persönlichen Erfahrungen und Ereignisse haben meine Berufswahl geprägt?	.	.	.	.	.
Welche schwierigen Zeiten waren wichtig? Welche starke Prägung erfolgte hier?	.	.	.	.	.
Was hat mich besonders geprägt?	.	.	.	.	.
Welches Familienmitglied hat mich besonders geprägt?	.	.	.	.	.
Welche Freunde haben mich besonders geprägt?	.	.	.	.	.
Wobei haben sie mich jeweils geprägt?	.	.	.	.	.
Welche Mentoren haben mich inspiriert und gefördert?	.	.	.	.	.
Welche Vorbilder oder Mentoren inspirieren und fördern mich heute noch?	.	.	.	.	.
Welche Lebensstationen waren besonders wichtig?	.	.	.	.	.
Welche persönlichen Bedürfnisse habe ich?	.	.	.	.	.
Welche Vorlieben habe ich?	.	.	.	.	.
Was ist mir wirklich wichtig?	.	.	.	.	.
Was lehne ich ab?	.	.	.	.	.
Was soll sich in meinem Leben auf keinen Fall wiederholen?	.	.	.	.	.
Kann ich einen roten Faden erkennen, der sich durch mein Leben zieht und mein Tun bis heute prägt?	.	.	.	.	.

Bauen Sie als CFO Ihre persönliche Experten-Marke auf bzw. aus, seien Sie dabei authentisch und erzählen Sie Ihre Geschichte. Die fehlende Grauhaarigkeit in jungen Jahren und die damit verbundenen prägenden Erlebnisse hin zum Experten-Status hatten Sie mit Sicherheit in anderen Lebenssituationen. Nutzen sie dies und seien Sie mit Ihrer Expertise sichtbar.

3.1.12 Persönlicher Check: Persönliche Herausforderungen meistern

Diese Arbeitshilfe unterstützt Sie bei der Selbstreflektion zum Thema »Persönliche Herausforderungen meistern« und hilft Ihnen, Prioritäten zu setzen.

Arbeitshilfe: Persönlicher Check – Persönliche Herausforderungen meistern

	Sehr relevant	Relevant	Nicht relevant	Möchte ich umsetzen/ verbessern	Priorität (A/B/C)
Fahren Sie Ihre persönliche Agenda.	·	·	·	·	·
Achten Sie auf eine gute Work-Life-Balance.	·	·	·	·	·
Arbeiten Sie an Ihrer Persönlichkeit.	·	·	·	·	·
Strukturieren Sie Ihre persönlichen Themen.	·	·	·	·	·
Was zeichnet mich aus?	·	·	·	·	·
Lassen Sie sich von einem Coach begleiten.	·	·	·	·	·
Meistern Sie komplex versus kompliziert.	·	·	·	·	·
Denken und handeln Sie lösungsorientiert.	·	·	·	·	·
Sammeln Sie internationale Erfahrung.	·	·	·	·	·
Arbeiten Sie Ihren Beitrag als CFO heraus.	·	·	·	·	·
Betreiben Sie Expert Branding.	·	·	·	·	·

3.2 Finanzmanagement (FM)

3.2.1 Sich auf die Zukunft ausrichten

Sich auf die Zukunft ausrichten – ist das nicht eine schöne Formulierung? Ja, wenn man nur wüsste, wie diese Zukunft aussieht und welche Rahmenbedingungen sie aufweisen wird.

Seien Sie Zukunftsforscher

Ihre Aufgabe als CFO ist es daher auch, Zukunftsforschung zu betreiben, um darauf aufbauend zukunftsbezogene Entscheidungen treffen zu können. Natürlich ist jede Entscheidung per se zukunftsbezogen, aber ohne Vorschau ist keine Entscheidung möglich. Dies betrifft insbesondere die Frage, was die möglichen Entwicklungen sind und worauf Sie das Unternehmen sowie das Finanzwesen ausrichten wollen. Auch die Entscheidung, nichts zu tun, basiert auf einer Vorhersage, nämlich der, dass alles so bleibt, wie es ist, oder auf Ihrer bloßen Entscheidung, eben nichts tun. Entscheiden aber müssen Sie.

Um Entscheidungen zukunftsorientiert zu treffen, können Sie eine der zentralen Methoden der Zukunftsforschung anwenden: die Szenario-Technik. Hier geht es nicht um eine Vorhersage, wie etwas in der Zukunft sein wird oder mit welcher Wahrscheinlichkeit sich diese Zukunft entwickeln wird. Ziel der Szenario-Technik ist es vielmehr, mögliche Entwicklungen der Zukunft abzubilden und sich diese zu vergegenwärtigen. Diese Zukunftsbilder vereinfachen die Auswahl des Weges und der Hilfsmittel zur Erreichung eines anvisierten Ziels. Die Szenario-Technik ist somit ein Hilfsmittel zur Entscheidungsfindung und unterstützt Sie dabei, trotz der Unvorhersagbarkeit von Zukunft Handlungsfähigkeit zu entwickeln.

Der Zeithorizont von Szenarien ist grundsätzlich langfristig ausgerichtet. Denn es geht darum, zu erfassen, welche Möglichkeiten die Zukunft bereithält, um sich einerseits rechtzeitig an unterschiedliche Entwicklungen anpassen zu können, andererseits aber auch wünschbare Entwicklungen herbeizuführen. Bei vieldimensionalen Szenarien nehmen Komplexität und Unsicherheit mit zunehmendem Zeithorizont der Vorausschau eindeutig zu. Dies hängt auch stark vom Untersuchungsgegenstand ab. Je weiter man sich von der heutigen Situation in die Zukunft begibt, umso stärker können die Verhaltensweisen von Individuen und Gruppen, aber auch technologische Entwicklungen, Veränderungen unterliegen, was nichts anderes bedeutet, als dass die Unsicherheit über die zugrunde zu legenden Verhaltensweisen deutlich zunimmt. Gleichzeitig können – und werden – Strukturen des betrachteten Systems Veränderungen unterliegen, womit die Komplexität des Betrachtungsgegenstands ebenfalls mit wachsendem Zeithorizont zunimmt. Das bedeutet zugleich, dass prognostische Aussagen im Sinne des »So wird es sein« nur auf einen sehr kurzen Zeitausschnitt begrenzt sind, weil die strukturellen Komponenten nur in diesem Zeitraum wenigen Änderungen unterliegen. Allerdings ist auch im Rahmen von Szenarien der Zeitausschnitt, der sinnvolle Aussagen zulässt, letztlich begrenzt. Danach können Hoffnungen, Wunschvorstellungen und Utopien skizziert werden.

Auf die Zukunft ausrichten

Es liegt an Ihnen als CFO, Ihre Abteilung auf die Zukunft auszurichten. Dazu gehört, entsprechende Vorarbeiten für die weitere digitale Transformation vorzunehmen. Neue Technologien und datengestützte Einblicke machen die Finanzabteilung zum strategischen Dreh- und Angelpunkt des Unternehmens. Dabei darf sie sich nicht als abgekapselter Bereich verstehen. Vielmehr muss sie sich als interner Berater für das gesamte Unternehmen etablieren. Dies gelingt Ihnen und Ihrem Team, wenn Sie die passenden Technologien zur Führung haben und abteilungsübergreifend agieren können.

3.2.2 Die Zukunft des Finanzwesens managen

Jetzt handeln – für die Zukunft

Sie und Ihre Mitarbeiter müssen vorbereitet sein, um digitale Trends rechtzeitig zu erkennen, einzuschätzen und vorteilhaft nutzen zu können. Die Arbeit im Finanzwesen wird noch anspruchsvoller, als sie bereits ist. Der Umgang mit neuen Systemen, die Steuerung der Verarbeitung und die Analyse der umfangreichen Informationen gelingt zwar mit weniger Mitarbeitern. Ohne ein motiviertes und optimal vorbereitetes Team wird das aber auf keinen Fall möglich sein. Einerseits werden die Kosten aufgrund weniger Mitarbeiter sinken, andererseits wachsen die Ansprüche an die Qualität der Arbeit. Entscheidungen über die zukünftige Technik (Cloud Services, Rechenzentren, mobile Lösungen) müssen jetzt getroffen werden. Es gilt, Daten und Abläufe vorzubereiten und Partner zu finden.

Ihre Rolle für das Gesamtunternehmen wird immer wichtiger und lässt sich prägnant auf zwei Sätze reduzieren.

Wichtig

Klingt ein bisschen wie der Spruch des Chefs:

§ 1: Der Chef hat immer recht.
§ 2: Sollte er einmal nicht recht haben, tritt automatisch § 1 in Kraft.

So ist es an dieser Stelle nicht gemeint, es verdeutlicht aber, welche Anforderungen an Sie gestellt werden. Von der Personal- und Mitarbeitereinbindung bis hin zur Produktentwicklung, aber auch bei Fusionen und Übernahmen verlassen sich Unternehmen zunehmend auf die finanziellen und strategischen Fähigkeiten ihrer erfahrensten Finanzführungskräfte. Ihr Einfluss im gesamten Unternehmen nimmt deshalb immer weiter zu. Die Beteiligung des Finanzwesens an der IT wird immer größer. Aufgrund des finanziellen Bedarfs, den Technologien sowohl in Form von Ausgaben als auch in Form von Vermögenswerten und Vermögensgegenständen geschaffen haben, ist es für Sie als CFO wichtiger denn je, einen umfassenden Überblick über diese großen Finanzposten zu haben. Doch Technologie ist heute mehr als nur eine Zahl in der Bilanz. Sie ist der Lebenssaft vieler Unternehmen: mit neuen Risiken und Gewinnmöglichkeiten, die die Zukunft des Unternehmens bestimmen werden. Technologie wird immer mehr zu einer entscheidenden Komponente für den finanziellen Erfolg eines Unternehmens. Das Finanzwesen hat eine immer wichtigere Rolle bei der Verwaltung dieser Technologien, insbesondere in den Bereichen Risiko- und Investitionsmanagement, übernommen.

Im Rahmen der technologischen Transformation übernehmen Sie als CFO die Führungsrolle, indem Sie Technologieinvestitionen bewerten, Produktentwicklungen überwachen und die strategische Planung für das Unternehmen leiten. Richten Sie sich und Ihr Team darauf aus, dass Sie sich alle weg von Zahlen hin zu strategisch Handelnden entwickeln. Um diesen Übergang zu erleichtern, sind Sie als CFO der

Enabler für sich selbst, aber auch für Ihr Team. Nur so können Sie und Ihre Finanzabteilung zukünftig schneller und klüger arbeiten. Um die Zukunft des Finanzwesens managen zu können, sollten Sie die drei folgenden Teile an die richtigen Stellen des Puzzles setzen.

Wichtig: Management der Zukunft – drei wichtige Puzzleteile

Optimierung der Unternehmensabläufe	Der Übergang zur strategischen Arbeitsweise erfordert, dass Finanzexperten weniger Zeit für routinemäßige Buchhaltungsaufgaben aufwenden.
	Optimieren Sie Abläufe, und setzen Sie produktivitätssteigernde Tools bis hin zu Workflow-Automatisierungsfunktionen ein.
	Entlasten Sie Ihre Finanzteams, sodass sie mehr Zeit mit hochwertigen strategischen Aufgaben verbringen können.
Verbesserung der Transparenz	Schaffen Sie Transparenz in allen Bereichen des Unternehmens.
	Durch die Kombination von einheitlichen Daten in der Cloud mit leistungsstarken Datenvisualisierungstools schaffen zentrale Plattformen Transparenz.
	Durch Transparenz können alle Ebenen fundierte Entscheidungen treffen.
Proaktivität	Lassen Sie die Vergangenheit hinter sich, und handeln Sie zukunftsorientiert.
	Erkennen Sie neue Trends, wie sich Ergebnisse vorhersagen und Arbeitsabläufe automatisch optimieren lassen.

Es liegt an Ihnen als CFO, die Weichen für die Finanzabteilung zu stellen und eine datengetriebene Kultur einzuleiten. Dazu sind Sie auf die passende Infrastruktur angewiesen. Viele Unternehmen, gerade aus dem Mittelstand, nutzen trotz des technologischen Fortschritts noch Legacy-Systeme, die zeitaufwendiger im Betrieb und in der Analyse sind und trotzdem nicht die nötigen Einblicke liefern. Dabei ist nicht nur das technische Detailwissen wichtig, sondern auch die Fähigkeit, dieses verständlich aufzubereiten und im Sinne der Unternehmensentwicklung einzusetzen. Mitarbeiter müssen kompetent im Umgang mit Technologie und Daten sein, gleichzeitig aber auch Unternehmensprozesse sowie Branchentrends verstehen und strategisch denken können. Ebenso benötigen sie Soft Skills, etwa kollaborative und kommunikative Fähigkeiten, um mit anderen Abteilungen erfolgreich zusammenzuarbeiten sowie Probleme und Lösungen an die Unternehmensführung kommunizieren zu können.

Denken Sie um

Ein Umdenken ist gefordert. Ein Umdenken, das sich in Ihrem Unternehmen und Ihrem Finanzbereich einpflanzen muss, sowie Veränderungen, die von allen Ebenen und allen Bereichen gefordert und gelebt werden müssen. Oder kurz gesagt: Change Management. Gerade in unserer schnelllebigen Zeit, in der Flexibilität auch ein Alleinstellungsmerkmal sein kann, muss ein Veränderungsmanagement in der Unternehmenskultur verankert sein. Zu oft werden Veränderungen leider immer noch am grünen Tisch entwickelt und per neuem Organigramm oder Arbeitsanweisung kommuniziert. Der Misserfolg ist vorprogrammiert, Veränderungen werden nicht gelebt, ja sogar blockiert. Das ist nicht verwunderlich, geht es bei Veränderungen doch immer um Menschen, und diese haben Wünsche und Ängste. Hinzu kommt die enorme und stets wachsende Informationsflut. Zu unterscheiden, was wichtig und was unwichtig ist, erfordert Konzentration und Kraft. Werden Veränderungen also nicht partizipativ erarbeitet und frühzeitig kommuniziert, gehen sie schnell unter oder werden ignoriert.

Sie als CFO müssen sich und Ihre Mitarbeiter in die Lage versetzen, zu »enablen«, wie wir Schwaben sagen, um die Zukunft des Finanzwesens auch wirklich managen zu können.

3.2.3 Die Digitalisierung finanzieren

Als CFO ist es Ihre Aufgabe, sich darüber Gedanken zu machen, wie die Digitalisierung in Ihrem Bereich finanziert werden soll. Gerade aus operativen Bereichen wird dem Finanzwesen häufig vorgehalten, dass es nichts zur Umsatzgenerierung beitrage. Dieses alte »Argument« muss doch immer wieder bei internen Diskussionen und Stakeholder-Besprechungen herhalten, wenn es darum geht, Mittel für die Finanzierung der Digitalisierung im Finanzbereich freizugeben. Wie sehen Sie das? Welche Argumente stehen Ihnen in Ihrem Unternehmen zur Verfügung, um die Kosten für die Digitalisierung im Finanzbereich zu rechtfertigen?

Nun, als Erstes fällt einem in diesem Zusammenhang immer ein: Kosteneinsparung, Kosteneinsparung, Kosteneinsparung. Und dies selbstverständlich mit dem immer wiederkehrenden Argument, dass durch Automatisierung der Prozesse ein enormes Kosteneinsparungspotenzial, gerade was die Kostenstruktur der Mitarbeiter betrifft, geborgen werden kann. Aber widerspricht das nicht gerade dem Argument, mit dem Sie Ihre Mitarbeiter heutzutage zu beruhigen versuchen: dass genug Arbeit da ist und keiner seinen Job wegen der Digitalisierung verlieren wird, sondern andere, mitunter anspruchsvollere und bessere Tätigkeiten ausführen wird? Und könnte es die Mitarbeiter nicht auf die Idee bringen, für diese anspruchsvollere Tätigkeit ein höheres Gehalt zu verlangen?

Wie dem auch sei: Aus welchen Töpfen und Quellen könnte die Finanzierung der Digitalisierung im Finanzwesen erfolgen? Und mit welchen Argumenten könnten Sie dies gegenüber Skeptikern im eigenen Unternehmen bzw. im Investorenkreis rechtfertigen? Dies sind auf jeden Fall Überlegungen, die Sie als CFO anstellen müssen. Mit dem Argument Kosteneinsparung, ohne dieses konkret unterfüttern zu können, wird es mit Sicherheit nicht getan sein.

Nachfolgend habe ich Ihnen ein paar Argumente für die Rechtfertigung der eingesetzten Mittel für die Digitalisierung im Finanzwesen zusammengestellt, wobei diese Argumente insbesondere Ihre Fantasie für Ihr Umfeld und die Gegebenheiten anregen sollen. Je nach Umfeld und Rahmenbedingungen gibt es unzählige andere Argumente, die für Ihre Situation angeführt werden müssen.

Arbeitshilfe: Argumente, um Mittel für die Digitalisierung im Finanzwesen zu rechtfertigen

3.2.4 Der treuhänderischen Verantwortung gerecht werden

Als CFO wird Ihnen im Unternehmen eine ganz besondere Rolle zuteil. Sie sind Treuhänder – »trustee« – des gesamten Firmenvermögens. Als Treuhänder müssen Sie ein vertrauenswürdiger und sachkundiger Experte sein, der die Interessen des Unternehmens wahrnimmt, eine Gefährdung oder Veruntreuung des Firmenvermögens vermeidet und die treuhänderische Verantwortung in transparenter Art und Weise ausführt.

Bei Ihrer treuhänderischen Verantwortung müssen Sie daher auch zwingend die Nachhaltigkeit im Blick haben sowie Umwelt-, soziale und Governance-Gesichtspunkte berücksichtigen. Und dies nicht nur, weil dies regulatorische gefordert ist oder eine Nichterfüllung die Reputation Ihres Unternehmens beschädigen könnte. Vielmehr sollte Ihre Triebfeder darin bestehen, dass die Berücksichtigung der sogenannten ESG-Faktoren die Grundlage für ein solides und vertrauenswürdiges treuhänderisches Vermögensmanagement darstellt. Unter »ESG« versteht man die Kriterien Umwelt (Environmental), Soziales (Social) und verantwortungsvolle Unternehmensführung (Governance). Diese Überlegungen stehen in direktem Zusammenhang mit dem Risikomanagement in Ihrem Unternehmen.

Ihr besonderes Augenmerk möchte ich an dieser Stelle auf die sogenannten Tail Risks, die Extremrisiken, lenken. Die Ereignisse der letzten Jahre haben gezeigt, dass Extremrisiken viel häufiger auftreten und Unternehmen gefährden können, als dies die Wahrscheinlichkeitsrechnung suggeriert. Gerade die Corona-Pandemie hat uns vor Augen geführt, wie existenzgefährdend unvorhersehbare Ereignisse mit hoher Durchschlagskraft für Unternehmen sein können.

Als CFO tragen Sie gemeinsam mit Ihren Geschäftsführungskollegen die besondere treuhänderische Verantwortung für das Firmenvermögen. Dieser Verantwortung müssen Sie durch ein von Ihnen implementiertes und gelebtes Management gerecht werden.

3.2.5 Proaktiv aussagekräftige Analysen durchführen

»Proaktiv« – ein kleines Wort mit großer Bedeutung. »Proaktiv« beschreibt eine differenzierte Vorausplanung und ein zielgerichtetes Handeln, um die Entwicklung eines Geschehens selbst zu bestimmen und eine bestimmte Situation herbeizuführen. Proaktivität umfasst eine Geisteshaltung, die sich sowohl im Handeln als auch in der Kommunikation widerspiegelt. Proaktives Handeln zeichnet sich insbesondere dadurch aus, mehrere Szenarien einzukalkulieren und bei der Planung mitzuberücksichtigen. Das sind Eigenschaften, die Sie als digitalen CFO auszeichnen und die Sie einbringen müssen, um aussagekräftige Analysen zur Verbesserung wichtiger Geschäftsentscheidungen durchführen zu können.

Bei reaktivem Verhalten ist das Scheitern dagegen nahezu vorprogrammiert – auch wenn Abwarten-und-Tee-trinken in bestimmten Situationen keine schlechte Strategie ist. Aber gerade wenn es um die Generierung aussagekräftiger Analysen geht, können Sie in der heutigen Zeit nicht abwartend gestalten. Gefordert ist dagegen proaktive Kreativität in der Erfassung, der Verarbeitung und dem Schutz von Daten sowie die Ableitung konkreter Maßnahmen und Methoden. Immer größere, komplexere und sich schnell ändernde Datenmengen müssen verarbeitet und analysiert werden. Volatilität und Geschwindigkeit wollen gemeistert werden. Business Intelligence lautet das Zauberwort. Traditionelle Steuerung funktioniert nicht mehr bzw. nicht mehr vollständig. Informationen und deren Auswertung werden zur entscheidenden Ressource, um Komplexität und Dynamik zu bewältigen. Zukünftig kommt es darauf an, im richtigen Augenblick die richtige Information zur Verfügung zu haben, die für die zu treffende Entscheidung zentrale Relevanz hat.

Bessere Daten – bessere Entscheidungen

Business Intelligence umfasst alle Strategien, Prozesse und Technologien, bei denen aus Daten Informationen und aus Information erfolgskritisches Wissen gewonnen wird. Dieses Wissen dient als Grundlage für Entscheidungen, die auf Fakten getroffen werden und die ihrerseits wiederum entsprechende

Prozesse im Unternehmen auslösen. Der Anspruch, der dahintersteckt, ist also, Entscheidungen auf Fakten zu basieren und dadurch bessere Entscheidung zu treffen. Der Haken an der Sache: Damit bessere Entscheidung getroffen werden können, müssen erst einmal die diesen Entscheidungen zugrunde liegenden Fakten stimmen. Keine leichte Aufgabe bei der immer größer werdenden und exponentiell ansteigenden Datenflut.

Auch diese Frage der Datenqualität müssen Sie als CFO proaktiv angehen und sicherstellen, dass die schier unbegrenzte Datenmenge erst in einem sinnvollen Kontext unternehmensrelevante Informationen zur Verfügung stellt. Denn größere Datenmengen bedeuten nicht zwangsweise auch eine bessere Datenqualität für Ihre Analysen. Im Umkehrschluss ist aber eine hohe Datenqualität eine unabdingbare Voraussetzung, um aus der riesigen Datenmenge die richtigen Schlüsse ziehen zu können.

Stellen Sie sicher, dass Ihnen kein suboptimales analytisches Umfeld zum Verhängnis wird und Sie daran hindert, spürbaren Wert aus Ihren Daten zu generieren.

Eine Grundlage dafür ist das Stammdatenmanagement (Master Data Management, MDM). Wer von uns kennt das nicht, Stammdatenpflege. Eigentlich ein Thema, bei dem man am liebsten davonrennen möchte. Aber es hilft ja nichts. Denn Master Data Management bietet Ihnen als Entscheider nicht nur eine verbesserte Sichtbarkeit und zuverlässigere Rohdaten für Ihre Analysen. Es verbessert auch die Möglichkeit für die Zusammenarbeit zwischen internen und externen Beteiligten: Stakeholdern über verschiedene Abteilungen hinweg, Businessunits oder gar Organisationen stehen dann jeweils dieselben relevanten Daten so zur Verfügung, wie sie jeweils auch gebraucht werden

Dabei stellt Multidomain-MDM die von Ihnen aus heutiger Sicht anzustreben Königslösung dar. Nichts Neues, wie ich finde. Bei meinem ersten Umstellungsprojekt eines großen deutschen Unternehmens auf IFRS 1995 war genau dies eines der zentralen Themen; nur mit dem Umstand verbunden, dass weder die Prozesse, die Technik noch die Menschen soweit waren, um dies umsetzen zu können. Multidomain-MDM zentralisiert das gesamte Stammdatenmanagement. Alle relevanten Daten vom Einkauf bis zum Verkauf laufen in einem zentralen System zusammen. So können Unternehmen einen »Golden Record« für Kunden, Produkte und Lieferanten bilden und Verbindungen und Korrelationen zwischen diesen Domänen erkennen. Sie erhalten einen Rundumblick auf die Stammdaten über alle Bereiche hinweg. Ein Multidomain-MDM schafft somit die »eine Wahrheit«, den Single Point of Truth, für unterschiedliche Stammdatendomänen über den gesamten Geschäftsprozess.

Schaffen Sie die Voraussetzungen für aussagekräftige Analysen und handeln Sie proaktiv!

3.2.6 Probleme antizipieren und frühzeitig lösen

Antizipation ist die gedankliche Vorwegnahme eines Ereignisses, einer Erwartung oder einer Erwartungshaltung. Ein Problem zu antizipieren bedeutet, in Betracht zu ziehen, dass dieses Problem auftreten könnte. Im Transformationsprozess mitunter ein schwieriges Unterfangen, lauern Themen und Herausforderungen, die ausgewachsen zu einem richtigen Problem werden können, doch nahezu hinter jeder Ecke. Aber genau das ist es, was Sie als zukunftsgerichteten CFO auszeichnen muss: Themen und Probleme zu antizipieren und frühzeitig zu lösen.

Das Antizipieren stellt fast schon eine Kunst dar, die in der gedanklichen Vorwegnahme besteht. Zieht man eine Parallele zu sportlichen Leistungen, wird hier das Antizipieren nicht dem Zufall überlassen, sondern trainiert. Was können Sie sich als CFO von Spitzensportlern in puncto Antizipation abschauen? Vor allem das Wissen, dass Sie für Antizipation folgender Dinge brauchen:

Wichtig: Antizipation

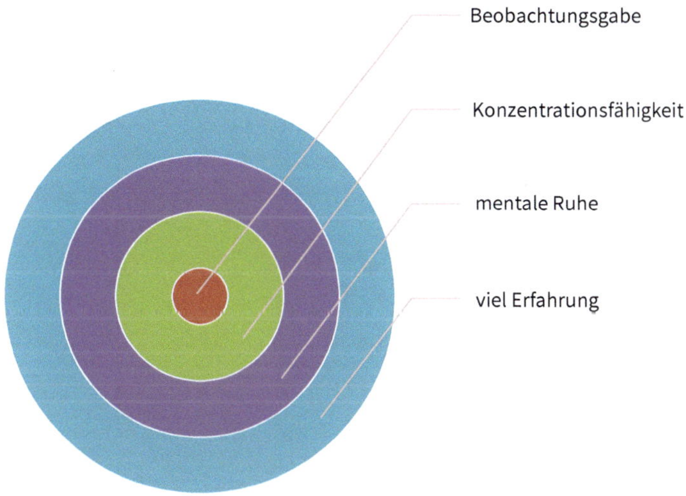

Wenn Sie sich häufig mit den gleichen Gegnern oder gleichen sportlichen Abläufen auseinandersetzen, können Sie das Ergebnis bereits im Voraus beeinflussen, also antizipieren. Dieses Antizipieren ist das Erahnen eines Ereignisses, eines Bewegungsmusters des Gegners oder des eigenen Verhaltens bezüglich einer Bewegung oder eines Bewegungsablaufs. Das Antizipieren wird bei jeder nur möglichen Sportart angewendet. Die gegenwärtigen Sinneseindrücke werden mit vorhandenen Gedächtnisinhalten abgeglichen und ausgewertet, um mit einer passenden Aktion oder Reaktion auf die momentane Situation zu antworten. Dabei wird der Blick des Gegners ebenso miteinbezogen wie dessen Haltung. Mittels verschiedenster Trainingsmethoden, zum Beispiel durch mentales Training, können sich Sportler ein Repertoire an unterschiedlichen Aktions- und Reaktionsmustern anlegen und diese bei Bedarf automatisch abzuspulen.

Mich selbst hat zum Beispiel eine Übung meiner Tennistrainer zu einem ganz passablen Netzspieler gemacht: Sowohl der Trainer als auch ich standen jeweils nur knapp ein bis zwei Meter hinter dem Netz, ich musste Volleyschläge durchführen, während der Trainer auf der anderen Seite mit voller Geschwindigkeit aus nächster Nähe Aufschläge auf mich durchführte. Zwei Dinge können Sie mir glauben: Erstens haben mich die schmerzhaften Erfahrungen relativ schnell antizipieren lassen, wohin der Ball wohl geschlagen wird. Und zweitens habe ich diese Übung, als ich dann selbst Trainer war, das ein oder andere Mal such bei meinen Schützlingen angewendet, um deren Reaktionsfähigkeit zu verbessern.

Diese Erkenntnisse aus dem sportlichen Bereich können Sie auf Ihren beruflichen Alltag übertragen. Das heißt, neben dem mentalen Training sollten Sie auch das in Ihrem Geist trainierte Verhalten in der Praxis so häufig wie möglich umsetzen, um im Rahmen des Antizipierens immer wieder neue und bessere Muster anlegen zu können. Erstaunlicherweise kann Ihr Gehirn nicht unterscheiden, ob Sie eine Situation im realen Leben erleben oder ob sie lediglich in Ihrer Vorstellung stattfindet. Damit relativiert sich jedwede Realität und wird beeinflussbar – allein durch konzentriertes, aber entspanntes Denken, Imaginieren und Visualisieren.

Viele Themen und Probleme können Sie bei entsprechender Antizipation frühzeitig lösen. Dies ist ein Merkmal, das Sie als starker digitaler CFO auszeichnen wird.

3.2.7 Persönlicher Check: Finanzmanagement

Diese Arbeitshilfe unterstützt Sie bei der Selbstreflektion zum Thema Finanzmanagement und hilft Ihnen, Prioritäten zu setzen.

Arbeitshilfe: Persönlicher Check – Finanzmanagement

	Sehr relevant	Relevant	Nicht relevant	Möchte ich umsetzen/ verbessern	Priorität (A/B/C)
Sich auf die Zukunft ausrichten	·	·	·	·	·
Die Zukunft des Finanzwesens managen	·	·	·	·	·
Die Digitalisierung finanzieren	·	·	·	·	·
Der treuhänderischen Verantwortung gerecht werden	·	·	·	·	·
Proaktiv aussagekräftige Analysen durchführen	·	·	·	·	·
Probleme antizipieren und frühzeitig lösen	·	·	·	·	·

3.3 Operative Ausrichtung des CFO (OA)

3.3.1 Den Finanzbereich stärker operativ einbinden

Ihre Aufgabenbereiche als CFO sind immer stärker in die Gesamtorganisation Ihres Unternehmens eingebettet. Denn in vielerlei Hinsicht sind CFOs gut dafür gerüstet, Verantwortung in operativen Bereichen mitzuübernehmen. Als CFO vereinen Sie hohe finanzwirtschaftliche und analytische Fähigkeiten in sich.

Eine besondere Sichtweise auf das Gesamtunternehmen zeichnet Sie aus. Zudem weisen Sie erforderliche Leadership- und Managementqualitäten auf. So kommt in der Praxis es immer häufiger vor, dass Sie als CFO auch die Bereiche IT, Immobilien und Logistik zu verantworten haben.

Die Gründe, sich als FCO in operative Bereiche einzubringen, sind mannigfaltig.

Beispiele: Gründe für eine operative Ausrichtung des CFO

Damit Sie als CFO ein fundiertes Urteil über Ressourcenverteilungen, Mittelzuweisungen, aber auch hinsichtlich Prioritäten im Rahmen von Kostenreduktionsprogrammen abgeben können, benötigen Sie ein umfassendes Verständnis des operativen Geschäfts Ihres Unternehmens. Dies setzt eine stärkere operative Einbindung des CFO voraus. Ihre Aufgabe ist es, Ihren Finanzbereich enger mit dem operativen Geschäft zu verbinden, die Notwendigkeit dieser engeren Verknüpfung im Unternehmen transparent darzustellen und die Anerkennung und den Respekt gegenüber Ihren Abteilungen sowohl im Unternehmen als auch an der Unternehmensspitze zu fördern. Dies können Sie unter anderem dadurch erreichen, dass sie als CFO in Geschäftsangelegenheiten vorausschauend und mit Entschiedenheit an vorderster Front auftreten, anstelle sich bei der Entscheidungsbildung mit der Rolle des Zahllieferanten und Hinterbänklers zufriedenzugeben. Stellen Sie die Finanzfunktionen und die damit verbundenen Kernkompetenzen, wie zum Beispiel das Risikomanagement und die Erfüllung gesetzlicher Vorschriften, stärker in den Fokus operativer Abteilungen und operativer Führungskräfte.

Gerade bei komplexen und diversifizierten operativen Vorgängen sollten Sie diese Karte mit Nachdruck spielen. Wirken Sie der teilweise noch vorherrschenden Wahrnehmung operativer Abteilungen entgegenwirken, dass Sie und Ihre Teams Entwicklungen eher behindern als unterstützen. Dazu ist es hilfreich, dem Ruf der Arroganz und überheblichen Besserwisserei, den der Finanzbereich mitunter genießt, kein neues Futter zu liefern. Dies hat selbst verständlich nichts damit zu tun, dass Sie als CFO bei bewusster Abwägung von Sachverhalten und Vorhaben auch hin und wieder entschieden Nein sagen müssen. Für eine stabile und vertrauensvolle Beziehung zu den operativen Bereichen müssen Sie dafür sorgen, dass die Finanzabteilungen als Teil des Unternehmens wahrgenommen werden, die durch konstruktive Aufgaben und Beiträge einen entscheidenden Wertbeitrag zum Erreichen der Unternehmensziele leisten. Wichtig ist auch Ihr Beitrag zur Unternehmensführung, der dabei unterstützt, wie das Unternehmen grundsätzlich zu führen und zu entwickeln ist.

Aufgrund der gesteigerten Beachtung von geschäftlichen und operativen Fragestellungen wird Ihnen als CFO auch die Führung von Change-Management-Projekten die Verantwortung übertragen werden. Denn eine engere Beziehung zwischen dem Finanzbereich und den operativen Geschäftsbereichen erfordert auch ein fortwährendes Überdenken der traditionellen Organisationsstrukturen. Und natürlich auch, wo erforderlich, eine Veränderung!

Um die mit den operativen Bereichen verknüpften Aufgaben erfolgreich wahrnehmen zu können, sollten Sie, wenn möglich gemeinsam, folgende Felsbrocken, die den Weg versperren, beiseiteräumen.

Praxistipp: Die größten Hindernisse bei der operativen Einbindung des CFO

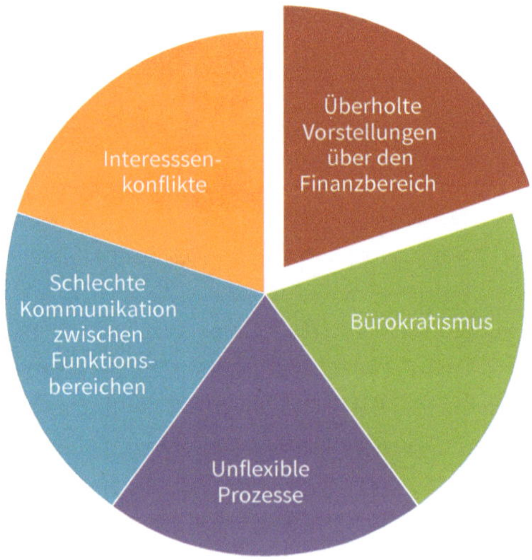

Die Rückseite der Medaille

Allerdings gibt es auch potenzielle Nachteile der operativen Einbindung des CFO, die Sie im Hinterkopf haben sollten. Ein wichtiges Element Ihrer Rolle ist zum Beispiel die Unparteilichkeit. Diese Unparteilichkeit ermöglicht es Ihnen, schwierige Fragen zu stellen. Fragen, die Sie, wenn Sie selbst Bestandteil des Operativen sind, so nicht mehr stellen können. Sollten operative Bereiche indirekt unterstellt sein, führt dies auch zu einer Verwässerung der jeweiligen Rollen in Bezug auf Business Performance und Wertschöpfung. Daraus könnte für Sie ein Interessenkonflikt entstehen, in dessen Folge Sie Ihre unabhängige Stimme innerhalb der Organisation selbst untergraben könnten. In der Praxis beobachte ich, dass genau diese Unabhängigkeit bereits bei der Besetzung der CFO-Position berücksichtigt wird.

Ihre Unabhängigkeit können Sie auch dadurch transparent machen, dass Sie größere Vorhaben von einem Konzerninvestitionsausschuss überprüfen lassen und die jährlichen Investitionspläne vom Board bzw. Aufsichtsrat genehmigen lassen.

Fazit

Als CFO müssen Sie die Fähigkeit entwickeln, das, was für das Unternehmen insgesamt richtig ist, gegen das abzuwägen, was für Sie in einer bestimmten Funktion wünschenswert wäre.

3.3.2 Richtlinien zur kontinuierlichen Verbesserung der IT entwerfen

Führen Sie eine kontinuierliche Verbesserung der IT durch und halten Sie die entscheidenden Vorgaben bei Veränderungsprozessen in Richtlinien fest. Verstehen Sie diese kontinuierlichen Verbesserungsprozesse (KVP) der IT als Wettbewerbsvorteil. Das bedeutet, dass ständig, systematisch und in kleinen Schritten an der Optimierung aller Abläufe gearbeitet wird. Viele kleine Verbesserungen in schnellen Zyklen können große Wirkung entfalten. Ansatzpunkte für kontinuierliche Verbesserung finden sich viele: Updates und neue Releases, Monitoring, Performance, Regressionstests oder die Bereitstellung von Test- und Entwicklungsumgebungen.

So wird beispielsweise nach der Implementierung von IT-Anwendungen oft schnell zur Tagesordnung übergegangen. Nach dem Go Live der neuen Applikation und der Einweisung der Anwender werden die Projekte abgeschlossen. Der Projekterfolg wird daran gemessen, ob die Anforderungen aus dem Pflichtenheft erfüllt wurden. Oft wird nicht hinterfragt, ob das eigentliche Ziel – den Prozess zu verbessern – überhaupt erreicht wurde und ob die erreichte Verbesserung nachhaltig wirkt. Das IT-Management konzentriert sich auf wenige große Probleme, die mit komplexen Vorhaben beseitigt werden sollen. Hierbei werden die vielen kleinen Verschwendungen am Arbeitsplatz und in den täglichen Abläufen vernachlässigt. Mit KVP soll dieses erhebliche Potenzial erschlossen werden. Alle Probleme mit der IT-Nutzung sollten systematisch erhoben, hinsichtlich ihrer Ursachen analysiert und möglichst schnell beseitigt werden. Das Identifizieren von unwichtigen, aber auch fehlenden Systemfunktionalitäten, die Aufdeckung von manuellen Workarounds oder überflüssigen Aktivitäten sind nur einige Aspekte.

Um die kontinuierliche Verbesserung der IT sicherstellen zu können, sollten Sie als CFO mindestens die folgenden Eckpunkte in Richtlinien verbindlich vorgeben.

Wichtig: Richtlinien zur kontinuierlichen Verbesserung der IT

3.3.3 Potenzielle M&A-Aktivitäten führen

Mergers & Acquisitions (M&A) stellen ein bedeutendes Instrument der strategischen Unternehmensführung dar. Das Gelingen eines solchen Projekts hängt dabei von vielen unterschiedlichen Faktoren ab. Hinter allem steht jedoch letztlich die Qualität, mit der ein M&A-Projekt über seine unterschiedlichen Phasen hinweg geführt wird.

Als CFO kommt Ihnen hier eine Schlüsselrolle zu. Und damit auch in Bezug auf das Gesamtwachstum Ihres Unternehmens.

Aus vielen Gründen, die ich hier nicht im Einzelnen thematisieren möchte, sind Wachstumsinitiativen im Unternehmen häufig auch mit einem Fokus auf Fusionen und Übernahmen verbunden. Das bietet Ihnen als CFO die Möglichkeit, Ihr Ansehen zu nutzen und eine maßgeblichere Rolle bei den strategischen Schlüsselentscheidungen im Unternehmen zu spielen. Doch es ist nicht gerade leicht, die entsprechenden Aufgaben zu bewältigen. So stellt die Aufgabe, Wachstum und Innovation zu managen, für den Finanzbereich eine enorme Herausforderung dar. Sie müssen bei diesen Prozessen, die viele Ressourcen binden, wie ein Jongleur Ihre Kernbereiche – etwa Rechnungswesen, Kostenmanagement, Budgetierung, Prognosen oder Compliance – parallel zu den M&A-Aktivitäten in der Luft halten, damit Ihnen keines der rohen Eier am Boden zu Bruch geht.

M&A-Aktivitäten stellen hohe Anforderungen an die Beteiligten. Verschiedene Unternehmenskulturen müssen zusammengeführt, Mehrwert geschaffen und der Geschäftserfolg gesichert werden. Der Erfolg hängt maßgeblich von einer präzisen Vorbereitung ab und verlangt das professionelle Knowhow von Experten und Praktikern, um Zahlen und Ergebnisse analysieren und bewerten zu können. Harte und weiche Faktoren wie Führungsstile und Kulturverständnis spielen eine wichtige Rolle, um das historisch gewachsene Wissen der Mitarbeiter während und nach der Transaktion in vollem Maße auszuschöpfen. Kenntnisse zu rechtlichen und steuerlichen Rahmenbedingungen bilden den Kern des Gesamtprojektes.

Ein M&A-Prozess kann sehr langwierig sein. Nachfolgende Darstellung gibt Ihnen einen Überblick über die wesentlichen Aufgaben, die sie als CFO bei M&A-Aktivitäten mindestens zu erfüllen haben.

Praxistipp: Aufgaben des CFO bei M&A-Aktivitäten

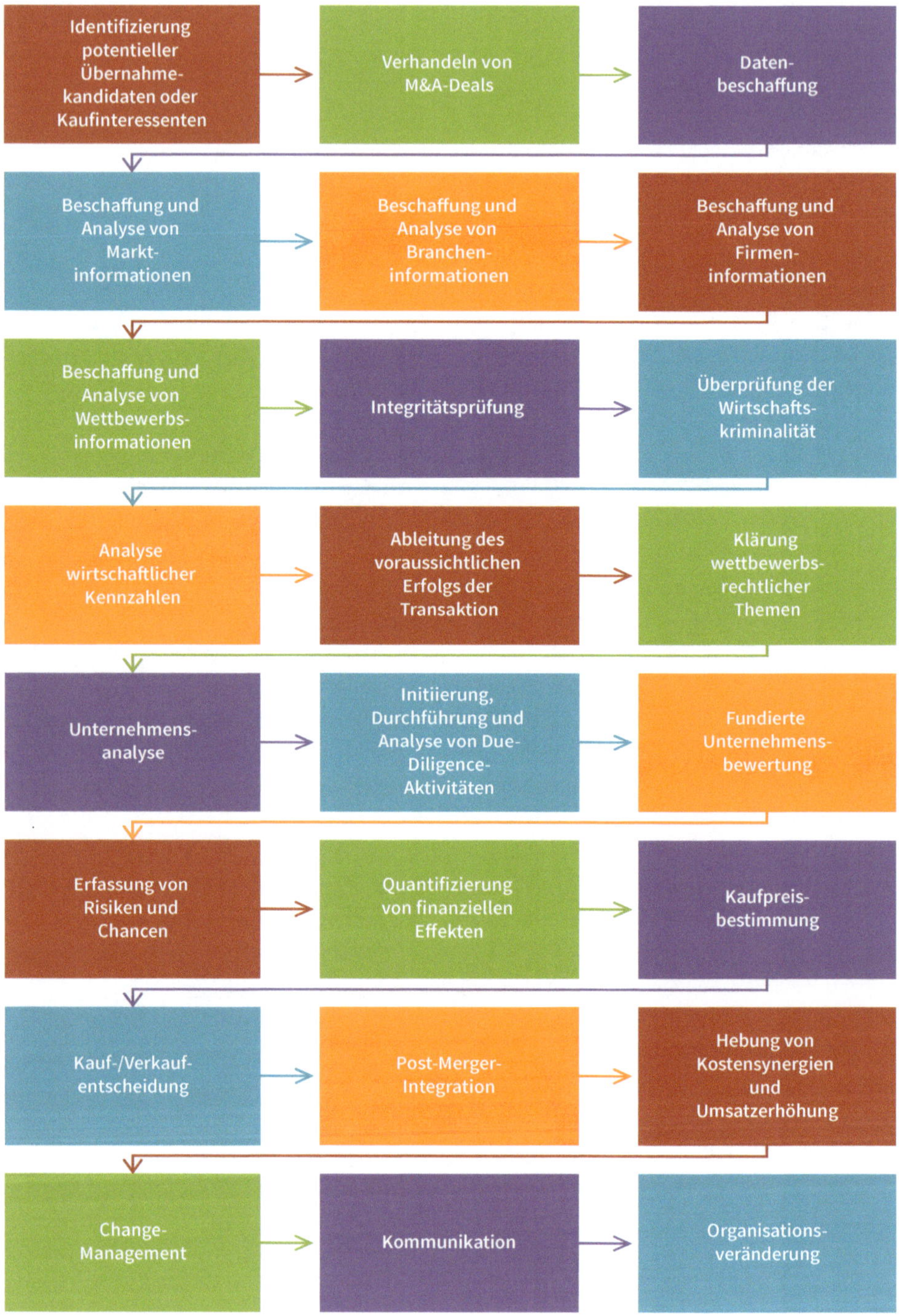

3.3.4 Persönlicher Check: Operative Ausrichtung des CFO

Diese Arbeitshilfe unterstützt Sie bei der Selbstreflektion zum Thema »Operative Ausrichtung des CFO« und hilft Ihnen, Prioritäten zu setzen.

Arbeitshilfe: Persönlicher Check – Operative Ausrichtung des CFO

	Sehr relevant	Relevant	Nicht relevant	Möchte ich umsetzen/ verbessern	Priorität (A/B/C)
Den Finanzbereich stärker operativ einbinden	·	·	·	·	·
Richtlinien zur kontinuierlichen Verbesserung der IT entwerfen	·	·	·	·	·
Potenzielle M&A-Aktivitäten führen	·	·	·	·	·

3.4 Human Resource Management (HRM)

3.4.1 Was ist die Zukunft: Technologie oder Mensch?

Die Geschichte technologischer Revolutionen zeigt, dass die Ängste vor dem Wandel schon immer enorm waren. Und das nicht bloß bei den Ludditen, die in den Jahren 1811 bis 1817 die Maschinen der Textilindustrie stürmten, sondern mitunter auch bei renommierten Ökonomen. 1821 befürchtete David Ricardo, die Mechanisierung werde viele Jobs überflüssig machen. 1930 beschwor John Maynard Keynes deswegen die Gefahr der Massenarbeitslosigkeit herauf. Doch noch jede technologische Revolution hat nicht bloß Millionen existierender Jobs zerstört, sondern auch Millionen neue Stellen hervorgebracht. Und dies insbesondere in Berufen, die sich zuvor niemand hatte vorstellen können. Nachdem das Auto erfunden worden war, verloren zwar die Kutscher ihren Job; aber es entstanden Berufe wie der des Autoingenieurs oder Kfz-Mechanikers, des Tankwarts oder Taxifahrers. Ähnlich war es nach der Erfindung des Flugzeugs: Ozeanliner samt Besatzung waren kaum mehr gefragt, stattdessen entstanden neue Berufe an Bord und am Boden, im Flugzeugbau und in der Wartung.

Und so ist es auch jetzt wieder, im Zeitalter der Digitalisierung. Wer hätte sich noch 1995 vorstellen können, dass nur 25 Jahre später Millionen von Menschen als Programmierer, Social-Media-Beauftragte, Suchmaschinenoptimierer oder Web-Designer arbeiten? Oder dass Autozulieferer wie Continental Zehntausende von Software-Ingenieuren beschäftigen?

Hat Technologie die Nase vorn?

Natürlich werden in den nächsten Jahren durch intelligente – oder auch weniger intelligente – Maschinen viele Stellen wegrationalisiert werden. Aber auch schlaue Maschinen müssen gebaut, gewartet und überwacht werden, und dafür braucht es Menschen. In vielen Fällen sind diese Digitalmaschinen auch nur ein Hilfsmittel, um die Arbeit zu erleichtern; sie ersetzen den Menschen nicht. Hinzu kommt, dass durch neue Technologien neue Aufgaben und damit neue Anforderungsprofile entstehen. Und genau darin liegt die Chance für die Beschäftigten, aber selbstverständlich auch für Sie als CFO. Denn vor allem in den Bereichen Technologie, Medien und Telekommunikation liegt ein hohes Potenzial für die Entstehung neuer Jobs. Wichtig ist es an dieser Stelle für Unternehmen, aber auch für Arbeitnehmer, sich frühzeitig zu informieren, sich weiterzubilden und sich auf die neuen Anforderungsprofile einzustellen. So lassen sich die Chancen der Digitalisierung frühzeitig nutzen.

Eine der größten Ängste der Menschen in Bezug auf die digitale Transformation ist neben dem Wegfall des Arbeitsplatzes der Entscheidungsverlust. Roboter, die operieren, Autos, die autonom fahren, oder der Kühlschrank, der selbst Nahrung bestellt – was im privaten Alltag befürchtet wird, lässt sich auch auf die Digitalisierung im Unternehmen übertragen. Hier haben Menschen die Sorge, dass über kurz oder lang nur noch Maschinen dazu befugt sind, Entscheidungen zu fällen, und dass auch dadurch die menschliche Arbeitskraft überflüssig werden könnte.

Vor diesem Hintergrund müssen Sie sich als CFO die Frage stellen, was aus Ihrer Sicht und in Ihrem Unternehmen die Zukunft sein soll und sein wird.

Wichtig

Was und wo gewinnt der Mensch?

Computer und Roboter können immer mehr. Welche Kompetenzen werden noch gefragt sein? Und was müssen Menschen lernen, um gegen die Maschinen bestehen zu können? Im Moment sieht es noch so aus, als habe der Mensch die Oberhand über der Technologie und als würde er diese auch nicht sobald an die Technik verlieren. Etliche wichtige Aufgaben lassen sich nämlich (noch) nicht durch eine Maschine ersetzen. Schätzungen zufolge aber könnten ca. 50 % der Arbeitsplätze künftig von Maschinen erledigt werden. Und dies nicht nur bei Routineaufgaben. Letztlich ist es egal, ob diese 50 % realistisch sind oder nicht. Entscheidend sind der unaufhaltsame Trend und die eindeutige Entwicklung in diese Richtung.

Um sich als Mensch gegen mögliche Risiken zu wappnen, stellt sich die zentrale Frage, was Menschen besser können als Roboter. Es muss vor allem anders sein als das, was Maschinen können. Reines Wissen können Maschinen besser speichern und abrufen als Menschen. Künftig werden daher mit Sicherheit andere menschliche Fähigkeiten eine Rolle spielen. Die Reproduktion von Wissen wird weniger relevant sein. Es geht nicht darum, was Menschen wissen, sondern darum, was sie mit diesem Wissen machen. Im Vorteil ist die künstliche Intelligenz nur, wenn es um ganz bestimmte Problemlösungen bei klaren Aufgabenstellungen geht.

Anderswo hat die künstliche Intelligenz aber noch ihre Probleme. Nämlich dann, wenn es um das Verstehen, um Transferleistungen geht. Gemeint sind die sogenannten transformativen Kompetenzen, die Verantwortung, neue Werte, kritisches Denken und Vernetzen im Raum umfassen. Auch emotionale Kompetenzen und Kreativität werden eine größere Rolle spielen. Denn Roboter können zwar reproduzieren und beispielsweise ein Musikstück komponieren, wenn sie vorher mit ausreichend Informationen und Musik gefüttert wurden. Etwas vollständig Neues entwickeln, wie eben Musik oder Kunst, können sie aber nicht. Ebenso wird die Fähigkeit, Beziehungen aufzubauen und zu pflegen, eine immer wichtigere Rolle für den Menschen spielen. Was diese Dinge angeht, sind Menschen den Robotern überlegen.

Kommunikation und Empathie sind weitere Stärken des Menschen, die in einer globalisierten Welt immer wichtiger werden. Menschen sind dazu fähig, sich auszutauschen und zusammenzuarbeiten, gemeinsam Lösungen zu entwickeln.

Und ganz entscheidend: Vergessen wir unser Gehirn nicht, auf das wir uns verlassen können. Künstliche Intelligenz ist von der Leistungsfähigkeit eines menschlichen Gehirns im Moment noch sehr weit entfernt. Allein schon in Bezug darauf, was die Energiemengen angeht, die eine Maschine im Gegensatz zu einem menschlichen Gehirn braucht. Befürchtungen, dass künstliche Intelligenz der menschlichen in absehbarer Zeit gleichkommen könnte, sind aus heutiger Sicht auch in Forscherkreisen deshalb eher unberechtigt. Das menschliche Gehirn hat der KI voraus, dass es in immer neuen und veränderten Situationen lernbereit und fähig ist, vorausschauend zu denken, zu reflektieren und Aussagen über das Verhalten anderer zu treffen.

Wie sieht es nun in Bezug auf diese Fragen und Themen bei Ihnen aus? Dazu stelle ich Ihnen in der nachfolgenden Arbeitshilfe zentrale Fragen für Ihre eigene Entwicklung. Seien Sie in der Beantwortung ehrlich und konkret! Allgemeine Platzhalter helfen Ihnen nicht weiter.

Arbeitshilfe: CFO versus Technologie

	Habe sehr gute Antwort	Habe gute Antwort	Habe mangelhafte Antwort	Habe ungenügende Antwort	Habe keine Antwort
Warum sind Sie selbst als Menschen besser als eine Maschine?	.	.	.	.	.
In welchen Bereichen sind Sie der Technologie überlegen?	.	.	.	.	.
Was zeichnet Sie gegenüber der Technologie aus?	.	.	.	.	.
Welche Kompetenzen brauchen Sie, um gegenüber den Technologien die Oberhand zu behalten?	.	.	.	.	.
Was konkret müssen Sie noch lernen, um gegen Maschinen bestehen zu können?	.	.	.	.	.

	Habe sehr gute Antwort	Habe gute Antwort	Habe mangel-hafte Antwort	Habe unge-nügende Antwort	Habe keine Antwort
Welches »Stück« können sie als CFO komponieren, was einer Maschine nie möglich wäre?	·	·	·	·	·
Welche Schritte müssen Sie heute einleiten, damit ihr Team-Orchester weiterhin auf Ihren Dirigentenstab schaut und nicht die Technologie den Takt vorgibt?	·	·	·	·	·

Sie sollten sich intensiv mit diesen Fragen und ihren Antworten beschäftigen. Denn sie stellen einen Großteil des Fundaments Ihres zukünftigen Wirkens als CFO dar und geben Ihnen Anregungen, wie Sie Ihre Aufgabe als CFO erfolgreich gestalten können und Herr über die Technologie bleiben.

Fazit: Was ist die Zukunft – Technologie oder Mensch?

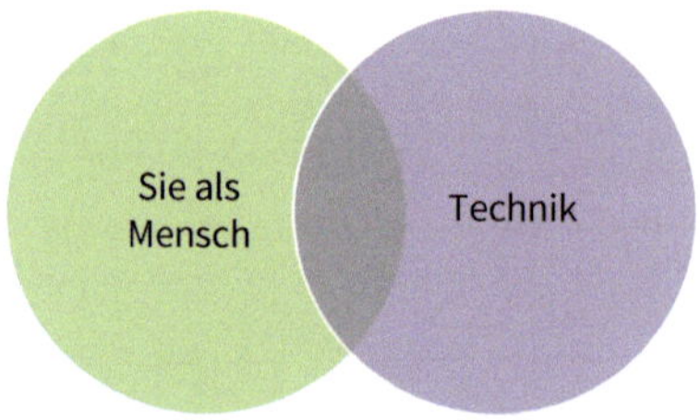

Allerdings lässt sich die Wahrscheinlichkeit einer künstlichen Superintelligenz für die Zukunft auch nicht ausschließen. Denn schließlich kennen wir die Grenzen künstlicher Intelligenz heute ebenso wenig wie die genauen neuronalen Schaltprozesse im menschlichen Gehirn.

3.4.2 Mitarbeiter sind wichtig(st)e Erfolgsfaktoren

Mitarbeiter sind wichtig(st)e Erfolgsfaktoren. Klingt gut, macht sich gut, ist so!

Ihre Mitarbeiter verfügen das gesamte Know-how, das bei Ihnen in der Firma zur Verfügung steht. Wettbewerbsfähigkeit, sowohl extern als auch intern, Innovationskraft und Veränderungspotenzial hängen von diesen Menschen ab. Mit zunehmender Komplexität von Maschinen, Arbeitsgeräten und IT-Infrastrukturen sind das Wissen und die Erfahrungen Ihrer Mitarbeiter heute wichtiger denn je. Investitionen in innovative Technik rächen sich, wenn niemand im Unternehmen die Technik bedienen kann. Neben der rasanten technischen Entwicklung wirkt sich auch die angespannte Lage auf dem Arbeitsmarkt entscheidend auf den langfristigen Erfolg aus. Es wird viel schwieriger, qualifizierte Fachkräfte zu finden, die die neuen Technologien auch beherrschen, bedienen und überwachen können.

Ihr Team und die daraus entstandene Gemeinschaft werden von jedem einzelnen Mitarbeiter individuell geformt. Die Leistungspotenziale im Unternehmen sind einzigartig und nicht austauschbar. Jeder Mitarbeiter bringt genau seine Kompetenzen, Talente, Fähigkeiten und Erfahrungen ein und würde diese beim Verlassen des Unternehmens wieder mitnehmen. Auch wenn Sie als Arbeitgeber die Aus- und Weiterbildung finanzieren, gehört das erworbene Wissen Ihren Mitarbeitern. Schon allein dies sollte die Zielsetzung untermauern, Mitarbeiter langfristig an sich zu binden und zu fördern, indem Sie die jeweiligen Bedürfnisse erkennen und die Fähigkeiten des jeweiligen Mitarbeiters optimal einsetzen.

Sie sind als Führungskraft auch darauf angewiesen, dass Ihre Mitarbeiter Ihnen Sozialkapital zur Verfügung stellen und dieses in ihre tägliche Arbeit einbringen. Sozialkapitalmeint dabei insbesondere die Bereitschaft der Mitarbeiter, untereinander oder mit Außenstehenden zu interagieren. Innerhalb des Unternehmens ist es ein wichtiger Faktor, um Prozesse effizient zu gestalten und das Arbeitsklima positiv zu beeinflussen. Dabei spielen nicht nur die Beziehungen zwischen den Mitarbeitern eine wichtige Rolle. Auch der Umgang von und mit Vorgesetzten, Kunden und Partnern wirkt sich positiv oder negativ auf das Sozialkapital aus.

Um dieses Sozialkapital bilden zu können, braucht es eine Vertrauensbasis, auf der sich eine Kultur der Kooperation und der gegenseitigen Unterstützung entwickeln kann. Ohne Sozialkapital ist teamorientiertes Arbeiten nicht möglich. Je stärker und belastbarer diese Netzwerke sind, desto besser ist die Qualität der Arbeitsleistung – und natürlich auch der Arbeitsleistung in Bezug auf die anstehenden Herausforderungen der digitalen Transformation.

Mit folgenden Maßnahmen können Sie die für Ihre Herausforderungen nötigen Mitarbeiter als Erfolgsfaktoren einbinden, wertschätzen und fördern.

Arbeitshilfe

3.4.3 Ein CFO ist nur so gut wie sein Team

Die Funktion des CFO steht vor einer deutlichen Aufgabenerweiterung, aber auch vor einer weiteren Fokussierung auf die Kernfunktionen und Kernaufgaben im Finanzbereich. Schon allein diese Kombination zeigt, wie wichtig es für CFOs ist, zur eigenen Unterstützung ein starkes und effektives Netzwerk aufzubauen. Auch wenn diese Netzwerke unterschiedlich strukturiert sein können, dienen sie alle dem Zweck, dass sich der CFO selbst, aber auch seine Teams, auf die wirklich wesentlichen Aspekte ihrer Funktionen konzentrieren können. Zwar können Sie als CFO selbst bestimmte Dinge beeinflussen, entscheidend ist jedoch, wie gut es Ihnen gelingt, eine große Gruppe von Personen zu mobilisieren, die allesamt verstehen, was Sie möchten, und Ihnen bei der Umsetzung helfen.

Wichtig: Der CFO und sein Team

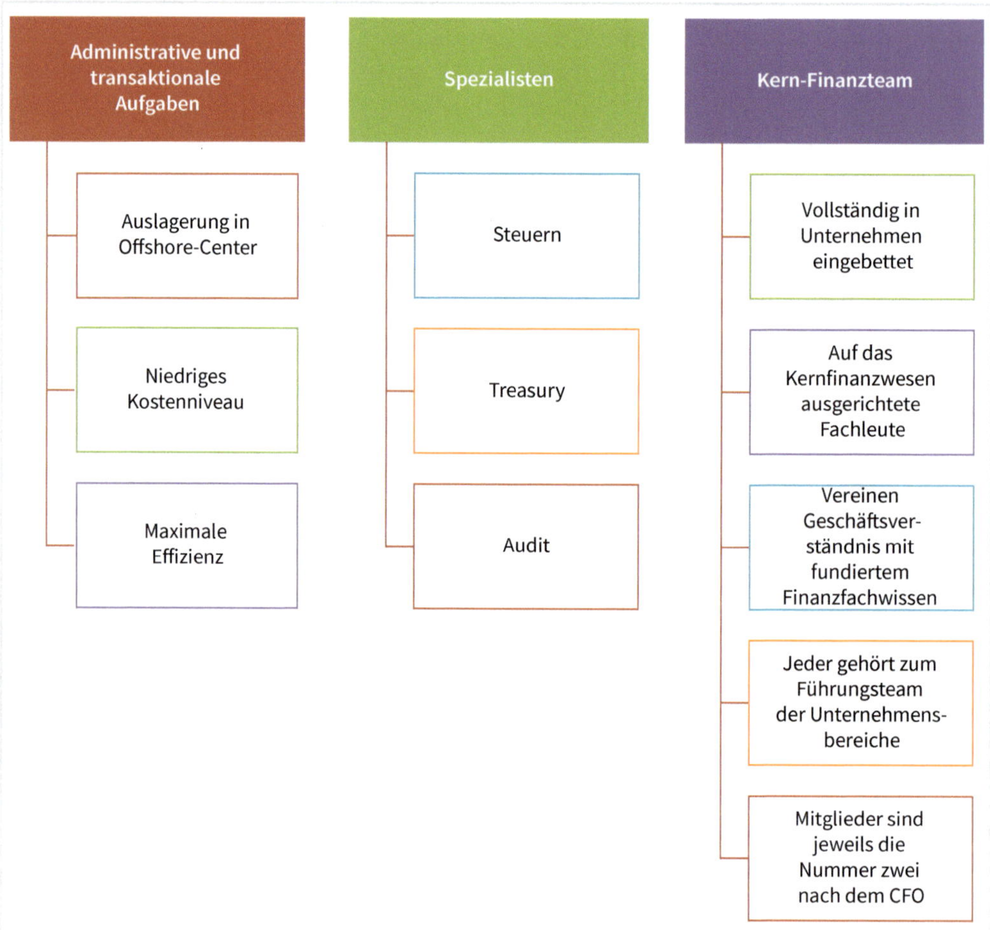

Das Verhältnis, in dem CFOs ihre Zeit den Kernaufgaben und den fachübergreifenden Fragen widmen, wird sich zugunsten der fachübergreifenden Fragen verschieben. Vor dem Hintergrund dieser Entwicklung gliedern führende CFOs ihren Finanzbereich inzwischen in die in der Grafik aufgezeigten drei Bereiche auf: Personen für administrative und transaktionale Aufgaben, Spezialisten und das Kern-Finanzteam.

Durch diese Strukturierung wird dem Kern-Finanzteam die Möglichkeit gegeben, sich auf werthaltige Aktivitäten zu konzentrieren. Gleichzeitig werden alle nationalen und notwendigen Tätigkeiten effizient und adäquat adressiert.

Praxistipp: Der CFO-Garten

Eine solche organisatorische Strukturierung und Trennung zeigt auch deutlich auf, dass Sie als CFO nur so gut sind wie Ihr Team! Sie sind die Sonnenblume, haben hinter sich im Garten aber noch viele andere schöne, bunte Blumen, die mit Ihnen ein wundervolles Gesamtbild schaffen.

3.4.4 Rückkopplungsschleife im CFO-Modell

Mit einer regelmäßigen Rückkopplungsschleife in Ihrem CFO-Modell holen Sie Feedback von Ihren direkt unterstellten Mitarbeitern, Ihren Kollegen aus der Geschäftsführung, internen Kunden und ggf. auch von Vorgesetzten ein. Durch dieses unterschiedliche Feedback können Sie auf Veränderungen angemessen und wirksam reagieren und Vertrauen aufbauen. Trägt dieses Feedback zu Ihren Entscheidungen bei, fördert dies auch die dringend benötigte Vertrauenskultur. Dies umso mehr, da Sie, anstatt auf formale HR-Prozesse zurückgreifen, eine vertrauensvolle Basis der Zusammenarbeit zwischen Ihnen und Ihrem Umfeld schaffen.

3.4.5 Digitalisierung: Stressfaktor für den Menschen

Was stresst die Mitarbeiter im Finanzwesen – und die Menschen insgesamt – an der Digitalisierung?

In der Rückwärtsbetrachtung bietet es sich an, sich die einzelnen Entwicklungsstufen bis zur heutigen Industrie 4.0 noch einmal vor Augen zu führen. Keine Sorge, das wird jetzt keine Geschichtsstunde. Vielmehr stellt sich mir immer wieder die Frage, wie die Menschen zur damaligen Zeit mit dem für sie sicher auch enormen Wandel umgegangen sind. Und dann natürlich die Frage, ob sich daraus Parallelen für unser heutiges Handeln ableiten lassen bzw. warum die derzeit stattfindende digitale Transformation den Menschen in einen gewissen Stresszustand versetzt.

Entwicklung zur Industrie 1.0

Die erste Massenproduktion durch Maschinen – und damit die Industrie 1.0 – begann ca. 1800. Die ersten Maschinen, etwa Webstühle, wurden durch menschliche Kraft betrieben. Mechanische Produktionsanlagen wurden errichtet und Maschinen durch Wasser- und Dampfkraft angetrieben. Die Wasserkraft war die erste Primärenergie. Danach kamen die Dampfmaschinen zum Einsatz. Zu den ersten Erfolgen der frühen Industrialisierung gehörten die ersten Eisenbahnen, der Kohleabbau, die Schwerindustrie, die Dampfschifffahrt, die Tuchherstellung, der Verkehr und der Textildruck. Die Menschen erkannten früh, dass schon die erste industrielle Entwicklung neue Arbeitsplätze in den Fabrikhallen schaffte. Bereits im 19. Jahrhundert wurden die ersten Grundlagen für die spätere Industrie 3.0, die Computerarbeit, auf mechanischer Ebene entwickelt.

Die zweite industrielle Revolution – Akkord und Fließband

Die Einführung der Elektrizität als Antriebskraft zum Ende des 19. Jahrhunderts war der Startschuss für die zweite industrielle Revolution (Industrie 2.0). Mit den ersten Automobilen ab dem frühen 20. Jahrhundert wurde die Arbeit in den Produktionshallen stetig weiter automatisiert. Die Fabrikhallen produzierten in Rekordzeit am Fließband und Motoren nahmen dem Menschen weitere Arbeit ab.

In dieser Entwicklungsphase erfuhren auch die Büroarbeitsplätze eine Weiterentwicklung in der Kommunikation. Telefonate und Telegramme vereinfachten die Kommunikation, wodurch Arbeitsprozesse beschleunigt wurden. Doch die Bemühungen, den Schriftverkehr zu vereinfachen, begannen schon 1714 mit Henry Mills Beschreibung einer Schreibmaschine, wofür ein Patent erteilt wurde. Vom Erfindergeist vorangetrieben folgten weitere Geräte wie das Schreibklavier, die Schreibmaschinenmodelle aus Holz oder die Schreibkugel. Erfolgsfaktoren in der zweiten Revolution waren die ersten Schritte der Globalisierung. Die Herstellung von Automobilen, Kleidung, Rohstoffe und Lebensmittel wurde automatisiert. Auch der Verkehr entwickelte sich weiter, indem erstmals über Kontinente hinweg transportiert wurde. Die Luftfahrt nahm ihren Betrieb auf und die Weltmeere konnten per Schiff überquert werden.

Industrie 3.0 – Computer arbeiten

Die dritte industrielle Revolution hatte ihre Vordenker schon im 18. Jahrhundert. Den Entwicklungsarbeiten dieser Pioniere folgten die ersten funktionsfähigen Geräte. Der deutsche Bauingenieur Konrad Ernst Otto Zuse entwickelte mit dem Z3 1941 den ersten funktionsfähigen Computer der Welt. Dieser war programmgesteuert, frei programmierbar und vollautomatisch. Eine rasante Entwicklung begann und die Entwicklungszyklen wurden immer kürzer. Die dritte industrielle Revolution nahm ihren Anfang in den 1970er-Jahren. Hier standen die weitere Automatisierung durch Elektronik und IT im Fokus. Nach den großen Rechenmaschinen begründete nun der Personal Computer für Büro und Haushalt einen neuen Industriezweig.

Buchungsmaschinen wurden ab 1920 zuerst bei den Postscheckämtern eingesetzt. Diese Maschinen konnten senkrecht und quer addieren und subtrahieren und übernahmen die gesamte Buchführung der jeweiligen Ämter. Mit diesen Maschinen wurden das Schreiben, Buchen und Rechnen automatisiert, die

Buchungsarbeit beschleunigt, Fehlerquellen ausgeschaltet und die Arbeitsleistung verbessert. 1958 erarbeiteten drei Hersteller unter Mitarbeit des posttechnischen Zentrums in Darmstadt Modellanlagen für die Automatisierung des Postscheck-Buchungsdienstes.

Das sind alles Veränderungen, mit denen die Menschen damals, so wie wir heute mit der digitalen Transformation, zurechtkommen mussten, auch um ihren Arbeitsplatz zu behalten.

Beispiel: Buchungsmaschinen zur Automatisierung

Buchung- und Statistikmaschine LogAbax, Modell Senior, um 1956, ausgestellt im Deutschen Museum in München (Bild des Autors)

Mit Sicherheit war die Umstellung auf die Buchungs- und Statistikmaschine LogAbax, insbesondere auf das Modell Senior, eine Herausforderung für die damaligen Buchhalter.

So weit, so gut. Aber wie erging es den Menschen mit all diesen enormen Veränderungen? Durch welche Attribute konnten sie diese Herausforderungen meistern, sodass sie uns heute als Grundlage dienen können? Und welche Parallelen können wir zur heutigen Situation herstellen?

Industrie 4.0

»Industrie 4.0« lautet der Begriff für die moderne Technologie und Produktion im Zeitalter der digitalen Revolution. Damit wird nicht nur die industrielle Entwicklung weiterer Technologien beschrieben, sondern auch die geänderte Produktions- und Arbeitswelt im globalen Zeitalter. Die »Informatisierung« nimmt in der Industrie 4.0 konkretere Formen an. Klassische Industriezweige werden weiter digitalisiert und neue Kommunikationsformen entstehen.

Viele Menschen haben gerade heute den Eindruck, das Leben sei in den letzten Jahren immer anstrengender geworden. Verstärkt wird dieses Gefühl durch immer komplexere Anforderungen, zunehmende Konflikte im Beruf oder Alltag und auch durch das Zurückstellen von eigenen Interessen aufgrund von Familie oder Job. Aber auch die Flut von Informationen, die täglich auf uns einströmt, und das uns beschleichende Gefühl, immer weniger selbst beeinflussen zu können, tragen anscheinend dazu bei, dass die Mehrheit der Menschen über Stress klagt.

Stress hat von jeher eine wichtige Bedeutung für den Menschen. Er dient grundsätzlich zunächst zur Verbesserung der eigenen Leistungsfähigkeit und hilft uns, bedrohliche Situationen zu bewältigen. Erst wenn Stress dauerhaft auftritt und uns Möglichkeiten zur Bewältigung ausgehen, kann sich Stress auch negativ auf die Gesundheit auswirken.

Der englische Begriff »stress« lässt sich mit Druck, Spannung oder Belastung übersetzen. Zuerst tauchte dieser Begriff im Bereich der Materialforschung auf, wo er für die Spannung, Verzerrung oder Verbiegung von Glas oder Metallen stand. Die Übertragung des Begriffes auf den Menschen erfolgte um 1940. Heute versteht man unter dem Begriff »Stress« die körperliche und psychische Reaktion des Organismus auf Belastungen. Das bedeutet, dass Stress mit der Anpassung einer Person an ihre Umwelt zusammenhängt. Unterschiedlichste Lebenssituationen können Stress bei einem Menschen hervorrufen. Entscheidend dafür, ob und in welchem Umfang eine Situation Stress bei uns auslöst, ist letztlich die subjektive Bewertung dieser Situationen.

Wichtig

»Nicht die Dinge selbst beunruhigen die Menschen, sondern ihre Urteile und Meinungen über die Dinge.«
Epiktet, 50 – 135 n. Chr.

Stress ist daher individuell sehr unterschiedlich. Ob wir ein Ereignis als unangenehm oder gar als Bedrohung wahrnehmen, hängt mit unseren persönlichen Erfahrungen und Eigenschaften sowie unserer Belastbarkeit, unseren Denkmustern und Bewältigungsstrategien zusammen. Wird Stress ausgelöst, werden Mechanismen in Gang gesetzt, die helfen sollen, den als bedrohlich wahrgenommenen Reiz zu bewältigen. Gelingt uns dies, finden wir wieder zu Ruhe und Stabilität. Tritt jedoch der Fall ein, dass keine Bewältigungsmöglichkeiten gefunden werden, kommt es zu Dauerstress. Ereignisse oder Situationen, die von uns eine Anpassung erfordern, können also positiv (Herausforderung) oder negativ (Überforderung) für uns sein, je nachdem wie wir sie bewerten.

Für Sie als Führungskraft ist es wichtig, dies sowohl für sich selbst als auch für Ihr Team zu reflektieren: Was sind die Stressfaktoren, also die Umweltreize, die körperliche und psychische Stressreaktionen bei Ihnen hervorrufen? Diese lösen eine Kaskade biochemischer Reaktionen aus, die letztlich zur Ausschüttung von Stresshormonen führt. Diese wiederum versetzen den Körper in Alarmbereitschaft.

In meinem Seminar »Ängste und Herausforderungen der Digitalisierung im Finanzwesen meistern« erhalte ich durch die Teilnehmer einen ganzen Blumenstrauß von Themen, die Stress hervorrufen. Diese Themen erfasse ich bei jedem Seminar. Auch wenn es keine wissenschaftlich saubere Arbeit ist, möchte ich Ihnen in der nachfolgenden Übersicht die am häufigsten genannten Themen, die Entscheider im Finanzwesen an der Digitalisierung stressen, darstellen. Zum einen, damit Sie einen Abgleich mit sich selbst durchführen können, zum anderen, damit Sie einen Blick und ein Verständnis darauf entwickeln, was andere Menschen um Sie herum stressen könnte.

Um dieser »Feldstudie« einen gewissen wissenschaftlichen Anstrich zu geben, nenne ich Ihnen noch die Grundgesamtheit dieser Auswertung: n = ca. 600.

Wichtig: Was Entscheider im Finanzwesen in Bezug auf die Digitalisierung stresst

Alltag	E-Mail-Flut, viele E-Mails in CC, oft nur E-Mails zur Information
	Keine Zeit für die Umsetzung
	Vielfältigkeit und Menge an neuen Informationen
	Zeitgleiche Besetzung multipler Rollen
Chef	Dem Chef ist nicht bewusst, wie viel Zeit eine (kleine) Optimierung kostet
	Fehlende Akzeptanz beim Chef
	Keine Rückendeckung
	Maximalforderungen
Kommunikation und Kultur	Fehlende Kommunikation zwischen den Bereichen
	Termine mit allen Beteiligten koordinieren
	Fehlerkultur
	Gleiche Sprache sprechen
Mensch	Konzentration mehr auf die Technik als auf die Menschen
	Pessimismus
	Umgang mit sachlich und logisch nicht erklärbaren Blockaden
	Unsicherheit
	Verstehen, wo andere Probleme haben bzw. nicht weiterkommen
	Was kommt danach? Wann ist danach?
Systeme	Abhängigkeit zwischen den Systemen und Komplexität
	Diverse Schnittstellen und Softwareentwicklung
	Probleme mit der Technik
	Systemverfügbarkeit
Umsetzung	Informationsflut
	Keine klaren Verantwortlichkeiten, Prozesse, Systeme
	Umsetzungsprozesse bei Projekten im Rahmen der Digitalisierung
	Zeitmangel und der Zeitfaktor generell
Unterstützung	»Besserwisserei« der IT
	Fehlende kompetente Unterstützung
	Große Abhängigkeiten von Dienstleistern
	Keine IT-Kapazitäten

Aus den Themen, die Menschen im Finanzwesen in Bezug auf Digitalisierung stressen, lassen sich Rückschlüsse darüber ableiten, wie Stress durch entsprechendes Verhalten gemindert werden könnte. Als Anregung, wie Sie das in Ihren Alltag integrieren könnten, habe ich Ihnen nachfolgend zu jedem einzelnen Thema, dass Stress verursachen kann, einen Imperativ formuliert, den Sie jeweils für sich selbst, aber auch im Umgang mit Ihrem Team, beherzigen können, um mit gutem Beispiel voranzugehen.

Wichtig: 30 Imperative, um Stress in Bezug auf Digitalisierung zu mildern

Alltag	Verabschieden Sie Vorgaben zu E-Mails!
	Gewähren Sie Zeit für die Umsetzung!
	Priorisieren und filtern Sie neue Informationen!
	Geben Sie klare Regeln für die zeitgleiche Besetzung multipler Rollen vor!
Chef	Seien Sie sich bewusst, wie viel Zeit eine (kleine) Optimierung braucht!
	Räumen Sie dem Thema Digitalisierung Priorität ein!
	Geben Sie Ihrem Team Rückendeckung!
	Stellen Sie realistische Forderungen!
Kommunikation und Kultur	Bauen Sie Kommunikationskanäle zwischen den einzelnen Bereichen auf!
	Schaffen Sie ein einheitliches System zur Koordinierung aller Beteiligten!
	Leben Sie Fehlerkultur!
	Suchen Sie "Dolmetscher" zur Überbrückung von Kommunikationsthemen!
Mensch	Konzentrieren Sie sich mehr auf den Menschen als auf die Technik!
	Seien Sie optimistisch!
	Lösen Sie sachlich und logisch nicht erklärbare Blockaden!
	Geben Sie Sicherheit!
	Seien Sie empathisch, und sehen Sie Probleme durch die Augen anderer!
	Vermitteln Sie Perspektiven! Benennen Sie auch Teilziele!
Systeme	Machen Sie Abhängigkeiten zwischen Systemen transparent!
	Stellen Sie Transparenz bei Schnittstellen in der Softwareentwicklung her!
	Stellen Sie Hilfe bei Problemen mit Technik zur Verfügung!
	Gewährleisten Sie Systemverfügbarkeit!

Umsetzung	Priorisieren und filtern Sie die Informationsflut!
	Legen Sie klare Verantwortlichkeiten, Prozesse und Systeme fest!
	Strukturieren und gestalten Sie Umsetzungsprozesse!
	Gewähren Sie Zeit!
Unterstützung	Klären Sie die IT über gemeinsame Ziele auf!
	Stellen Sie kompetente Unterstützung zur Verfügung!
	Gewährleisten Sie die Unabhängigkeit von Dienstleistern!
	Schaffen Sie genügend IT-Kapazitäten!

3.4.6 Digital Leadership

Um es gleich vorwegzunehmen: Das ganze Buch handelt ausschließlich von Digital Leadership. Mir ist es wichtig, dennoch an dieser Stelle einmal auf diese Begrifflichkeit einzugehen und die Aspekte herauszuarbeiten, die Ihnen Sicherheit im Umgang mit diesem Buzzword geben. Es gibt inzwischen eine so unfassbare Zahl an Büchern, Seminaren, Trainings, Ausbildungen, Definitionen und Themenbereiche zu diesem Konzept, dass einem als Führungskraft schon ganz schwindlig werden kann.

Wenn ich »Digital Leadership« höre, lese und fühle, muss ich sofort an den bayerischen Komiker Gerhard Polt denken, der es vor vielen Jahren einmal in Bezug auf – zugegebenermaßen – ein anderes Thema auf den Punkt gebracht hat. Das was Polt anspricht, frage ich mich täglich in allen möglichen Lebenslagen.

Gerhard Polt: Braucht's des

»Ja muss des sein … göi … braucht's des … gei … braucht's das … nen … oder!«

Meine Antwort: Ja, braucht's!

Die Frage ist nicht ob, sondern vielmehr was von all dem sogenannten Digital Leadership überhaupt sein muss, und was Sie sich selbst und Ihren Mitarbeitern davon in welcher Dosis gönnen bzw. verabreichen wollen – oder müssen, weil die Schmerzen schon so groß sind.

Was Digital Leadership ist, lässt sich gar nicht so einfach beantworten und hängt stark von Ihrem eigenen Blickwinkel, Ihrer Situation und dem Gefüge Ihres Unternehmens ab. Man findet sehr viele unterschiedliche Definitionen zu diesem Begriff.

Auf der einen Seite umfasst Digital Leadership einen neuartigen Führungsstil, dessen Fokus auf der digitalen Transformation des Unternehmens liegt. Für Sie geht es dabei auch darum, zu reflektieren, was denn so neuartig an diesem Führungsstil ist. Hätte man meinen Opa gefragt, was gute Führung ausmacht, hätte er mir bestimmt auch schon Aspekte wie Kommunikation, Strategie oder Dynamik genannt. Dennoch sind diese altbewährten Führungsqualitäten für die derzeitigen Entwicklungen der Arbeitsweisen und der jeweiligen Märkte wichtiger denn je. Besonders wichtig ist dabei der Aspekt, dass es sich bei Digital Leadership nicht um einen endlichen Prozess handelt, den wir abschließen können. Schrittweise Entwicklungen, ein ständiges Hinterfragen, kleine Schritte gehen und Rückschläge und Enttäuschungen überwinden, das steht im Vordergrund. Und die dafür nötige Akzeptanz, dass es nicht darum geht, von heute auf morgen alles anders zu machen. Es geht nicht darum, eine digitale Revolution bei sich und in Ihrem Umfeld anzuzetteln, sondern darum, als Führungskraft eine digitale Evolution zu gestalten und zu begleiten.

Arbeitshilfe

Für all die kleinen Revoluzzer unter Ihnen gilt der eben gesagte, letzte Satz nicht! Sie würde ich aber gerne um einen Austausch mit mir über den Ausgang Ihrer Revolution(en) und die dabei geschlagenen Schlachten bitten.

Digitale Evolution im Ganzen gelingt nur, wenn Sie als CFO als organisatorischer Vordenker agieren, der die Wandlungsfähigkeit der Organisation mit seinen Visionen und Strategien zielgerichtet vorantreibt und selbst über umfassende digitale Kompetenzen verfügt. Das bedeutet unter anderem auch, dass Sie Ihr technologisches Wissen exponentiell ausbauen müssen. Die Schlagworte »Digital Savviness« und »Tech Fluency« müssen dabei für Sie Platzhalter für den Umgang mit digitalen Technologien werden, die Sie so intuitiv und umfassend beherrschen sollten wie eine Fremdsprache, in der Sie sich beruflich brillant auszudrücken vermögen.

Folgt man diesem Ansatz von Digital Leadership, stehen insbesondere zwei Aufgaben für Sie als Digital Leader im Vordergrund.

Wichtig: Aufgaben eines Digital Leaders – Verständnis 1

Einsatz digitaler Tools und Werkzeuge

- Tech-Trends erkennen
- Neue Technologien validieren
- Neue Technologien überprüfen
- Neue Technologien einführen
- Deren bestmögliche Verwendung sicherstellen

Umstrukturierung des Unternehmens

- Vorangehen
- Das Unternehmen durch das digitale Zeitalter führen
- Prozesse agil und effizient gestalten
- Flexibel auf Veränderungen reagieren
- Strukuren und Arbeitsweisen anpassen
- Verantwortung dafür übernehmen, dass von digitalen Entwicklungen profitiert wird
- Den exponentiell steigenden Innovationsdruck filtern und lenken

Die digitale Transformation beschränkt sich aber nicht nur auf Technologien und Prozesse. Digital Leadership umfasst vielmehr auch die Transformation der gesamten Workforce. Folgt man diesem weiteren zweiten Ansatz und Verständnis von Digital Leadership, ist das eben dargestellte Aufgabenfeld um diesen vielleicht wichtigsten Bereich zu ergänzen.

Wichtig: Aufgaben eines Digital Leader – Verständnis 2

Transformation der gesamten Workforce	
☐ Die Transformation vorleben	☐ Mit eingeschliffenen Orthodoxien = bewährten Denkmustern und Entscheidungsalgorithmen brechen
☐ Teamwork auf Vorstandsebene intensivieren	☐ Wertschätzung vermitteln
☐ Silos aufbrechen	☐ Querdenken ermöglichen
☐ Agile, cross-funktional verflochtene Teams und Netzwerke schaffen	☐ Positive Fehlerkultur schaffen
☐ Die Intelligenz der Organisation nutzen	

Um die Aufgaben eines Digital Leader erfolgreich umsetzen zu können, erfordert der gesamte Transformationsprozess einschneidende und gravierende Veränderungen in Ihren Einstellungen, Ihrem Verhalten und Ihrem emotionalen Profil als Führungskraft. An vielen Stellen müssen Sie auch hier Ihren gewohnten und erfolgreichen Pfad verlassen und durch eine teilweise radikale Änderung Ihres Mindsets neue Wege beschreiten. Das ist schwer. Schwer insbesondere deshalb, weil Ihnen diese kognitiven Fähigkeiten in turbulenten und schwierigen Situationen eigentlich genau den Halt und die Sicherheit geben, die Sie auch im Transformationsprozess und den damit verbundenen Herausforderungen so dringend benötigen. Dazu gehört auch, dass Sie eine neue Rolle finden und einnehmen müssen. Gerade im ersten Schritt ist das Finden Ihrer neuen Rolle ein mühsames Unterfangen, bei dem Sie aber nicht locker lassen dürfen und bei dem Sie sich nicht durch Ausflüchte – häufig: zu wenig Zeit – ausbremsen sollten. Nehmen Sie sich die Zeit, Ihre neue Rolle zu finden, zu definieren, stetig zu hinterfragen, zu reflektieren und wieder neu anzupassen. Dies stellt einen stetigen iterativer Prozess für Sie dar, der ebenso wenig endlich ist wie die digitale Transformation selbst.

Um Ihre Rolle zu finden, können Sie sich an folgenden Rollenbildern orientieren. Je nach Situation werden bzw. müssen Sie einen stärkeren Fokus auf das eine oder das andere Rollenbild legen, aber letztlich müssen Sie als CFO sämtliche Rollenbilder authentisch besetzen können. Die jeweilige Rolle hat ihre eigene transformative Funktion und somit auch andere Schwerpunkte bei der Auswahl und Entwicklung.

Arbeitshilfe: Rollen des digitalen CFO

Digital Investor	Digital Pioneer	Digital Transformer
☐ Digital Venture Capitalist	☐ Treiber der digitalen Transformation	☐ Charismatischer Leader
☐ Transformation kalkulieren	☐ Mutige Visionen	☐ Wille, die digitale Transformation aktiv zu bestimmen
☐ Transformation bezahlen/ investieren	☐ Transformativ	☐ Die Organisation aktivieren
☐ Werte steigern	☐ Blickrichtung Zukunft	☐ Begeisterung schaffen
☐ Ambidextrie	☐ Beste digitale Skills	☐ Vertrauen bilden
	☐ Sich eng mit externen Ökosystemen vernetzen	☐ Offenheit
	☐ An unbegrenzte Möglichkeiten glauben	☐ Flexibilität
	☐ Zukunftsweisende Strategien entwickeln	☐ Ambidextrie
	☐ Ambidextrie	

Mehr zum Thema Ambidextrie finden Sie in Kapitel 3.9.15.

Es ist schwierig, als einzelner Mensch all diese Rollen in ihren zahlreichen Facetten auszufüllen. Umso wichtiger ist, dass Sie auf Führungsebene gemeinsam mit Ihren Kollegen auf ein kollaboratives Zusammenspiel der verschiedenen Rollen setzen. Verstehen Sie sich und Ihre Kollegen im Führungsgremium als Team, in dem Sie als unterschiedliche Charaktere Ihre Stärken in der jeweiligen Rolle produktiv und für alle gewinnbringend einbringen können. Denn eines ist gewiss: Die einzelnen Rollen setzen zwangsweise ein Umdenken und eine neue Kultur der Zusammenarbeit auf Vorstands- und Geschäftsführungsebene voraus. Die »Kings of the coconut«, die in ihren jeweiligen Bereichen bislang den Ton angegeben haben, müssen lernen, ihre Nüsse mit den anderen zu teilen und einen kommunikativeren und kollaborativen Stil im Dschungel – oder Affenhaus? – zu leben. Dabei ist es wichtig, dass jeder »Affenkönig« quer durch die Organisation strategische Initiativen über die Funktionen hinweg anstoßen kann und darf, ohne dass er dabei dem anderen König ins Gehege kommt oder ein Machtkampf um den Dschungel entbrennt. Aber passen Sie auf: In der freien Wildbahn gibt es auch viele Wilderer, auf allen Ebenen.

Arbeitshilfe

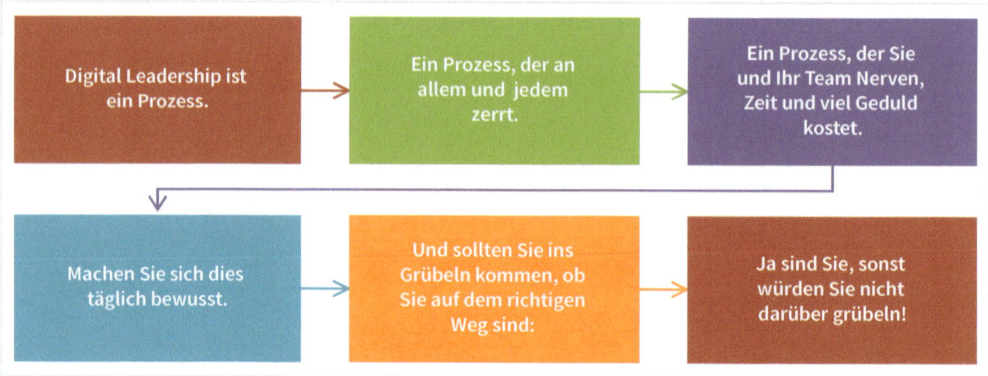

3.4.7 Führung beherrschen

Ich, CFO, Häuptling der Zahlen-Mohikaner, beherrsche Führung!

Wer von uns würde dies nicht gerne uneingeschränkt von sich behaupten können? Doch genau das stellt uns als fachlich versierte Menschen vor Herausforderungen. Herausforderungen, auf die wir in der Regel weder in der Ausbildung noch im Studium vorbereitet wurden. Oft verlassen sich Menschen aus unseren Bereichen auf ihre Intuition und auf ihr Gefühl, dass, wenn sie fachlich hervorragend sind und es in die Führungsebene geschafft haben, sie Führung schließlich auch beherrschen. Sollte uns diese Selbsteinschätzung an entscheidenden Stellen fehlleiten, laufen wir Gefahr, kein Bewusstsein dafür zu entwickeln, das eigene Verhalten zu reflektieren und sich als CFO zwingend in diesen Bereichen stetig weiterzuentwickeln. Keine Sorge: Sie kann ich von der Gesamtmenge dieser Kollegen getrost ausnehmen, denn Sie lesen im Moment mein Buch!

Bei den vielen Aufgaben, die Sie als CFO wahrnehmen, fällt es schwer, herauszufiltern, was wirklich wichtig ist. Allein die viele Literatur und die vielen Managementseminare zu Führung, Leadership und Co. überfordern. Überall und an jeder Ecke wird suggeriert, dass Sie quasi jeden Trend und jede vermeintliche Erkenntnis in puncto Führung sofort in Ihrem eigenen Führungsverhalten abbilden müssten. Das geht nicht. Dazu prasseln viel zu viele Strömungen und Themen guter Führung auf Sie ein. Folglich müssen Sie auch in diesem Bereich – so wie Sie es aus Ihrem fachlichen Bereich gewöhnt sind – Prioritäten setzen – in kleinen, leichtverträglichen Dosen.

Und schließlich haben Sie auch noch Ihren eigenen Führungsstil, den Sie nicht vernachlässigen sollten. Denn auch dieser macht Sie einzigartig und trägt zu Ihrer Authentizität bei.

All das zu meistern und zu beherrschen ist Arbeit, harte Arbeit. Und bestimmt fragen Sie sich, welche Herangehensweise Ihnen helfen kann. Dazu im Folgenden mehr.

Wichtig

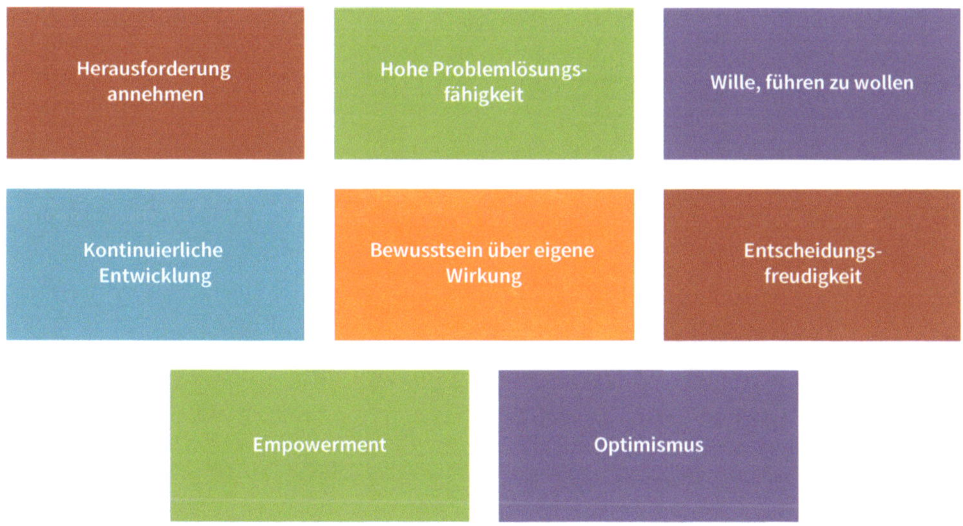

3.4.7.1 Linke und rechte Gehirnhälfte gleichermaßen nutzen

Mit starker Führung können Sie sich im Finanzbereich auszeichnen. Bei Führungskräften im Finanzbereich ist besonders die linke Gehirnhälfte, die bevorzugt auf Logik, Analyse und Fakten zurückgreift, stark ausgeprägt. Analysefähigkeit wird grundsätzlich von jedem CFO erwartet. Mit zunehmender Digitalisierung wird aber genau dieses Wissen mehr und mehr kodifiziert von der IT übernommen und steht mitunter auch online zur Verfügung.

Für CFOs heißt das: Sie müssen auch ihre rechte Gehirnhälfte stärker nutzen und zu einer Ausgewogenheit beider Gehirnhälften kommen. Die rechte Gehirnhälfte steht für Attribute wie ganzheitliches Erfassen, Intuition, Empathie, Innovation und Fantasie. Indem Sie diese Attribute in Ihren Führungsstil einbeziehen, generieren Sie Inspiration und Loyalität in Ihrem Team und in Ihrem Umfeld. Diese Fähigkeiten wurden Ihnen auf Ihrem Weg zum CFO in aller Regel nicht in diesem Umfang abverlangt. Fachwissen, Analysefähigkeit und harte Fakten standen im Vordergrund. Um aber die zukünftigen Herausforderungen als CFO meistern zu können, müssen Sie ein Visionär werden und inspirierend anderen Menschen vorangehen.

Die Organisationsformen werden zunehmend flacher, die Zusammenarbeit ist immer mehr geprägt durch Distanz und virtuelle Teams, sodass eine enge Überwachung und ein Mikromanagement nicht mehr wirksam sind. Emotionale Intelligenz, kulturelle Agilität und die Fähigkeit, Vertrauen aufzubauen, werden für Sie als CFO die Grundlage, Teams und Menschen effektiv zu führen.

Auch Ihr Kommunikationsstil muss sich dem anpassen. Digitale Kanäle und Formate werden zunehmend wichtiger und gewinnen immer mehr an Bedeutung für Ihre Kommunikation und Ihre Toolkits. Umso wichtiger wird die rechte Gehirnhälfte bei der Wahrnehmung Ihrer Führungsaufgaben. Welche Aufgaben diesbezüglich den beiden Gehirnhälften beigemessen werden, zeigt nachfolgendes Schaubild.

Wichtig: Aufgaben der linken und rechten Gehirnhälfte

Linke Gehirnhälte	Rechte Gehirnhälfte
Sprache | Lesen | Rechnen	Körpersprache| Bildersprache
Ratio| Logik	Intuition| Gefühl
Regeln| Gesetze	Kreativität
Konzentration auf einen Punkt	Spontanität
Analyse| Detail	Neugier| Spielen| Risiko
Wissenschaft	Synthese
Schritt für Schritt	Überblick
Einzelheiten	Kunst| Tanz| Musik
Zeitempfinden	Zusammenhänge
Linearität	Raumempfinden

Die Entscheidungsgehirnhälfte kontrolliert nicht das Sprachzentrum

Die linke Gehirnhälfte ist verantwortlich für Sprache, Lesen und Rechnen und ist für alles zuständig, was im allgemeinen Verständnis als Denken bezeichnet wird. Gehirnforscher haben gezeigt, dass hingegen die rechte Gehirnhälfte für Entscheidungen zuständig ist, auch wenn es hier durchaus Abweichungen und konträre Diskussionen gibt. Dadurch fallen die Gehirnhälften in Bezug auf Sprachzentrum und Entscheidungsfindung auseinander. Dies wiederum kann sich durchaus auf Ihr Kommunikationsverhalten in Bezug auf von Ihnen getroffene Entscheidungen auswirken. Denn je nachdem, welche Ihrer Gehirnhälften überwiegend an der Entscheidungsfindung beteiligt ist, fällt es Ihnen leichter oder schwerer, Ihre Entscheidung über Sprache zu kommunizieren. Sie sollten demnach überlegen, welcher Gehirnhälfte Sie Ihre Arbeitsweise zuordnen würden. Was fällt Ihnen leichter: Aufgaben zu unterteilen (linke Gehirnhälfte) oder die Gemeinsamkeiten zu erfassen (rechte Gehirnhälfte)? Entscheidungen auf Fakten basierend zu treffen (linke Gehirnhälfte) oder lieber auf Ihr Bauchgefühl zu hören (rechte Gehirnhälfte)? Aufbauend auf diesen Überlegungen sollten Sie auch Ihre Kommunikation wichtiger Entscheidungen abstimmen. Ist zum Beispiel Ihre linke Gehirnhälfte stärker ausgeprägt, könnte Ihre Kommunikation eher faktenbezogen und sachlich ausfallen. Haben Sie ein gutes »Bauchgefühl« in Bezug auf Ihre rechte Gehirnhälfte, könnten Sie Ihre Kommunikation beispielsweise durch Bildsprache oder Kreativität umsetzen.

3.4.7.2 Lernen Sie, sich wie ein Leader zu verhalten

Dass Führungskräfte angeborene Führungsfähigkeiten besitzen, mag zwar für den ein oder anderen von uns zutreffen, in der heutigen Zeit der Ungewissheit, Volatilität und schnellen Veränderungen müssen Sie als CFO Ihr Führungsverhalten aber erlernen, üben und täglich pflegen. Um dies angesichts der Fülle Ihrer täglichen Aufgaben bewerkstelligen zu können, sollten Sie sich immer wieder bewusst kleine Aufgaben aus den folgenden Bereichen vornehmen und sich Ihr eigenes Verhalten in Bezug auf diese Themen bewusst machen.

Wichtig

Lassen Sie uns nachfolgend einmal einen genaueren Blick auf die einzelnen Punkte werfen.

Führung beherrschen wollen
Wenn Sie Führung beherrschen wollen, müssen Sie sich Ihres eigenen Wirkens bewusst sein. Viele Menschen sind erstaunt, wenn sie sich zum ersten Mal auf Video betrachten. Vom Ton möchte ich gar nicht sprechen. Oft liegen hier Welten zwischen der eigenen und der Fremdwahrnehmung. Und unterstellt man einmal, dass sich die Personen bei derartigen Videoaufzeichnungen nicht in einer Stresssituation befinden, wie Sie es täglich tun, können Sie sich vorstellen, dass die Diskrepanz in diesem Fall unter Umständen noch viel größer ist.

Doch was wäre es wert, wenn Sie Ihre eigene Wahrnehmung zwar sehr gut kennen, sie aber nicht situativ anpassen würden? Wahrscheinlich wenig. Genau aus diesem Grund zeichnet Sie als Führungskraft eben aus, dass Sie sich Ihrer Wirkung nicht nur bewusst sind, sondern diese auch situationsabhängig anpassen und adaptieren können. Die Konsequenz daraus ist, dass Sie Ihren eigenen Gestaltungsspielraum und damit den Bereich Ihres Wirkens signifikant erweitern können, was Ihnen natürlich auch dabei hilft, Ihre ambitionierten Ziele zu erreichen. Dies alles setzt jedoch voraus, dass Sie Führung beherrschen wollen.

Führen wollen
Zeichnen Sie sich dabei durch den Willen, zu führen, aus. Seien Sie sich der Anstrengungen, Herausforderungen, Einschränkungen und Konsequenzen Ihrer Position als CFO bewusst. Sie werden beobachtet, mit Argusaugen beäugt, tragen die Verantwortung, treffen Entscheidungen und stehen an erster Position bei Fehlentscheidungen. Sie stehen ständig im Fokus und kleinste oder vermeintliche Fehler werden kommentiert oder gar aufgebauscht. Stellen Sie sicher, dass Ihr Drang, etwas bewegen und gestalten zu wollen, sowie Ihre Selbstsicherheit und Zufriedenheit durch Ihren Job und Ihre Position dazu beitragen, dass sie bereit sind, diesen Preis zu zahlen. Der Wille, zu führen, zeichnet sie aus.

Herausforderung annehmen
Seien Sie gewillt, Herausforderungen anzunehmen. Als Führungskraft sind Herausforderungen Ihr täglicher Begleiter. Suchen Sie diese und gehen Sie in den Wettbewerb, der zwangsläufig auf allen Ebenen beim Meistern von Herausforderungen entsteht.

Mitarbeiter von der Komfortzone in die Entwicklungszone führen
Führen Sie Ihre Mitarbeiter von der Komfortzone in die Entwicklungszone. Dies gelingt unter anderem, indem Sie Arbeitsprozesse effizienter gestalten, Umstrukturierungen durchführen und neue Projekte anstoßen. Jeder Ihrer Mitarbeiter sollte sich durch die eigene Aufgabe und die eigene Arbeit fachlich immer weiter verbessern, seine Produktivität steigern und in seinem Selbstbewusstsein wachsen.

Nehmen Sie sich die Zeit und lernen Sie gemeinsam mit Ihren Mitarbeitern, bessere oder neue Arbeitsergebnisse zu erzielen.

Sich kontinuierlich weiterentwickeln
Entwickeln Sie sich dabei kontinuierlich weiter. Stehen Sie jeglichen Möglichkeiten von Kompetenzentwicklung offen und neugierig gegenüber. So erwerben Sie auch ein ausgeprägtes Gespür dafür, in welchen Situationen Sie sich auf Ihre Stärken verlassen können und wann es ratsam wäre, auf andere zu hören. An dieser Stelle möchte ich sie auf die Ausführungen in Abschnitt 2.4, »Lebenslanges Lernen«, verweisen.

Die Selbstführung verbessern

Reflektieren Sie Ihr Verhalten immer wieder. Gestehen Sie sich Fehler ein, lernen Sie daraus und halten Sie Ihre eigene Erwartung auf einem realistischen Niveau. Bündeln Sie Ihre Aktivitäten und vermeiden Sie unnötiges Verzetteln, wo es nur geht. Dies setzt voraus, dass Sie bei unwichtigen Themen oder Themen, die Sie delegieren können, konstruktiv Nein sagen und sich vielmehr klare Prioritäten für Ihren Aufgabenkatalog und Ihren täglichen Ablauf setzen.

Praxistipp

Verplanen sie maximal 50 % Ihrer Zeit und halten Sie sich den Rest für unvorhergesehene Themen und Ereignisse frei.

Das waren nun eher operative Aspekte. Eine andere Perspektive können Sie einnehmen, indem Sie Ihr Führungsverhalten regelmäßige reflektieren. Nehmen Sie sich die Zeit, in regelmäßigen Abständen (Ich weiß, dass wenn man etwas alle fünf Jahre macht, dies bereits als regelmäßig gilt; das ist hier allerdings nicht gemeint!) konkrete Antworten auf die folgenden Fragen zu geben.

Arbeitshilfe: Das eigene Leadership-Verhalten reflektieren

	Habe sehr gute Antwort	Habe gute Antwort	Habe mangelhafte Antwort	Habe ungenügende Antwort	Habe keine Antwort
Schöpfe ich meine Potenziale aus?	.	.	.	.	.
Sehe ich die Dinge, die ich angehen sollte?	.	.	.	.	.
Weiß ich,wo ich hin möchte?	.	.	.	.	.
Kenne ich den Weg, wie ich dorthin komme?	.	.	.	.	.
Erkenne ich Handlungsalternativen?	.	.	.	.	.
Leite ich daraus Handlungsprioritäten ab?	.	.	.	.	.
Welche Handlungsprioritäten habe ich?	.	.	.	.	.
Handle ich konsequent?	.	.	.	.	.
Überprüfe ich mich, mein Handeln und das von mir Erreichte stets selbstkritisch?	.	.	.	.	
Erkenne ich ein Verhaltensmuster bei mir?	.	.	.	.	.
Gibt es ein Verhaltensmuster, das meine Wirkung auf andere schmälert?	.	.	.	.	.

Emotionale Stabilität

Vertrauen Sie Ihren eigenen Fähigkeiten und Stärken. Bleiben Sie auch bzw. gerade in Druck- und Stresssituationen gelassen und verlässlich. Gehen Sie in schwierigen Situationen auf Ihre eigenen, aber auch auf fremde Gefühle ein. Dabei hilft ein gesundes Maß an Frustrationstoleranz. So geling es Ihnen, in Konfliktsituationen und bei Herausforderungen Enttäuschungen zu verarbeiten, aber dennoch handlungsfähig und lösungsorientiert zu bleiben.

Gute Energiebilanz

Haben Sie sich schon einmal Gedanken über Ihre Energiebilanz gemacht? Ermutigen Sie Menschen? Oder demotivieren Sie sie?

Zu Ihrer Führungskompetenz gehört selbst verständlich auch, andere durch Wertschätzung zu motivieren. Sagen Sie Ihrem Mitarbeiter, wenn er etwas gut gemacht hat. Erwähnen Sie gute Leistungen einzelner Mitarbeiter auch im Team bzw. auf Führungsebene. Geben Sie Ihren Leistungsträgern Freiräume sowie motivierende und herausfordernde Aufgaben.

Feiern Sie mit Ihrem Team, wenn es etwas zu feiern gibt. In diesem Bereich können Sie sich viel von den Formel-1-Teams nach den jeweiligen Rennen abschauen.

Und sich persönlich zu bedanken schadet mit Sicherheit auch nicht.

Sinn stiften

Beherrschen Sie die Fähigkeit, Sinn zu bilden und Verhalten zu bewirken. Dies umfasst insbesondere, Sinn zu stiften und Verständnis zu erzeugen, indem sie glaubwürdig, authentisch und ermutigend auf andere wirken. Entwickeln Sie ein ausgeprägtes Gespür für die Wirkungskräfte in Ihrem Organisationsgefüge und erkennen Sie die entscheidenden Hebelkräfte, mit denen Sie den Sinn der von Ihnen vorgegebenen Ziele und Visionen Ihren Mitarbeitern gegenüber transparent vorleben und darlegen können.

Hohe Problemlösungsfähigkeit

Wenn Sie Herausforderungen annehmen, führt dies zwangsläufig zu diesem Punkt: Beweisen Sie hohe Problemlösungsfähigkeit, insbesondere bei Themen, die nicht alltäglich sind. Erfassen Sie komplexe Probleme, strukturieren Sie diese und teilen Sie sie in kleine Arbeitspakete auf.

Entscheidungsfreudigkeit

Wie ist es um Ihre Entscheidungsfreudigkeit bestellt? Wenn Sie über ein hohes Maß an Entscheidungsfreudigkeit verfügen und diese auch ausstrahlen, führt dies zwangsläufig dazu, dass Sie von Ihrem Umfeld als starke Führungskraft wahrgenommen werden. Gerade bei unsicherer Entscheidungsgrundlage und unzureichenden Informationen obliegt es Ihnen, eine Entscheidung zu treffen oder unter Abwägung der gegebenen Sachlage weitere Informationen und Analysen einzufordern.

Optimismus

Ohne Optimismus geht es nicht. Mit einer pessimistischen Grundeinstellung werden Sie Ihre Ziele und Visionen weder selbst erreichen, noch dadurch Ihre Mitarbeiter bei Herausforderungen motivieren. Wenn Sie nicht glauben, dass es funktionieren wird, warum sollten es dann andere? Gehen Sie mit positivem Beispiel optimistisch vorweg und agieren Sie als Vorbild.

Werte leben

Leben Sie die Werte, die sie von anderen erwarten, selbst? Genau das beobachtet Ihr Umfeld. Und dies in einem Ausmaß, das Sie nicht vermuten würden. Nur indem Sie Ihre Werte kommunizieren und authentisch leben, schaffen Sie Identifikation, Glaubwürdigkeit und Vertrauen. Und nur dann kann auch Ihr Umfeld diese Werte leben und transportieren. Geben Sie sich selbst und Ihrem Team eine klare Orientierung.

Empowerment

Kein Widerspruch zu Ihrer Entscheidungsfreudigkeit sollte das Empowerment anderer Menschen sein, also das Abgeben von Verantwortung. Binden Sie Ihre Führungskräfte und Mitarbeiter frühzeitig ein, setzen Sie konkrete Ziele, gewähren Sie Freiräume bei der Erreichung dieser Ziele und übertragen Sie die Verantwortung für die Ergebnisse. Zeigen Sie dabei ein hohes Maß an Vertrauen und fördern Sie wo möglich die Lernkultur. Voraussetzung dafür ist, dass Sie ein ausgeprägtes Bewusstsein für und eine umfassende Kenntnis der Fähigkeiten Ihrer Mitarbeiter haben.

Kommunikation

Kommunikation ist einer der Schlüssel, wenn nicht gar der wichtigste, um Menschen erfolgreich zu führen. Dabei ist Kommunikation keine Einbahnstraße. Lernen Sie, aktiv zuzuhören, indem Sie das, was sie hören, kurz zusammenfassen und die Gefühle des Gegenübers aktiv ansprechen. Positionieren Sie sich klar und verständlich und achten Sie auf eine lebendige Rhetorik.

Klären Sie Konflikte durch konstruktive Gespräche und Deeskalation. Beschreiben Sie Fehlverhalten sachlich, zeigen Sie die Auswirkungen auf und suchen Sie gemeinsam nach Lösungen.

Und ganz wichtig: Sprechen sie die Sprache Ihrer Mitarbeiter (selbst ich als Schwabe versuche das).

Verbindlichkeit gegenüber Mitarbeitern

Verbindlichkeit ist eine große Stärke. Fehlende Verbindlichkeit schafft dagegen viel Raum für Unverbindlichkeit und Unsicherheit. Die folgenden Ratschläge helfen Ihnen, Ihren Mitarbeitern gegenüber Verbindlichkeit zu zeigen.

Praxistipp: Verbindlichkeit gegenüber Mitarbeitern zeigen

3.4.8 Eigenverantwortung+

Eigenverantwortung+: Das ist es, was Sie an Ihre Mitarbeiter übertragen sollten, aber auch einfordern müssen.

Denn nur durch die Übernahme von Eigenverantwortung können Sie gemeinsam mit Ihren Mitarbeitern komplexe Aufgaben angehen und aus den gesammelten Erfahrungen lernen. Um die anstehenden Herausforderungen bewältigen zu können, benötigen Sie Mitarbeiter, die diese Herausforderung angehen – und zwar mit Eigeninitiative und der Übernahme von Verantwortung. Denn durch die raschen Veränderungen und die sinkende Planbarkeit kann der Veränderungsbedarf nicht mehr wie gewohnt oben erfasst und dann nach unten weitergegeben werden. Dies funktioniert nur noch bedingt.

Doch Eigenverantwortung+ lediglich von Ihren Mitarbeitern einzufordern, reicht nicht. Sie müssen die Eigenverantwortung auch bei den Mitarbeitern fördern. Schließlich kommt noch ein weiterer wichtiger Aspekt hinzu: wollen – können – dürfen. Nicht jeder der will, kann auch. Und nicht jeder der kann, darf auch. Und sind wir einmal ehrlich: Auch die Kombination »Nicht jeder, der will, darf auch«, findet man im beruflichen Alltag häufig.

Wenn Sie also wollen, dass Ihre Mitarbeiter weitestgehend eigenständig und verantwortlich arbeiten, müssen Sie die nötigen Rahmenbedingungen schaffen. Hierzu zählt, den Mitarbeitern die erforderlichen Entscheidungs- und Handlungsspielräume einzuräumen. Mindestens ebenso wichtig ist es, dass Sie eine von Vertrauen geprägte Kultur etablieren, in der das Fehlermachen erlaubt ist – solange man aus diesen Fehlern lernt. Herrscht bei Ihren Mitarbeitern dagegen das Gefühl, dass sie bei Fehlern, die sie bei Lösungsversuchen gemacht haben, an den Pranger gestellt werden, schwinden Eigeninitiative und Motivation sehr schnell. Und das schneller, als Speedy Gonzales, die schnellste Maus von Mexiko, je war.

In meinem Beratungsalltag höre ich oft, dass der Mitarbeiter sich speziell bei neuen Herausforderungen nicht gut gerüstet fühlt. Und tatsächlich: Häufig fühlen sich Mitarbeiter nicht wohl oder kompetent genug, neu auftretende Herausforderungen wahrzunehmen, zu analysieren, zu verstehen und schließlich eigenständig zu lösen. Deshalb sollten Sie Ihren Mitarbeitern die entsprechende Unterstützung zukommen lassen. Sie müssen im Zweifel öfter, als Ihnen lieb ist, als Zündkerze fungieren. Aber Sie werden sehen: Das zahlt sich aus und das »Zündungsverhalten« Ihrer Mitarbeiter wird zunehmend zum Selbstzünder.

Diese Unterstützung setzt eine Kultur des Vertrauens und der wechselseitigen Wertschätzung voraus. Nur dann werden Mitarbeiter proaktiv auch auf ihren Chef zugehen, um Unterstützungsbedarf zu signalisieren. Ziel Ihrer Unterstützung wiederum sollte sein, dass sich bei Ihren Mitarbeitern zunehmend die Kompetenz aufbaut, eigenverantwortlich komplexere Aufgaben zu lösen. Dies zum einen aufgrund der ihnen übertragenen größeren Entscheidungskompetenz, aber auch aus der Erfahrung heraus, durchaus in der Lage zu sein, komplexe Aufgabenstellungen selbstständig lösen zu können.

In Ihrem Führungsalltag können Sie die Eigenverantwortung jedes einzelnen Mitarbeiters fördern, indem Sie ihn in den aufgezeigten vier Bereichen fordern und unterstützen.

Praxistipp: So fördern Sie die Eigenverantwortung+

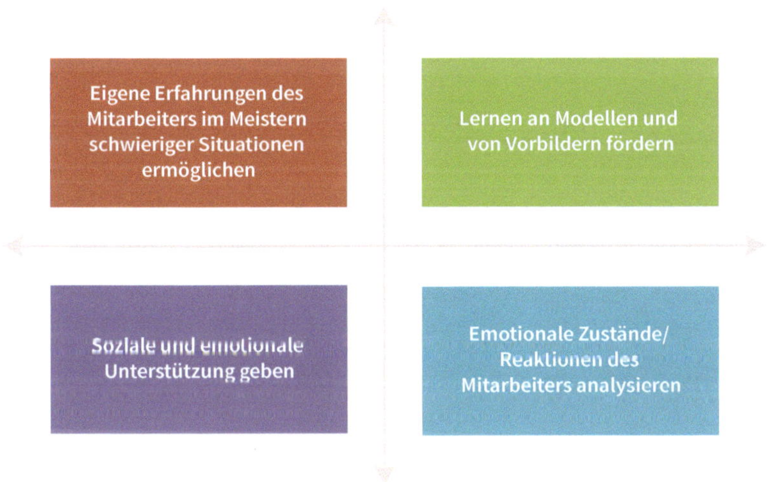

Auch wenn es unbestritten viel Zeit kostet, sollten Sie Ihre eigene Zeit in die Befähigung Ihrer Mitarbeiter investieren. Wenn Ihre Mitarbeiter vor komplexen Aufgaben stehen und Sie um Unterstützung bitten, können

Sie zum Beispiel gemeinsam in die Analyse gehen: Welche Teilaufgaben sind damit verbunden? Schreckt der Mitarbeiter vor der Gesamtaufgabe oder nur einer Teilaufgabe zurück? Warum schreckt der Mitarbeiter zurück? Und eine ganz spezielle Frage, die in meinen Coachings häufig zur Sprache kommt, sollten Sie ebenfalls berücksichtigen: Auf was oder wen nimmt der Mitarbeiter unter Umständen Rücksicht?

Haben Sie diese entscheidenden Fragen geklärt, können Sie gemeinsam einen Aktionsplan erstellen oder die nötige Unterstützung gemeinsam organisieren.

Und ganz wichtig: Durch die definierten Teilaufgaben bzw. Teilziele muss nach erfolgreicher Lösung der Frage nachgegangen werden, welche neuen Kompetenzen der Mitarbeiter erworben hat und welche vergleichbaren Aufgaben er deshalb künftig allein bewältigen kann. Diese Analyse kann der Mitarbeiter je nach Situation allein oder gemeinsam mit Ihnen vornehmen. Ziel ist es, den weiteren persönlichen Entwicklungsbedarf des Mitarbeiters offenzulegen.

Die folgenden elf Tipps helfen Ihnen, im Alltag die Eigenverantwortung Ihrer Mitarbeiter zu fördern und durch die damit verbundene erhebliche Entlastung langfristig selbst zu profitieren.

Praxistipp: 11 Tipps zur Förderung von Eigenverantwortung+

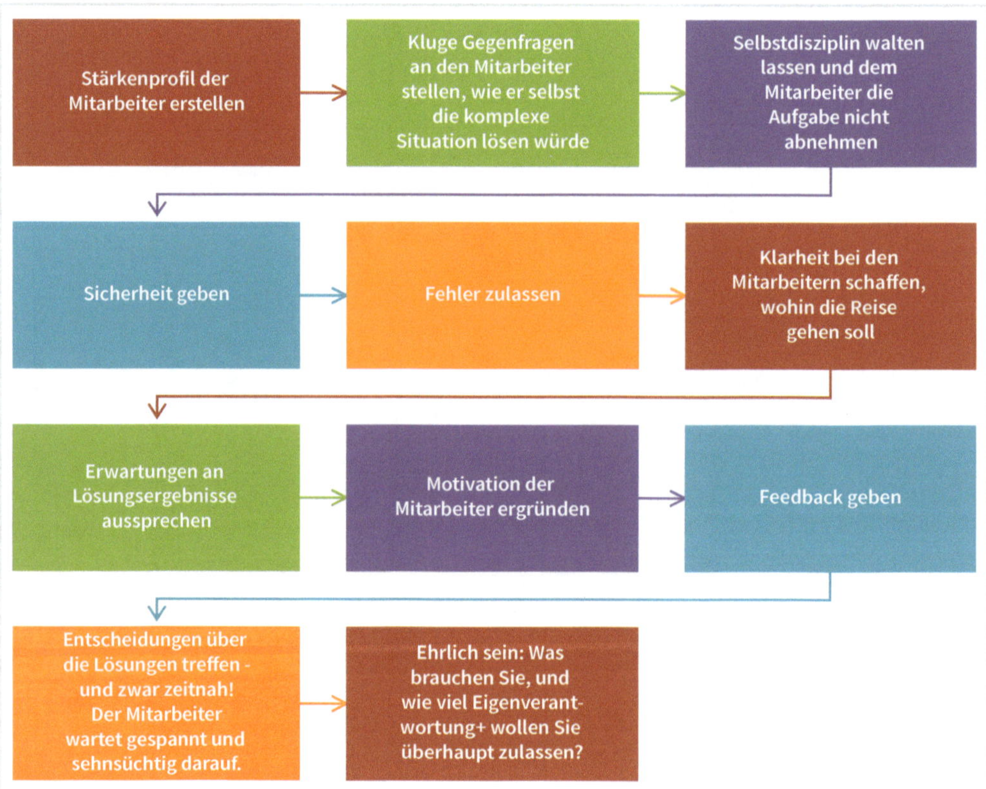

3.4.9 CFO-Personalstrategie

Ihnen ist sicher bewusst: Wer heutzutage ohne Strategie an die Personalarbeit herangeht, wird nicht weit kommen. Wichtig ist mir dabei zu betonen, dass Sie für sich als CFO eine eigene Personalstrategie entwickeln müssen, die sie im Zweifel unabhängig von der HR- Abteilung eigenständig entwickeln und umsetzen müssen. Die Arbeitswelt ist geprägt von Dynamik und der »War for Talents« hat gerade erst begonnen. Wenn Sie hier als CFO mithalten und Ihr Team für die Zukunft aufstellen wollen, müssen Sie ein proaktives, strategisches Personalmanagement betreiben.

Definition: CFO-Personalstrategie

Die CFO-Personalstrategie beschreibt:

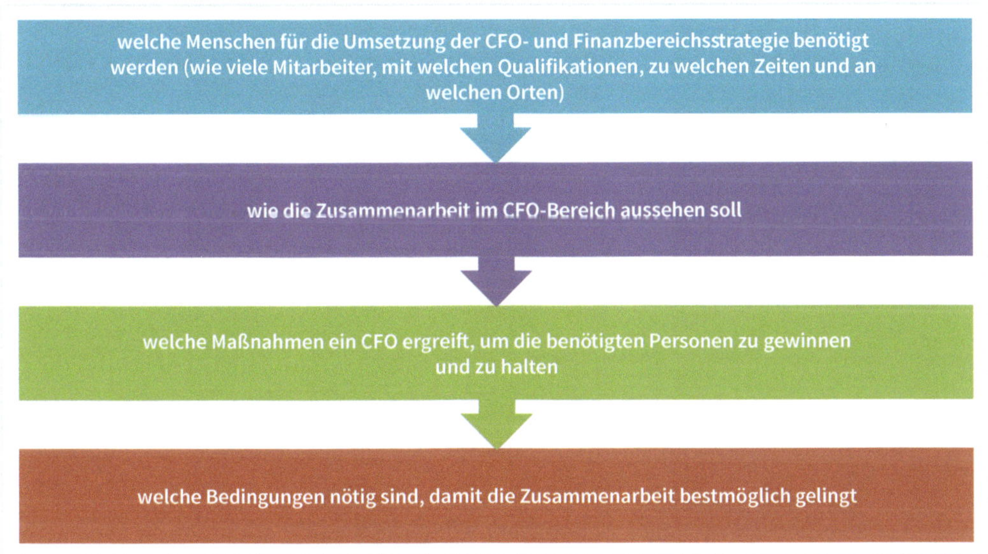

Diese Personalstrategie ist eine Handlungsanweisung von Ihnen als CFO, die für Ihren Bereich in puncto Human Resources festgelegt wird. Sie ist darauf ausgerichtet, die Ziele des Finanzwesens zu verwirklichen. Diese Strategie gibt Ihren Führungskräften eine gemeinsame Linie vor, an der sie sich ausrichten und orientieren können. Dabei werden bestimmte Handlungsoptionen gewählt und ausgeschlossen, wodurch die Komplexität des Handlungsspielraums reduziert wird. Dies wiederum führt zu einer Zeit- und Kostenersparnis.

Doch welche Themen sollten Sie in Ihrer Personalstrategie berücksichtigen?

Beispiel: Mögliche Personalstrategien für CFOs

Zur Strategiebildung sollten Sie bestimmte Aspekte in Ihre Überlegungen miteinbeziehen. Das betrifft zunächst einmal Sie selbst: Wo wollen Sie hin? Wozu soll Ihre Personalstrategie dienen? Auf der anderen Seite ist da aber auch der Wettbewerb, mit dem Sie sich im Rahmen Ihrer Personalstrategie auseinandersetzen sollten. Durch die Berücksichtigung beider Aspekte können Sie Ihren eigenen Standpunkt leichter identifizieren und die Einzigartigkeit herausarbeiten. Dies wiederum ist die Grundlage, um Ihre Teammitglieder zu motivieren.

Wie gehen Sie nun bei der Entwicklung Ihrer Personalstrategie in der Praxis vor?

Praxistipp: Fünf-Punkte-Plan zur Entwicklung einer CFO-Personalstrategie

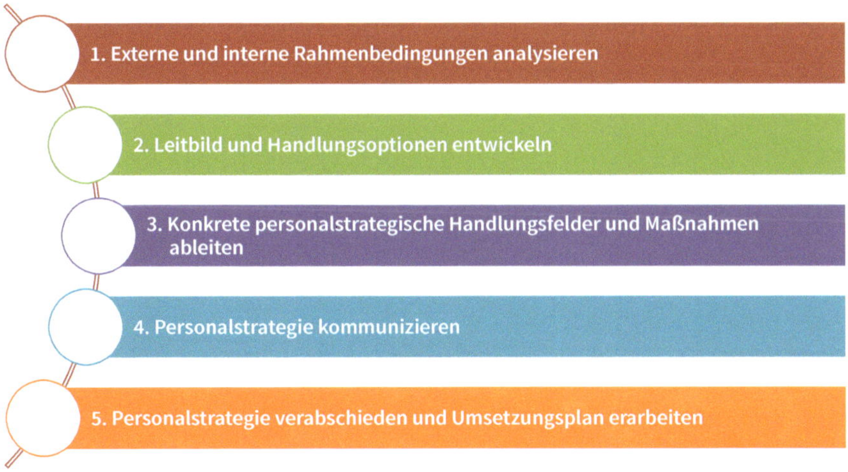

Sehen wir uns dazu die Punkte im Einzelnen an.

Externe und interne Rahmenbedingungen analysieren

In dem Prozess, eine Personalstrategie zu entwickeln und einzusetzen, durchlaufen Sie mehrere Schritte. Zu Beginn steht die strategische Analyse. Hierbei betrachten Sie Stärken und Schwächen sowie Chancen und Risiken der Personalwirtschaft.

Vor allem müssen Sie die internen Rahmenbedingungen Ihrer CFO-Bereiche untersuchen, die für die Personalarbeit Relevanz haben. Dazu gehören zum Beispiel die Produktivität, das CFO-Geschäftsmodell und die Unternehmensstrategie. Daran anschließend müssen Sie die eigene Personalarbeit des CFO-Bereichs unter die Lupe nehmen. Zur Analyse der Rahmenbedingungen Ihrer Personalstrategie sollten Sie die folgenden Fragen beantworten.

Arbeitshilfe: Die Rahmenbedingungen einer Personalstrategie analysieren

	Habe sehr gute Antwort	Habe gute Antwort	Habe mangelhafte Antwort	Habe ungenügende Antwort	Habe keine Antwort
Welche HR-Kennzahlen gibt es bereits in Ihrem CFO-Bereich?	·	·	·	·	·
Welche Rückschlüsse lassen sich daraus ziehen?	·	·	·	·	·

	Habe sehr gute Antwort	Habe gute Antwort	Habe mangelhafte Antwort	Habe ungenügende Antwort	Habe keine Antwort
Welches Know-how muss für die Umsetzung des zukünftigen CFO-Geschäftsmodells verfügbar sein?	.	.	.	.	.
Welche und wie viele Mitarbeiter brauchen Sie wann und wo?	.	.	.	.	.
Wie verteilen sich die aktuellen Mitarbeiter auf Standorte, Altersgruppen und Karrierestufen?	.	.	.	.	.
Wie viele Mitarbeiter mit welchen Qualifikationen werden zur Umsetzung der CFO-Strategie benötigt?	.	.	.	.	.
In welchen CFO-Bereichen werden diese Mitarbeiter gebraucht?	.	.	.	.	.
Mit welchen Abgängen ist in den kommen Jahren zu rechnen?	.	.	.	.	.
Welche Talente müssen an welcher Stelle im CFO-Bereich gefördert und ausgebildet werden, um dem zukünftigen Geschäftsmodell gerecht zu werden?	.	.	.	.	.

Diese Fragen sind oft schwer zu beantworten, weil insbesondere in Konzernen zentrale und dezentrale Planungsebenen unkoordiniert agieren – und jede Prognose über die Zukunft mit Unsicherheit behaftet ist. Aus diesem Grund müssen Sie als unverzichtbare Ausgangsbasis Transparenz über die Ist-Personalstrukturen im CFO-Bereich sowie die entsprechenden Daten vergangener Jahre herstellen. Nur wenn Sie dies erfolgreich umgesetzt haben, lohnt sich eine aufwendige Personalarbeit, die sich auf die für Ihren CFO-Bereich erfolgskritischen Talente konzentrieren sollte. Zudem sollten Sie in Ihrem Bereich eigenständige, von der HR-Abteilung autarke Planungssysteme und -fähigkeiten aufbauen und sicherstellen, dass diese regelmäßig und zeitnah aktualisiert werden.

Auch externe Herausforderungen, Trends und der Wettbewerb sollten Sie zwingend in Ihre Analyse einbeziehen. Ebenso die Entwicklung auf dem Arbeitsmarkt und den demografischen Wandel.

Nach Abschluss Ihrer Analyse sollten Sie in der Lage sein, zu beurteilen, welche zentralen Themen künftig im Personalbereich für den Erfolg Ihres CFO-Bereichs, aber auch für den Gesamtunternehmenserfolg relevant sind.

Leitbild und Handlungsoptionen entwickeln
Der eingehenden Analyse folgt die Entwicklung eines Leitbilds, einschließlich einer Vision und Mission. Diese bilden die Grundlage, nach der es sich zu richten gilt.

Ebenso gilt es, auf Basis der strategischen Analyse mögliche Szenarien und Handlungsoptionen herauszuarbeiten. Hierbei sollten Sie insbesondere versuchen, sich von eingefahrenen und gewohnten Pfaden Ihrer CFO-Bereiche, insbesondere des Finanz- und Rechnungswesens, zu lösen. Schaffen Sie sich und Ihrem Team möglichst viel Raum für innovative Vorschläge und Gedanken. Und ganz wichtig: Lassen Sie diese auch zu! Sie können dies anhand der drei gewohnten strategischen Stoßrichtungen Qualität, Kosten und Innovation durchführen. So können Sie Ziele und geeignete Maßnahmen auch von der Fragestellung ableiten, was Sie erreichen möchten.

Ein weiterer Aspekt, den Sie beachten sollten, ist, was von alledem am schnellsten umgesetzt werden sollte, und was eher mittel- bis langfristig implementiert werden kann.

Konkrete personalstrategische Handlungsfelder und Maßnahmen ableiten
Nach der Auswahl und Priorisierung der erfolgversprechendsten Szenarien und Optionen legen Sie im dritten Schritt konkrete Handlungsfelder und Maßnahmen fest.

Damit Sie zielgerichtet an den festgelegten Schwerpunkten Ihrer CFO-Personalstrategie arbeiten können, müssen Sie die Handlungsfelder mit Programmen, Maßnahmen und – ganz entscheidend – konkreten Erfolgszielen versehen. Die folgenden Schritte sind dabei essenziell.

Wichtig: Personalstrategische Handlungsfelder und Maßnahmen ableiten

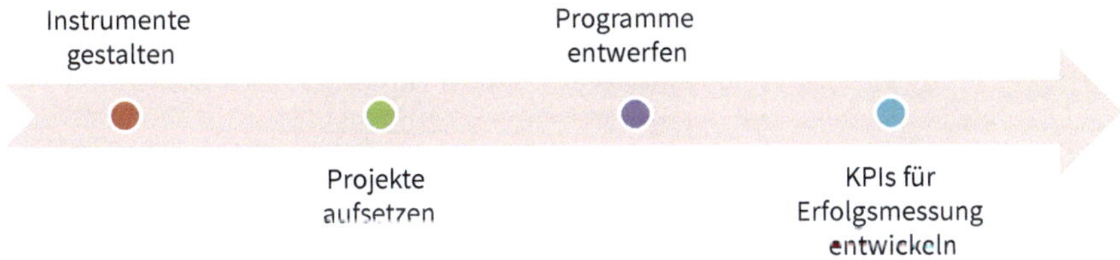

Behalten Sie dabei immer Ihr CFO-Geschäftsmodell und die allgemeine Unternehmensstrategie im Auge!

Die Personalstrategie kommunizieren

Bei strategischen Maßnahmen zur Umsetzung der Digitalisierung in Ihrem CFO-Bereich geht es zu einem wesentlichen Maß um Veränderungen hinsichtlich Haltung und Kultur. Aus diesem Grund ist die Kommunikation Ihrer Personalstrategie ein wesentlicher Erfolgsfaktor der Umsetzung.

Eine verständliche Ausformulierung und Kommunikation der Personalstrategie ist eine zentrale Voraussetzung für deren Akzeptanz. Nur was bekannt und verstanden ist und zudem als sinnvoll erachtet wird, wird von Ihrem CFO-Team auch angenommen und vorangetrieben.

In der Kommunikation Ihrer Personalstrategie sollten Sie folgende Kernpunkte berücksichtigen:

Praxistipp: Die CFO-Personalstrategie kommunizieren

- Konkrete Formulierung der ausgewählten strategischen Ziele, wenn möglich anhand von Beispielen
- Vermittlung des Warums: Welches Problem soll gelöst werden, aus welchem Grund ist das nötig und welchen Sinn es hat?
- Begründungen, warum Sie welche Maßnahmen nach welcher Priorisierung ausgewählt haben
- Übersichtliche und anschauliche Darstellung der Analysedaten, Handlungsoptionen und Bewertungsergebnisse, optimalerweise mithilfe von Grafiken und Tabellen

In Abhängigkeit von der Größe Ihres Unternehmens sowie der Organisation und Struktur Ihres Bereichs bietet sich hier eine Road Show vor Ort in den einzelnen, unter Umständen dezentralen CFO-Bereichen an. Ebenso kann Storytelling ein gutes Instrument sein, Strategiethemen plastisch und verständlich zu machen. Ganz entscheidend für den Erfolg wird letztlich aber der Dialog zwischen Ihnen und Ihrem Team sein.

3.4.10 Umsetzungsplan und Integration von strategischen Maßnahmen

Im Rahmen der Erstellung eines Umsetzungsplans sowie der Integration der Maßnahmen sollten Sie insbesondere folgende Fragestellungen heranzuziehen.

Wichtig

Es ist nicht Ihre Organisation, die etwas verändert und leistet. Es sind die Menschen – die Mitarbeiter –, die Ihre Organisation formen und prägen.

Arbeitshilfe: Umsetzungsplan und Integration strategischer Maßnahmen

	Habe sehr gute Antwort	Habe gute Antwort	Habe mangelhafte Antwort	Habe ungenügende Antwort	Habe keine Antwort
Wie werden entwickelte Ideen und Ziele in die Tat umgesetzt?	·	·	·	·	·
Wie wird sichergestellt, dass die ausgewählten Maßnahmen auch den erwünschten Erfolg bringen?	·	·	·	·	·
Wir werden alle relevanten Interessengruppen und Stakeholder eingebunden?	·	·	·	·	·
Was ist zu tun, wenn sich interne oder externe Rahmenbedingungen kurzfristig ändern und dies Einfluss auf die Personalstrategie hat?	·	·	·	·	·

Im Zusammenhang mit der Umsetzung und Integration der Maßnahmen sollten Sie sich intensiv den drei Themen widmen, die ich Ihnen im Anschluss an die Grafik näher erläutern werde.

Personalplanung

Was bedeutet die Digitalisierung für Ihren Bereich hinsichtlich der Personalplanung? Wenn Sie sich frühzeitig mit den folgenden Fragestellungen auseinandersetzen, minimieren Sie das Risiko einer personellen Fehlplanung und stellen die Wettbewerbsfähigkeit Ihres Unternehmens sicher.

Arbeitshilfe: Schlüsselfragen – Personalplanung

	Habe sehr gute Antwort	Habe gute Antwort	Habe mangel-hafte Antwort	Habe unge-nügende Antwort	Habe keine Antwort
Wie verändert sich der Markt durch die Digitalisierung?	·	·	·	·	·
Wie verändern sich das Verhalten und die Kommunikation Ihrer Kunden und Zulieferer?	·	·	·	·	·
In welchen externen und internen Bereichen sind Automatisierung und Digitalisierung schon heute weit fortgeschritten?	·	·	·	·	·
Wo sehen Sie weitere Automatisierungs- und Digitalisierungspotenziale sowie damit verbundene ökonomische und ökologische Vorteile?	·	·	·	·	·
Wo liegen aus Ihrer Sicht die Risiken?	·	·	·	·	·
Über welche Qualifikationen verfügen Ihre Mitarbeiter derzeit?	·	·	·	·	·
Welche Qualifikationen Ihrer und Mitarbeiter werden künftig essenziell sein?	·	·	·	·	·
Haben Sie für die Anforderungen der Zukunft genügend qualifizierte Mitarbeiter?	·	·	·	·	·
Erfüllen Sie die rechtlichen Rahmen-bedingungen?	·	·	·	·	·
Sind Ihre derzeitigen Personalentwicklungsmaßnahmen auf die künftigen Unternehmensbedürfnisse zugeschnitten?	·	·	·	·	·
Passen die Eingruppierungen und Entgeltsysteme noch zu den veränderten Anforderungen?	·	·	·	·	·
Wo könnten völlig neue Berufsbilder entstehen?	·	·	·	·	·
Welche Berufsbilder fallen in Zukunft weg?	·	·	·	·	·

Im Zuge der schnellen Veränderungsprozesse ist zu beobachten, dass neue technologische Möglichkeiten erheblichen Einfluss auf die Qualifikationsanforderungen im Beruf nehmen. Bei Ihren Mitarbeitern werden deshalb entsprechender Kompetenz- und Kapazitätslücken entstehen. Umso wichtiger ist es, bei der strategischen Personalplanung die möglichen Auswirkungen auf die Anforderungen an die Mitarbeiter einschätzen zu können. Doch nicht alle Veränderungen sind vorhersehbar. Daher geht es nicht nur um die Beherrschung digitaler Medien und um fachliche IT-Kenntnisse.

Die viel beschworene Digitalkompetenz erfordert von den Beschäftigten vielmehr, auch organisatorisch und persönlich die Folgen dieser Entwicklung mitzugehen.

Wichtig: Digitalkompetenz im CFO-Bereich

Sobald Sie durch die Analyse und Auswertung der oben genannten Punkte wissen, welche Anforderungen bestehen und welche Qualifikationen Ihre Mitarbeiter in Zukunft mitbringen müssen, sind Sie noch besser in der Lage, Personal gezielt zu suchen und weiterzuentwickeln.

Wichtig

Vergessen sie nicht, Ihre Mitarbeiter auf Ihrem gemeinsamen Weg mitzunehmen und unterstützen Sie sie beim Aufbau der entsprechenden Digitalkompetenzen.

Talentmanagement
Durch effektives Talentmanagement stellen Sie in Ihrem Bereich sicher, dass alle kritischen Positionen und Rollen mittel- und langfristig mit den aus strategischer Sicht geeigneten Personen besetzt sind. Dazu sollten Sie das Talentmanagement für Ihren Bereich zentral implementieren. Die folgenden Bausteine geben Ihnen einen Überblick, was Sie dabei zu Ihrer Agenda machen sollten.

Wichtig: Talentmanagement

Performance-Management und Vergütung	Leistungssteuerungssystem, um Wertbeiträge zu messen und Vorgaben in Form von Zielen zu gestalten und zu erreichen
Mitarbeiter-planung und -disposition	Planung und Disposition von Quantitäten und Qualitäten der Belegschaft, bezogen auf die jeweiligen Anforderungen durch die CFO-Strategie
Strategic Workforce	Ständiges Hinterfragen, ob der CFO-Bereich bezüglich der Mitarbeiterstruktur strategisch richtig aufgestellt ist, um auch zukünftig bestehen zu können
Training und Learning	Gezielte Vermittlung und Entwicklung neuer Fähigkeiten bei den Mitarbeitern durch fokussierte Trainingsstrategien und professionelle Trainingslösungen
Knowledge-Management	Aufbau von wettbewerbskritischem Wissen im CFO-Bereich und Bereitstellung dieses Wissens abteilung- und länderübergreifend
Change-Management	Stärkung der Flexibilität und Veränderungsfähigkeit der Mitarbeiter

Führungsentwicklungsplanung
Die Führungskräfteentwicklung ist ein Spezialbereich der Personalentwicklung, der ganz konkret die Führungskompetenzen Ihrer Mitarbeiter fördert, damit die richtigen Führungskräfte zur gewünschten Zeit in den benötigten Positionen einsetzbar sind. Zielgruppe sind neben aktiven Führungskräften vor allem Nachwuchsführungskräfte.

Vor dem Hintergrund des »War for Talents« können Sie in Ihrem Bereich nicht allein auf die Rekrutierung von externem Führungspersonal setzen, sondern müssen durch die gezielte Förderung und Weiterbildung interner Mitarbeiter selbst aktiv werden. Durch entsprechende Weiterbildungsmaßnahmen sollen interne Mitarbeiter als Führungskräfte qualifiziert und gefördert, aber auch gebunden werden.

Die Analyse des Führungskräftepotenzials im eigenen Unternehmen ist eine Grundvoraussetzung für die Entwicklung von Führungspersonal. Nur wenn Sie wissen, wie die Führungskräftesituation in Ihrem Bereich ist, können Sie personaltechnisch darauf reagieren.

Ihr mittelfristiges Ziel sollte es sein, einen Pool an Nachwuchsführungskräften in Ihrem CFO-Bereichen zu etablieren, auf den Sie bei einer Um- bzw. Neubesetzung von Vakanzen in Schlüsselpositionen zurückgreifen können, um so Fluktuation und Personalausfälle zeit- und kostensparend auszugleichen.

Folgende Methoden können Sie zur Führungskräfteentwicklung nutzen. Ihre strategische Herangehensweise sollte dabei die entsprechenden Methoden festlegen.

Praxistipp: Methoden der Führungskräfteentwicklung

3.4.11 Persönlicher Check: Human Resource Management

Diese Arbeitshilfe unterstützt Sie bei der Selbstreflektion zum Thema Human Resource Management und hilft Ihnen, Prioritäten zu setzen.

Arbeitshilfe: Persönlicher Check – Human Ressource Management

	Sehr relevant	Relevant	Nicht relevant	Möchte ich umsetzen/ verbessern	Priorität
Was ist die Zukunft: Technologie oder Mensch?	.	.	.	.	.
Mitarbeiter sind die wichtig(st)en Erfolgsfaktoren	.	.	.	.	.
Der CFO ist nur so gut wie sein Team	.	.	.	.	.
Rückkopplungsschleife im CFO-Modell	.	.	.	.	.
Digitalisierung: Stressfaktor für den Menschen	.	.	.	.	.
Digital Leadership	.	.	.	.	.
Führung beherrschen	.	.	.	.	.
Eigenverantwortung	.	.	.	.	.
CFO-Personalstrategie	.	.	.	.	.
Umsetzungsplan und Integration von strategischen Maßnahmen	.	.	.	.	.

3.5 Kommunikationsmanagement (KM)

Kommunikation gehört neben der Konfliktlösungskompetenz zu den zentralen Fähigkeiten in zwischenmenschlichen Begegnungen. Eine ausgeprägte Kommunikationsfähigkeit ist g für Sie als CFO eine wichtige Voraussetzung, um gemeinsame Ziele zu erreichen. Ich werde häufig gefragt, wie man andere Menschen gerade in Bezug auf die digitale Transformation mitnimmt. Oft antworte ich etwas flapsig, dass dies davon abhänge, wie Sie selbst unterwegs sind – mit Auto, Fahrrad, Boot, Zug oder Flugzeug. Ein wesentlicher Baustein für eine ernste Antwort ist: Kommunikation – Kommunikation – Kommunikation!

Doch was bedeutet Kommunikation? Es lohnt sich, an diesem Punkt Zeit in dieses Thema zu investieren.

Im ursprünglichen Sinn bedeutet Kommunikation erst einmal der Austausch von Informationen. Laut Duden geht es bei Kommunikationsfähigkeit darum, überhaupt die innere Bereitschaft zu entwickeln, mit anderen in Kommunikation zu treten. Hinzu kommt, dass die Fähigkeit vorhanden sein muss, diese Kommunikation erfolgreich durchzuführen. Besonderes Augenmerk sollten Sie darauf legen, was Ihr Gegenüber möchte, um angemessen und verständlich darauf reagieren zu können. Wenn Sie kommunikationsfähig sind, können Sie Botschaften klar und deutlich formulieren und Sie können die Signale der anderen interpretieren.

Der Kommunikationswissenschaftler Paul Watzlawick umschreibt es so: »Das Ziel aller Kommunikation ist, sich nur noch ein ganz klein wenig misszuverstehen.« Dabei entscheidend ist das Verständnis für mögliche Missverständnisse in der Kommunikation. Nur wenn Sie in Betracht ziehen, dass der andere, ob gewollt oder ungewollt missverstehen könnte, haben Sie die Möglichkeit, darauf zu reagieren. Oft ist es von Ihrem Gegenüber nicht beabsichtigt Sie missverstehen zu wollen. Vielmehr spielen viele Faktoren beim Adressaten Ihrer Kommunikation, wie das eigene Verständnis über den Sachverhalt oder dessen eigene Erfahrungen oder Bilder im Kopf eine wesentliche Rolle, die zu Missverständnissen führen können.

Ebenso entscheidend für eine erfolgreiche Kommunikation ist die Auswahl des richtigen Kanals, um so den bestmöglichen und erfolgversprechendsten Rahmen für den Austausch zu schaffen.

Als CFO stehen Sie immer an vorderster Front. In alle Richtungen. In allen möglichen Situationen. Sie sind mit unterschiedlichen Menschen und Erwartungshaltungen konfrontiert. So zeigt sich Ihre ausgeprägte Kommunikationsfähigkeit nicht zuletzt auch darin, wie Sie sich diesen verschiedenen Kommunikationspartnern und Situationen anpassen können und wie sie dabei die Ihnen zufallenden Rollen übernehmen können.

3.5.1 Die eigenen Kommunikationsskills verbessern

Kommunikationsfähigkeit ist nichts Angeborenes, sie ist erlernbar. Sie sollten diese Chance nutzen und Ihre Fähigkeiten diesbezüglich immer weiterentwickeln.

Besonders auf der Führungsebene erfordert Kommunikation ein hohes Maß an Feingefühl. Ihre Kommunikationsfähigkeit zu verbessern bedeutet, das Zusammenspiel von eigenen Bedürfnissen, Kundenbedürfnissen, Marktentwicklung und Mitarbeiterpotenzial ständig weiterzuentwickeln. In alle Richtungen gilt es zu hören und zu verstehen, Informationen aufzunehmen, zu verarbeiten und weiterzugeben. Zu wissen, was man wem, wann und auf welche Weise sagt, gehört zu den grundlegenden Soft Skills.

Mit den nachfolgenden Tipps können Sie Ihre Kommunikationsskills verbessern. Auch hier gilt: Kleine Schritte führen sie zum Erfolg. Seien Sie geduldig mit sich selbst.

Praxistipp: So verbessern Sie Ihre Kommunikationsskills

3.5.2 Interne und externe kommunikative Interaktionen effektiv steigern

Der Kern von Interaktion ist die wechselseitige Aufeinander-Bezogenheit von Handlungen. Im Fokus ist, was zwischen (Inter-) Handlungen (Aktionen) geschieht und damit der Prozess, der entsteht, wenn Handlungen sich aufeinander beziehen. Der Ansatzpunkt von Interaktion ist die Koordination von Verhalten.

Im Gegensatz hierzu stehen im Zentrum von Kommunikation die Mittel und Inhalte des Austausches. Kommunikation kann ein asymmetrischer Prozess sein, bei dem eine Information von einem Sender auf einen Empfänger übertragen wird. Interaktion hingegen ist stets ein symmetrischer Prozess, in dem beide Seiten gegenseitig Informationen austauschen. Bei der Interaktion hat der Empfänger jedoch die Wahl, auf welchen Teil der Nachricht er reagieren will. Das ermöglicht Ihnen in Ihrer eigenen Kommunikation viele Möglichkeiten, in welche Richtung Sie die Konversation steuern.

Bei kommunikativer Interaktion versucht ein Interaktionspartner sich dem anderen Interaktionspartner gegenüber in ganz bestimmter Weise als Handelnder darzustellen. Ziel ist es, dem Gegenüber etwas Bestimmtes zu verstehen zu geben.

In Ihrer Funktion als CFO ist die Steigerung effektiver interner und externer kommunikativer Interaktionen die Basis, um andere Menschen auf Ihrem Weg mitzunehmen, aber auch um andere Wege zu verstehen, diese einzuordnen und wenn nötig Ihren eigenen Weg dahingehend anzupassen. Damit Sie die Interaktion mit Ihrem Interaktionspartner richtig einordnen können und damit selbst effektiv, angemessen und wirksam interagieren können, benötigen Sie Klarheit über folgende Interpretationen. Machen Sie sich dabei bewusst, dass es sich um Interpretationen handelt.

Wichtig: Wechselseitige Interpretationen im kommunikativen Interaktionsprozess

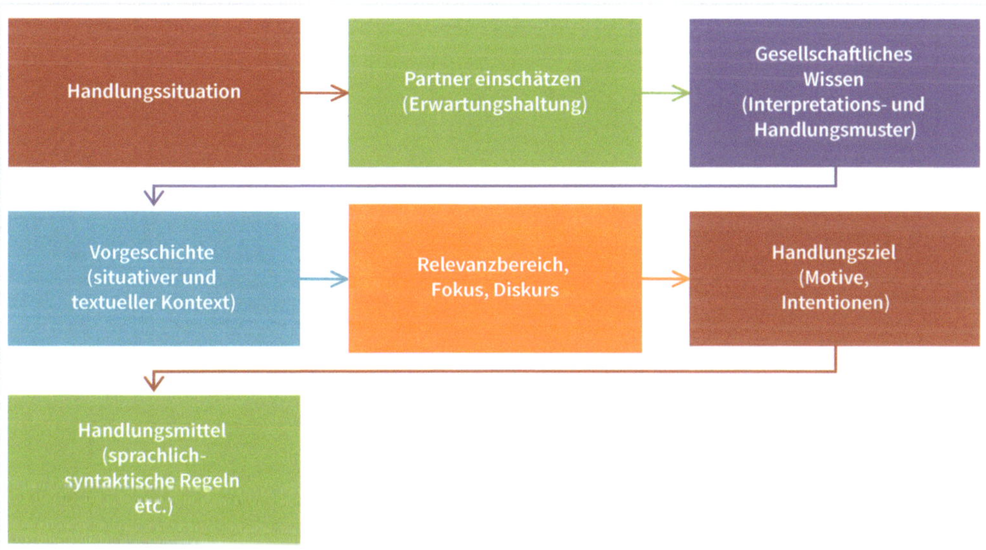

Von erfolgreicher interaktiver Kommunikation können wir sprechen, wenn die Ziele der Interaktion erreicht wurden und die beabsichtigte Wirkung eintritt. Das heißt, dass die Erwartungen aller (!) Beteiligten an die Interaktion erfüllt wurden – und somit auch ihre Bedürfnisse.

Es ist auch wichtig, eine positive Interaktionsatmosphäre zu ermöglichen, seine Kommunikationsbereitschaft zu signalisieren und die eigenen Zielsetzungen und Erwartungen an die Interaktion zu überprüfen. Zur Reflexion Ihrer interaktiven Kommunikation können Sie folgende Fragestellungen als Kompass verwenden.

Arbeitshilfe: Selbstreflexion kommunikativer Interaktion

	Habe sehr gute Antwort	Habe gute Antwort	Habe mangelhafte Antwort	Habe ungenügende Antwort	Habe keine Antwort
Sind Sie (bzw. Ihre Handlung) für Ihren Inter-aktionspartner perzeptiv zugänglich (Situation)?	.	.	.	.	.
Nimmt der andere Sie wahr (Wahrnehmung/ Aufmerksamkeit)?	.	.	.	.	.
Nehmen Sie wahr, dass der andere Sie wahrnimmt und umgekehrt (reflexive Wahrnehmung)?	.	.	.	.	.
Versteht Ihr Interaktionspartner das Verhalten von Ihnen als Mitteilung (Kundgabehandeln)?	.	.	.	.	.
Versteht Ihr Interaktionspartner die von Ihnen gesetzten Zeichen (Symbolverwendung/ Decodierung)?	.	.	.	.	.
Versteht Ihr Interaktionspartner, was Sie von ihm wollen (Intention/Meinen)?	.	.	.	.	.
Reagiert Ihr Interaktionspartner darauf (Reaktion)?	.	.	.	.	.
Reagiert Ihr Interaktionspartner sinnentsprechend (Responsivität/Qualität der Reaktion)?	.	.	.	.	.

3.5.3 Erfolgreiche Stakeholder-Kommunikation

Als CFO müssen Sie Ihre Kommunikationsstrategie bezogen auf Ihre Decoder sich ständig ändernden Anforderungen anpassen. Private und institutionelle Anleger nutzen unterschiedliche Ressourcen, um sich über die Firmenperformance zu informieren.

Als CFO sollten Sie sich zum Beispiel Gedanken darüber machen, wie Performancedaten für einzelne Aktionärsgruppen oder Anteilseigner aufbereitet sein sollten. So verlangt jede Investorengruppe eine eigene Kommunikationsstrategie. Privatanleger informieren sich über die Wirtschaftspresse und das Fernsehen über Ihr Unternehmen. Für institutionelle Anleger spielt hingegen der direkte Austausch insbesondere mit Ihnen als CFO, aber auch mit Ihren Managementkollegen die größte Rolle.

Durch Ihr einzigartiges Wissen als CFO bezüglich der Kernaufgaben Ihres Unternehmens, der einzelnen Funktionen, aber auch als das Gewissen des Gesamtunternehmens, das sie aufgrund Ihrer Konzentration auf Fakten und Zahlen verkörpern, führt dazu, dass viele Stakeholder Antworten von Ihnen erwarten. Diese wachsenden Anforderungen an Sie und Ihre kommunikativen Fähigkeiten stellen in Zukunft die größte Herausforderung für sie als CFO dar. Kommunikation ist schließlich nicht Ihr Kerngeschäft.

Eine Ihrer Schlüsselprioritäten besteht dabei darin, das Vertrauen in die veröffentlichten Finanzkennzahlen Ihres Unternehmens zu erhöhen und die Investoren und Stakeholder von der Solvenz und zukünftig weiterhin guten Performance Ihres Unternehmens zu überzeugen. Dabei erwartet jeder Stakeholder transparente Informationen, verlässliche Analysen und die Sicherheit, dass Sie als CFO gemeinsam mit Ihren Kollegen die richtigen Entscheidungen treffen werden. Dies wirft auch für Ihrer To-do-Liste einschneidende Fragen auf. Dies bezieht sich auf die Häufigkeit Ihrer Stakeholder-Meetings, auf die Zahl Ihrer Mitteilungen, durch die die Diskussionen mit Stakeholder wesentlich vertieft werden können, sowie auf die Häufigkeit Ihres Auftretens in der Öffentlichkeit. Hierdurch werden Sie mehr und mehr zum Aushängeschild Ihres Unternehmens in allen Finanzfragen.

Eine exzellente Finanzberichterstattung ist die Basis, um das Vertrauen von Investoren zu gewinnen: saubere, klare, konsistente und umfassende Informationen. Investoren erwarten mehr als eine lediglich satzungs- oder vorschriftsmäßige Berichterstattung. Dies wird eher als Zeichen mangelnder Transparenz gesehen. Investoren verlangen Maßstäbe, die mehr als nur die finanzwirtschaftlichen Aspekte umfassen: eine realistische Darstellung der zukünftigen Unternehmensperformance, der Unternehmensstrategie, der finanzwirtschaftlichen Performance, des Risikomanagements und der operativen Effektivität.

Welchen Anforderungen Sie in Ihrer Kommunikation mit Stakeholdern gerecht werden sollten, zeigt Ihnen die nachfolgende Arbeitshilfe.

Arbeitshilfe: Stakeholder-Kommunikation

In Ihrem Kommunikationsmanagement mit Stakeholdern sollten Sie Ihren Blick jedoch nicht nur nach außen richten, sondern auch die Effektivität Ihrer Kommunikation mit internen Stakeholdern stetig verbessern.

Wie vieles im Leben, das gut werden muss, braucht auch Kommunikation die nötige Zeit. Zeit, um vorzubereiten, zu üben, zu entwickeln. Der Aufwand für die Kommunikation auf Geschäftsführungs- und Vorstandsebene wird im Schnitt auf ca. 20 % der gesamten Arbeitszeit geschätzt – Tendenz steigend. Und das unabhängig von Größe, Kapitalmarktverpflichtungen oder Branchenfokus. Sie sollten sich dabei nicht allen auf Ihr kommunikatives Talent oder Improvisation verlassen. Denn ein unvorsichtiges Wort gegenüber Medien, der Öffentlichkeit oder Investoren kann zu heftigen Reaktionen führen. Auch kann ein unsensibles Verhalten gegenüber der Belegschaft den Betriebsrat auf dem Plan rufen und Sie stehen am Pranger. Ich denke, Beispiele, wie Unternehmenskommunikation sich auf einmal verselbstständigt, kennen wir alle genügend.

Die Welt dreht sich immer schneller. Zugleich ändern sich allerorten Strukturen und Prozesse in nie da gewesenem Maße. Mitarbeiter, Medien, Politik, Kunden, Aktionäre, Bürgerinitiativen und NGOs suchen in dieser schnelllebigen Zeit Orientierung. Sie brauchen jemanden, der ihnen hilft, die Welt besser zu verstehen. Geschieht dies nicht, übernehmen andere die Rolle des Interpreten. Das Unternehmen verliert dann die Deutungshoheit und im schlimmsten Fall auch an Handlungseinfluss. Ihre Rolle als CFO, neben dem CEO als oberstem Repräsentant, ist die eines Erklärers, eines Vermittlers und Wegweisers. Tragen Sie dazu bei, dass Sie und Ihr Unternehmen als Problemlöser und nicht als Problemverursacher wahrgenommen werden. Seien Sie sich im Klaren darüber, welche Wirkung Gesten und Worte haben. Sie entscheiden maßgeblich über das Ansehen Ihrer eigenen Person, aber auch über das Ansehen des Unternehmens.

Die folgenden Charakteristika und Fähigkeiten zeichnen Sie als CFO in der Kommunikation mit Stakeholdern aus.

Wichtig: Charakteristika und Fähigkeiten von CFOs in der Kommunikation

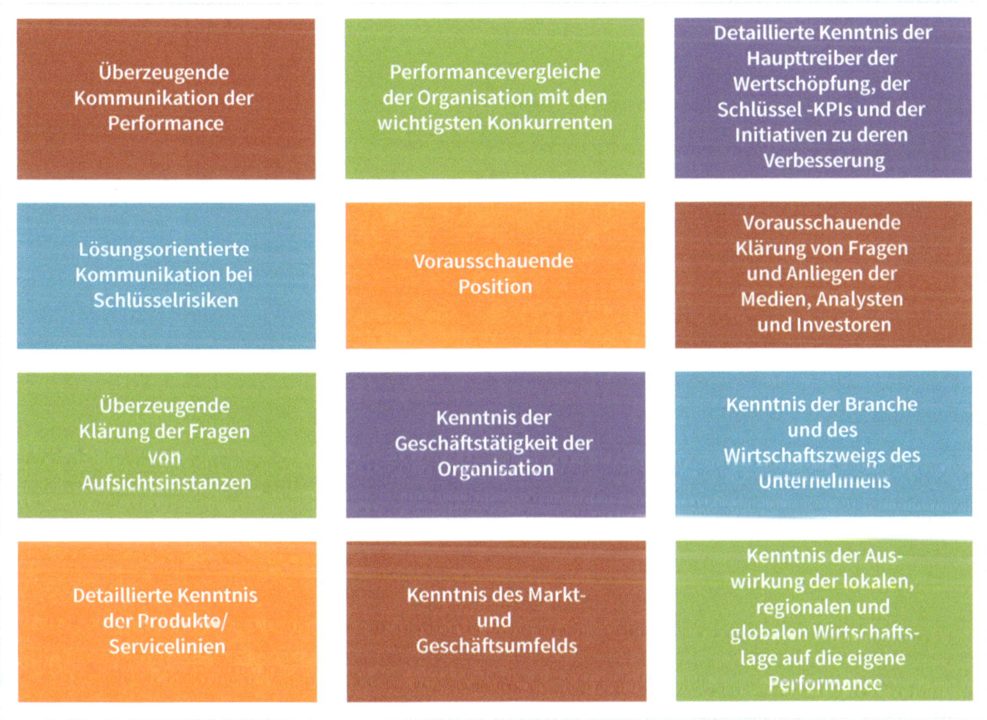

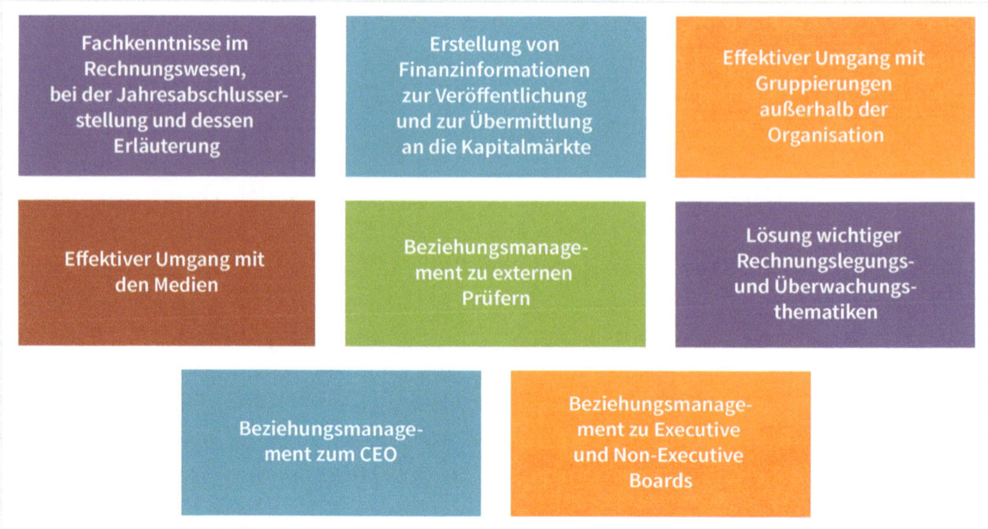

Fazit

Nehmen Sie Ihre Rolle an, werden Sie den Anforderungen gerecht und machen Sie sich die Sache zu eigen.

3.5.4 Erfolgreiche Medienkommunikation

Die schnellen und komplexen Veränderungen unserer Zeit erhöhen auch die Geschwindigkeit und Intensität, mit der Informationen an Medien weitergeleitet werden.

Als CFO sollten Sie engen Kontakt zum Chief Communications Officer (CCO) haben. Ein talentierter CCO kann Medien managen und beeinflussen, Marktfeedback interpretieren und einschätzen, neue Möglichkeiten gewinnbringend nutzen und in Krisen geschickt navigieren. Solche Führungskräfte verstehen es, eine aufgebrachte Öffentlichkeit zu besänftigen, nervöse Investoren zu beruhigen, Brücken zu Politikmachern zu bauen und einflussreiche Geschichten in den Medien mitzugestalten.

Doch CCOs sind gar nicht so breit gesät, wie man es vermuten sollte. In vielen Geschäftsführungen und Vorständen gibt es diese Position nicht. Häufig müssen CFOs oder Business-Führungskräften die Medienkommunikation an vorderster Front übernehmen.

Wie im vorhergehenden Kapitel dargelegt, bringen sich lautstarke Stakeholder nahezu jeden Tag in Unternehmen ein, fordern sie heraus und stören sie. Mithilfe sozialer Medien können sich Themen so schnell und weit entzünden, dass Unternehmen sehr empfindlich davon getroffen werden können. Dieser Trend wird sich durch den Eintritt der jüngeren Generation, die ihren Fokus auf Umwelt, soziale Themen und Governance legt, in den Arbeitsmarkt noch beschleunigen. Millennials interessieren sich nicht nur für Profit und Verlust, sondern wollen auch wissen, wofür ein Unternehmen steht und wie es seine Werte und Überzeugungen vertritt.

Sie als CFO – und Kommunikationsprofi – werden gefragt sein, dies alles zu navigieren und zu managen. Von Ihnen initiierte Kommunikationsmaßnahmen tragen wesentlich zur Außendarstellung des Unternehmens und somit zum Unternehmenserfolg bei.

Dabei sind auch digitale Kommunikationskanäle wie Websites, Blogs und soziale Netzwerke ein probates Mittel, um mit direkter und persönlicher Kommunikation zu einer positiven Unternehmenswahrnehmung beizutragen. Als CFO sollten Sie das Potenzial von Social Media nutzen, sich eine Präsenz auf digitalen Kanälen aufbauen und diese weiterentwickeln.

3.5.5 Persönlicher Check: Kommunikationsmanagement

Diese Arbeitshilfe unterstützt Sie bei der Selbstreflektion zum Thema Kommunikationsmanagement und hilft Ihnen, Prioritäten zu setzen:

Arbeitshilfe: Persönlicher Check: Kommunikationsmanagement

	Sehr relevant	Relevant	Nicht relevant	Möchte ich umsetzen/ verbessern	Priorität (A/B/C)
Kommunikationsskills verbessern	.	.	.	.	.
Interne und externe kommunikative Interaktionen effektiv steigern	.	.	.	.	.
Erfolgreiche Stakeholder-Kommunikation	.	.	.	.	.
Erfolgreiche Medienkommunikation	.	.	.	.	.

3.6 Business Partnership Management (BPM)

Der Begriff »Business Partnership« steht für zwei Etikette von Business Partner. Zum einen verbindet dieser Begriff mit einer bestimmten Perspektive bzw. Philosophie gesehen einen Dienst am und für das Management. Zum anderen steht er für einen Tätigkeitsbereich von CFOs. Grundsätzlich arbeiten Sie und Ihr Team beim Business Partnering mit verschiedenen Stakeholdern zusammen und stellen diesen Finanzinformationen, Analysen und Tools zur Verfügung.

Als CFO sind Sie heute eng in unternehmerische Prozesse eingebunden. Hauptvorteile von Business Partnership sind zum Beispiel die Reduzierung laufender Kosten oder die Unterstützung bei unternehmerischen Entscheidungen. Obwohl Business Partnering schon seit vielen Jahren existiert, hat es insbesondere aufgrund der gestiegenen wirtschaftlichen Volatilität zuletzt erheblich an Bedeutung gewonnen. Gerade wirtschaftliche Unsicherheiten werden Ihnen als CFO künftig eine noch fokussierte Ausgestaltung des Business Partnering abverlangen mit dem Ziel, die Finanzabteilung und andere Geschäftsbereiche noch erfolgreicher zu vernetzen.

3.6.1 Business Partnering implementieren

Die Implementierung von Business Partnering ist schwierig. Meist gibt es bei der Umsetzung Schwierigkeiten, die oft auf organisatorischen, kulturellen und führungsrelevanten Herausforderungen beruhen. Nach wie vor kosten Routinetransaktionen sehr viel wertvolle Zeit, die für wertschöpfende Aktivitäten verwendet werden könnte. Veränderungen voranzutreiben ist immer schwer. Oft sind es gerade interne Widerstände bei allen Beteiligten, die Sie überwinden müssen. Dazu bedarf es einer starken Akzeptanz von Partnerschaft im Unternehmen, die Sie insbesondere durch entsprechend verstärkte Kommunikation erfolgreich implementieren können. Die große Bedeutung des Business Partnering für die Qualität der Entscheidungsfindung und die Optimierung der Unternehmensleistungen muss den Managern im Unternehmen erfolgreich vermittelt werden. Hierzu gehört es auch, Verantwortlichkeiten festzulegen, da ansonsten Grenzen verschwimmen, Tätigkeiten doppelt ausgeführt werden und der Service letztendlich mangelhaft ist.

Der Erfolg von Business Partnering ist nach wie vor schwer messbar. Wie beliebt Sie und Ihr Team sind, ist dabei keine hilfreiche Kennziffer. Sie müssen nicht zu den beliebtesten Personen im Unternehmen gehören, wenn Sie Ihre Arbeit gut machen und vor risikobehafteten Aktionen warnen. Allerdings sollten Sie ein großes Interesse daran haben, dass Sie und Ihre Finanzabteilung intern respektiert werden und Ihre Meinung gefragt ist. Dies können Sie insbesondere dadurch erreichen, dass Sie Ihren jeweiligen Stakeholdern bei relevanten Themen wertschöpfende Unterstützung anbieten.

Wie ist aber nun konkret beim Aufbau einer Partnerschaft vorzugehen? Dazu sollten Sie insbesondere folgende sieben Schritte vorantreiben, die ich Ihnen im Anschluss an die Grafik näher erläutern werde.

Wichtig: Schritte zur Implementierung von Business Partnering

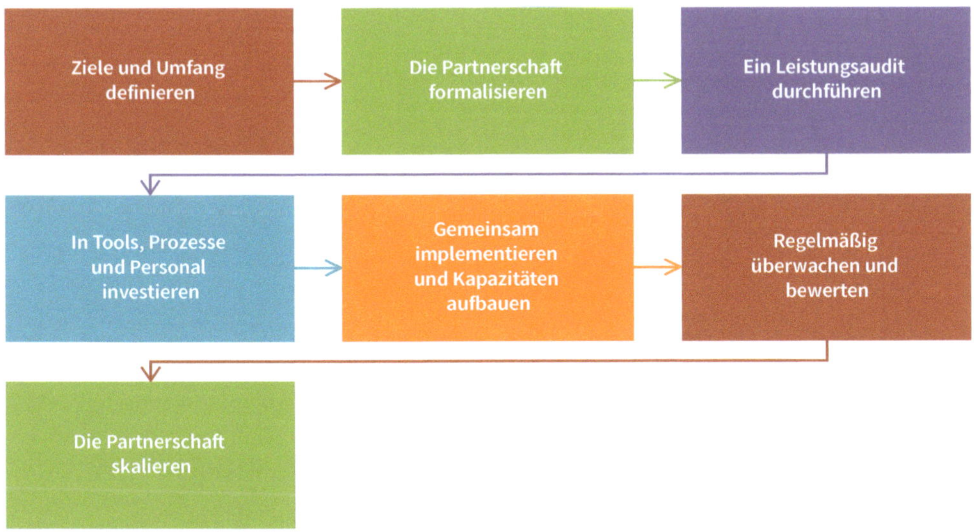

Ziele und Umfang definieren
Zu Anfangs ist zu klären, was Business Partnering konkret in Ihrer Organisation bedeutet und was Sie und Ihre Führungskollegen damit erreichen wollen. Es ist wichtig, spezifische bereichsübergreifende Ziele zu definieren, die zum einen auf die Gesamtstrategie Ihres Finanzbereichs, aber auch auf die Gesamtstrategie des Unternehmens ausgerichtet sind.

Ebenso wichtig ist, dass Transparenz das Vertrauen und die Zusammenarbeit zwischen Ihnen und den Partnern fördert. Während der Partnerschaft werden zwangsläufig Spannung- und Reibungspunkte entstehen, etwa hinsichtlich der Verwendung finanzieller Ressourcen oder Entscheidungsrechten. Versuchen Sie, im Vorfeld durch Transparenz– beispielsweise Prioritätensetzung, Zeitpläne und Meilensteine – einen Großteil der Spannungen aus der Partnerschaft herauszunehmen.

Durch ein Überspringen dieses Schrittes würden Sie den Stress und die Spannungen erhöhen, die der Partnerschaft auferlegt werden, und damit die Erfolgsaussichten verringern. Dies führt auch unter Umständen zu verwirrenden Anleitungen, etwa widersprüchlichen Prioritäten in Ihren Teams.

Definieren Sie entsprechende Interessensbereiche und ordnen Sie diese den jeweiligen Stakeholdern zu. Die folgenden Fragen können Sie dabei unterstützen.

Arbeitshilfe: Ziele und Umfang des Business Partnership

	Habe sehr gute Antwort	Habe gute Antwort	Habe mangel-hafte Antwort	Habe ungenü-gende Antwort	Habe keine Antwort
Was sind die wichtigsten Kriterien für die Auswahl der Partner in Bezug auf die spezifischen Programme, Projekte, Aktivitäten und Initiativen?	.	.	.	.	.
Schafft eine Partnerschaft positive Chancen für die zukünftige Organisationsentwicklung?	.	.	.	.	.
Können gegenseitige Erwartungen an die Partnerschaft realistisch erfüllt werden?	.	.	.	.	.
Was ist der Zweck/ sind die Ziele der Partnerschaft?	.	.	.	.	.
Was sind Erfolgsindikatoren der Partnerschaft?	.	.	.	.	.
Welche Rollen und Verantwortlichkeiten hat jede Partei?	.	.	.	.	.
Was wäre der Entscheidungsprozess?					
Was sind wichtige Meilensteine während der Partnerschaft?	.	.	.	.	.
Welche Art von Engagement gibt es von den anderen Stakeholdern?	.	.	.	.	.
Welche Art der Überwachung und regel mäßigen Bewertung wird es geben?	.	.	.	.	.

Zudem sollten Sie den Erfolg für Ihre jeweiligen Teams definieren. Mit welchen Metriken bestimmen Sie, ob die Ziele erreicht wurden, und wie verfolgen Sie diese? Hier gibt es unterschiedliche Ansätze, etwa Verantwortungsmatrizen, detaillierte Prozesslandkarten oder kritische Leistungskennzahlen.

Die Partnerschaft formalisieren

Sobald Sie mit der anderen Partei Einigkeit über Ziel und Umfang erzielt haben, sollten Die die Partnerschaft formalisieren. Je nachdem, wer Ihre Stakeholder im konkreten Fall sind, kann dies über einen formlosen Vertrag, eine Absichtserklärung oder eine Rahmenvereinbarung erfolgen.

Ein Leistungsaudit durchführen

Führen Sie in Ihrem Bereich ein Leistungsaudit durch. Beurteilen Sie dabei die Kompetenzen, die bereits in den von Ihnen zu verantwortenden Bereichen eingesetzt werden. Bewerten Sie vor allem, welche Teammitglieder nicht nur die geforderten technischen Fähigkeiten und Soft Skills mitbringen, sondern auch den richtigen Geschäftssinn und die für den Austausch mit anderen Unternehmenszweigen notwendigen Kommunikationsfähigkeiten vorweisen. Das Verständnis für die firmeninternen Kunden und deren Ziele dient Ihrem Finanzteam dabei als Fahrplan.

Mentoren- und Weiterbildungsprogramme sowie Führungskräftetrainings unterstützen Sie dabei, potenzielle Businesspartner zu identifizieren. Sobald Sie Talente identifiziert haben, sollten Sie die Systeme und Prozesse überprüfen, da diese Personen Zugang zu allen relevanten Informationen und Berichten erhalten müssen.

Nur wenn Ihr Team die Ziele und wichtigen Daten der einzelnen Unternehmensbereiche kennt, wird es erfolgreich Brücken zwischen der Finanzabteilung und den anderen Geschäftsbereichen bauen können. Führen sie zum Beispiel Übergangslösungen ein. Ein Interim-Manager etwa kann bei der Einführung von Business-Partnering-Systemen sehr hilfreich sein und bei Prozessen und deren Anpassungen unterstützen. Zeitlich befristetes Personal kann die Mitarbeiter anleiten oder ihnen helfen, das Tagesgeschäft zu erledigen, während Umgestaltungsprozesse laufen.

Das Hinzuziehen externer Spezialisten für das Business Partnering stellt eine weitere Herausforderung dar. Dazu müssen Sie die Erfahrung und Expertise der Kandidaten kritisch prüfen. Auch deren Sozialkompetenzen und kommunikative Fähigkeiten sollten Sie hinterfragen. Testen sie ihr Wissen in Gesprächen schrittweise anhand von Szenarien. So könnten sie Ihre Kandidaten zum Beispiel fragen, wie sie buchhalterische Prozesse einem Laien in einfacher Sprache erklären würden. Dies zeigt Ihnen, wie der Kandidat später mit Ansprechpartnern aus unterschiedlichen Unternehmensbereichen zusammenarbeiten kann.

In Tools, Prozesse und Personal investieren

Das Zusammenführen unterschiedlicher Kulturen, auch innerhalb des Unternehmens, kann angesichts der unterschiedlichen Kommunikationsstile und -erwartungen der einzelnen Partner eine Herausforderung sein. Aus diesem Grund sollten Sie in Tools wie Finanzmodelle, Leistungsindikatoren, Playbooks und Portfolioüberprüfungen investieren. Aber auch technologieunabhängige Investitionen wie Partnerschaftstreffen und Tagungsordnungen sind für die Teams verlässliche Leitplanken, die ihnen helfen zu verstehen, was von Ihnen in der Partnerschaft erwartet wird. Dies betrifft auch entsprechende Berichtspflichten und Reporting-Tools in Bezug auf die Partnerprozesse.

Gemeinsam implementieren und Kapazitäten aufbauen
Die gemeinsame Implementierung und der Kapazitätsaufbau stellen den Beginn der eigentlichen operativen Partnerschaft dar. Potenzielle Kapazitäten, aber auch Lücken, sollten unter technischen, finanziellen sowie personellen Gesichtspunkten überprüft werden. Auch die zur Verfügung stehenden Ressourcen sind zu erfassen. Daraus leitet sich der entsprechende Kapazitätsentwicklungsplan ab, den Sie den jeweiligen Aufgaben und Stakeholdern zugeordnet implementieren.

Gute Führung ist der Dreh- und Angelpunkt für erfolgreiche Partnerschaften. Aus diesem Grund ist es wichtig, dass Sie und Ihre leitenden Angestellten an der Überwachung der Partnerschaft beteiligt sind.

Halten Sie sowohl bei der Implementierung als auch im Rahmen der Umsetzung der Partnerschaft alle Beteiligten auf dem Laufenden. Dies vermeidet unnötige Verwirrungen und Nacharbeiten. Zudem vermeiden Sie dadurch, dass sich Teammitglieder oder Partner zurückgesetzt oder zu wenig wertgeschätzt fühlen.

Regelmäßig überwachen und bewerten
Führen Sie eine regelmäßige Überwachung und Bewertung der implementierten Prozesse, Programme und Aktivitäten durch. Beziehen Sie dabei auch technische und finanzielle Aspekte sowie die Abläufe und Prozesse der Partnerschaft mit ein. Dabei können Sie unterschiedliche Formen der Überwachung und Bewertung heranziehen, etwa gemeinsame Überwachungskomitees, Besuche vor Ort, regelmäßige Berichte oder Schulungen.

Beide Seiten der Partnerschaft müssen anerkennen, dass sich der Umfang der Beziehung im Laufe der Zeit mit hoher Wahrscheinlichkeit verändern wird. Das Akzeptieren des Unvermeidlichen wird Sie als Partner ermutigen, entsprechend notwendig gewordene Veränderungen aufzugreifen und umzusetzen.

Arbeitshilfe: Überprüfung des Business Partnership

	Habe sehr gute Antwort	Habe gute Antwort	Habe mangel-hafte Antwort	Habe ungenügende Antwort	Habe keine Antwort
Sind Sie auf dem richtigen Weg, um die gewünschte Wirkung zu erzielen?	·	·	·	·	·
Sind Sie in Bezug auf das, was in der Vereinbarung festgehalten wurde, auf dem richtigen Weg?	·	·	·	·	·
Wie gut sind Sie bei der Umsetzung von Vorschlägen?	·	·	·	·	·
Sind Anpassungen erforderlich?	·	·	·	·	·
Halten Sie sich an die Grundsätze der Partnerschaft?	·	·	·	·	·

	Habe sehr gute Antwort	Habe gute Antwort	Habe mangelhafte Antwort	Habe ungenügende Antwort	Habe keine Antwort
Was können Sie tun, um die Partnerschaft noch stärker und effektiver zu machen?	.	.	.	.	.
Gab es massive negative Einflüsse in der Partnerschaft?	.	.	.	.	.
Haben die entsprechenden Kommunikationskanäle in der Partnerschaft funktioniert?	.	.	.	.	.

Ein weiterer guter Schritt ist die Einberufung eines Allianz-Management-Teams. Diese Gruppe verfolgt und überprüft den Fortschritt der Partnerschaft anhand definierter Kennzahlen und hilft dabei, potenzielle Problembereiche zu erkennen – idealerweise mit genügend Zeit, um den Kurs zu ändern. Manchmal brauchen Partnerschaften eine Umstrukturierung – und das nicht nur als letztes Mittel. Wie Sie diese Allianz-Management-Teams zusammensetzen, hängt von verschiedenen Faktoren ab. So spielen beispielsweise die Anzahl und Komplexität der von Ihnen eingegangenen Partnerschaften eine wesentliche Rolle. Ebenso die Erfahrungen und Fähigkeiten der Personen, aus denen das Allianz-Management-Team bestehen soll.

Die Partnerschaft skalieren

Skalierung beinhaltet die Erweiterung und Reproduktion erfolgreicher Partnerschaften, Projekte und Aktivitäten auf andere Bereiche. Dabei sollte aus dem erworbenen Wissen, das in den bereits bestehenden Partnerschaften erworben wurde, Rückschlüsse, auch mit Blick auf Verbesserungen, gezogen werden.

Durch die Skalierung bauen Sie sukzessive zu allen Stakeholdern eine gezielte und bewusste Business-Partnership-Beziehungen auf.

3.6.2 Beziehungsmanagement zu internen Stakeholdern

Zusammenarbeit mit dem CEO

Aus Gesamtunternehmenssicht ist das Verhältnis zwischen CFO und CEO entscheidend. Ich vermute, dass sich die meisten CEOs, wenn sie zu einem Gespräch nur ein Mitglied ihres Managementteams mitnehmen dürften, sich vorzugsweise von ihrem CFO begleiten lassen würden. Eine erfolgreiche Zusammenarbeit zwischen diesen zwei Top Executives setzt ein hohes Maß an Vertrauen und gegenseitigem Respekt voraus. Alles muss transparent sein und Sie müssen alle Pro- und Kontra-Argumente einer Entscheidung zur sorgsamen Abwägung offen auf den Tisch legen.

CEO und CFO müssen dabei nicht immer derselben Meinung sein. Vielmehr ist es Ihre Aufgabe, als Sparringspartner des CEOs zu fungieren. Der CEO konzipiert die Strategie und die Ziele des Unternehmens. Sie als CFO sorgen dafür, dass diese innerhalb eines vorgegebenen finanzwirtschaftlichen Rahmens umgesetzt werden. Sie müssen in der Lage sein, dem CEO zu sagen, dass diese oder jene Handlung bestimmte Folgen hat, und ihm ggf. davon abraten können.

Aus Sicht des CEO muss ein CFO flexibel sein und mehrere Dinge und Themen gleichzeitig umsetzen können. Dazu müssen Sie als CFO die Fähigkeit besitzen, rasch zwischen der strategischen, der praktischen und der operativen Ebene hin- und herzuspringen. Dies gilt auch in Bezug auf die Bereitstellung von Berichten und Analysen für den CEO. Welche Kernfähigkeiten und Kernkenntnisse Sie als CFO diesbezüglich auszeichnen sollten, fasst die nachfolgende Übersicht zusammen.

Wichtig: Kernkompetenzen zur Bereitstellung von Berichten und Analysen für den CEO

Bei all diesen Themen spielen Schlüsselbeziehungen zu folgenden Personengruppen eine große Rolle. Diese unterstreichen auch noch einmal die Notwendigkeit des Business Partnership Management im eigenen Haus.

Wichtig: Schlüsselbeziehungen des CFO

Mit der Bereitstellung von Berichten und Analysen für den CEO ist es natürlich nicht getan. Ganz entscheidend ist auch, dass Sie den CEOs in der Umsetzung seiner Strategien unterstützen. So zeichnen Sie zum Beispiel für die Finanzierung, die Freigabe und die Umsetzung der vom CEO festgelegten Strategien verantwortlich. Um dies für alle Seiten positiv realisieren zu können, sollten Sie auf wichtige Fähigkeiten und Kenntnisse zurückgreifen können.

Wichtig: Kernkompetenzen zur Finanzierung, Freigabe und Umsetzung der vom CEO festgelegten Strategie

Beziehungs- und Konfliktmanagement zu Vorstand bzw. Geschäftsführung

Die Zusammenarbeit zwischen Vorstands- bzw. Geschäftsführungsmitgliedern ist aufgrund von Interdependenz durch verschiedenste Macht-, Ressourcen-, Zeit- oder Informationsasymmetrien geprägt. Weil Spannungen und Konflikte ein realer Bestandteil dieser Zusammenarbeit sind, müssen Sie als CFO ein Beziehungsmanagement zu Ihren Vorstands- bzw. Geschäftsführungskollegen betreiben. Eine funktionierende Zusammenarbeit ist von großer Bedeutung für den Erfolg des Gesamtunternehmens. Frei von Konflikten wird diese nie sein. Denn Konflikte sind ein Bestandteil des organisationalen Lebens. Sie kommen dabei in verschiedensten Situationen, Umgebungen oder Konstellationen vor, wobei sich zwei Typen von Konflikten unterscheiden lassen[2]:

- **Aufgabenkonflikte** beziehen sich insbesondere auf Meinungsverschiedenheiten bezüglich inhaltlicher Aspekte der Aufgabenerfüllung. Vieles dreht sich dabei um die Frage, wie eine Aufgabe erfüllt werden soll, wobei die Konfliktparteien unterschiedlicher Auffassung in Bezug auf die Umsetzung sind.
- **Beziehungskonflikte** sind zwischenmenschliche Unvereinbarkeiten, deren Ursprung auf persönliche oder soziale Aspekte zurückzuführen ist.

2 Vgl. Jehn (1995), S. 258 sowie Bürgisser (2011), S. 38 ff.

Konflikte können auf eine oder mehrere Konfliktursachen zurückgeführt werden und haben bestimmte Auswirkungen. Diese Ursachen lassen sich nach Jehn vier Kategorien zuordnen[3].

Wichtig: Kategorien von Konfliktursachen

Diese Ursachen zeigen, wie mannigfaltig für Konflikte sein können.

Damit Sie Konflikte auf der Führungsebene vermeiden und effizient und effektiv mit Ihren Kollegen zusammenarbeiten können, helfen Ihnen folgende Handlungsempfehlungen.

Praxistipp: Handlungsempfehlungen für eine effiziente und effektive Zusammenarbeit

- Gemeinsames Verständnis der Zusammenarbeit als Team anstreben
- Zusammenarbeit muss auf Vertrauen und Respekt basieren
- Vorstand/Geschäftsführung muss die Kommunikation im Sinne der Zusammenarbeit gestalten
- Förderung eines gemeinsamen Verständnisses der Zusammenarbeit

3 Ebd.

Klare Abgrenzung von Zuständigkeiten
Transparenz und Offenheit
Gegenseitige Information über das jeweilige Ressort
Vollständige Dokumentation von Absprachen und Vereinbarungen
Gegenseitige, verhältnismäßige Kontrolle (u. a. Verständnisfragen, gezielte Zusatzfragen, Einsicht in Unterlagen und Dokumente)
Offenes Ansprechen von Konflikten
Bei Bedarf Einschalten externer Berater

Beziehungsmanagement zu Aufsichtsratsmitgliedern
Die Aufsichtsratsgremien und ihre Mitglieder sind Ihnen gegenüber anspruchsvoller geworden. Sie wollen insbesondere über mögliche negative Entwicklungen genau informiert werden. Es ist also wichtig, lange im Voraus zu erkennen, ob sich am Horizont bestimmte Entwicklungen oder Ereignisse abzeichnen, die das Ergebnis beeinträchtigen oder an die Öffentlichkeit gelangen könnten. Für Ihre Zusammenarbeit mit dem Aufsichtsrat setzt dies Objektivität und Unabhängigkeit voraus sowie ein hohes Maß an Offenheit und eine vertrauensvolle Beziehung zum Aufsichtsrat und zum Vorsitzenden des Prüfungsausschusses.

Sie befinden sich als CFO in einer einmaligen Position: In vielerlei Hinsicht sind Sie das finanzwirtschaftliche Gewissen für die Non-Executive-Mitglieder des Aufsichtsrats. Der Aufsichtsrat muss sich auf Ihre Integrität verlassen können und auch darauf, dass er jederzeit sowohl über die guten als auch die weniger guten Nachrichten über das Unternehmen informiert wird. Zwar bleiben die regulären Aufsichtsratssitzungen das wichtigste Forum für die Zusammenarbeit zwischen Ihnen und dem Aufsichtsrat. Dennoch erwarten sowohl Sie als auch die Mitglieder des Aufsichtsrats informelle Ad-hoc-Kontakte.

Es ist wichtig, dass sie regelmäßig Kontakt zum Aufsichtsrat halten. Die Aufsichtsratsmitglieder müssen davon überzeugt sein, dass die Kommunikation nicht einseitig ist, damit beide Seiten jeweils über die Entwicklungen informiert sind und niemand überrascht wird.

3.6.3 Allianzen über die eigene Organisation hinaus

Stakeholder-Überwachung und Regulierung
In Bezug auf die Stakeholder-Beziehungen fungieren Sie als CFO gemeinsam mit dem CEO als Außenminister Ihrer Organisation. Investor Relations beinhaltet für Sie sehr viel Reisetätigkeit. Einen nicht

unbeachtlichen Teil Ihres Engagements müssen Sie darauf verwenden, sich mit Vertretern von Aufsichtsbehörden, Investoren, Ratingagenturen, Handelsverbänden und ggf. Börsenvertretern zu treffen.

Ganz entscheidend ist hierbei Ihre Effektivität in Bezug auf Transparenz und Offenlegung von Finanzinformationen. Aus diesem Grund sollten Sie Ihren Fokus in Bezug auf externe Stakeholder auf eine Verbesserung der Finanzberichterstattung legen. Insbesondere die Lesbarkeit dieser Informationen ist für die Stakeholder von Bedeutung. Dies wiederum verschafft Ihnen positives Feedback vonseiten der Stakeholder, Ihrem Senior Management, Ihren Vorstandskollegen sowie Investoren und Analysten.

Auch Ihre Beziehungen zu überwachenden und regulierenden Personengruppen gewinnen immer mehr an Bedeutung. Aus diesem Grund sollten Sie immer über aktuelle regulierende Vorschriften und Gesetzgebungen auf dem Laufenden sein und Ihr Wissen in diesem Bereich stetig ausbauen. Denn die Verwaltung von Prüfungen und deren Komplexität – auch im Regulierungsumfeld – nimmt stetig zu. Durch ein effektives Beziehungsmanagement zu den entsprechenden Organisationen und Regulierungsbehörden können Sie auch einen großen Anteil von politischen Entscheidungen mit beeinflussen und mitgestalten.

Dabei müssen Sie auch Wege finden, effektiv und angemessen auf Konflikte zu reagieren. Priorisieren Sie dabei die Stakeholder-Beziehungen, die für Sie und Ihr Unternehmen am wichtigsten sind. Analysieren Sie kritische Stakeholder Beziehungen und entwickeln Sie ein Verständnis dafür, was die jeweiligen Stakeholder antreibt. Eine proaktive Kommunikation Ihrerseits sollte gerade auch in diesen Fällen das Ziel sein.

Gerade bei der Kommunikation mit Investoren, Regulierungsbehörden und den Medien sollten Sie nichts dem Zufall überlassen, sondern einen strategischen Ansatz verfolgen. Um Glaubwürdigkeit und dadurch Vertrauen aufzubauen, empfiehlt es sich, dafür für die jeweilige Stakeholder-Gruppe eine stringente Geschichte über das Geschäft Ihres Unternehmens bereitzuhalten.

Beziehung zu Investoren

Seit der Finanzkrise hat sich die Investor-Relations-Landschaft deutlich verändert, man denke nur an den Fall Lehman Brothers. Auch die betrügerischen Machenschaften rund um Wirecard und die weltweiten wirtschaftlichen Auswirkungen der Corona-Pandemie brachten diesbezüglich einschneidende Veränderungen mit sich. Institutionelle Investoren sind viel stärker gefordert, ihren Beitrag zur Erreichung einer guten Corporate Governance zu leisten und über die eigenen finanziellen Interessen hinaus einen breiten Ansatz zu verfolgen, indem sie aktiv mit dem Unternehmen zusammenarbeiten. Infolgedessen wurden weltweit in Bezug auf Corporate Governance zunehmend Stewardship-Codes eingeführt.

Auch EU-Aktionärsrichtlinien stehen zunehmend auf dem Prüfstand. Entsprechende gesetzliche Regelungen sollen es unter anderem institutionellen Anlegern leichter machen, eine aktive Rolle in dem Unternehmen, in das sie investiert haben, zu übernehmen. Ein entsprechender Dialog zwischen Unternehmen und Anlegern soll dabei zu mehr Transparenz und gegenseitigem Vertrauen führen.

Der Austausch mit institutionellen Anlegern wird künftig nicht nur Sie und Ihre Vorstandskollegen vermehrt beschäftigen, sondern auch den Aufsichtsrat als zentrale Kontrollinstanz eines zweistufigen Corporate-Governance-Systems. Auch dem Vorsitzenden des Prüfungsausschusses, mit dem Sie sich als CFO in enger Abstimmung befinden, wird eine tragende Rolle zuteil. Zudem sind Sie in die Abstimmung mit dem Aufsichtsrat über Themen wie Vorstandsrekrutierung und Überwachungsaufgaben zentral eingebunden.

Jede Diskussion mit Investoren ist eine Herausforderung für Sie und Ihr Unternehmen, wie das folgende Beispiel zeigt.

Beispiel: Heinz Hermann Thiele und die Lufthansa

»Die Zitterpartie ist zu Ende: Kurz vor der Abstimmung über den Staatseinstieg bei der Lufthansa kündigt der wichtigste Anteilseigner der Fluglinie seine Zustimmung an. Und Großaktionär Heinz Hermann Thiele sagt auch, wie es nun weitergeht«[4], war in der Onlineausgabe der Frankfurter Allgemeinen am 20. Juni 2020 zu lesen. Zu diesem Zeitpunkt hielt der Mehrheitsaktionär nach seiner jüngsten Aufstockung 15,5 % an der Lufthansa. Damit war klar, dass der Staatseinstieg gegen ihn nicht möglich gewesen wäre. Denn zur Teilnahme an der Online-Hauptversammlung hatten sich zum damaligen Zeitpunkt 38 % der stimmberechtigten Anleger angemeldet, von denen mehr als ein Drittel auf Thiele entfielen. Es lag also im Interesse aller Lufthansa-Mitarbeiter, dass das Management zügige Verhandlungen mit dem Großaktionär über die nötige Restrukturierung führen konnte.

Thiele äußerte sich damals nach FAZ-Angaben wie folgt: »Es sei klar, dass er als Ankeraktionär mit seiner Investition künftig im Risiko stehe. Deshalb werde er auch in Zukunft Einfluss nehmen auf die Entwicklung der Lufthansa.«[5]

Dieses Beispiel zeigt, wie ein einziger Aktionär entscheidenden Einfluss auf ein großes Unternehmen nehmen kann. Hätte Thiele seine Zustimmung verweigert, hätte die Lufthansa mit hoher Wahrscheinlichkeit Insolvenz anmelden müssen.

Bei Diskussionen mit Investoren ist es besonders wichtig, dass Ihr Unternehme – insbesondere der Vorstand – mit einer Stimme spricht. Alle Beteiligten sollten dabei besonderes Augenmerk auf den Zustand des Unternehmens, Details der Strategie und die bei der Umsetzung erzielten Fortschritte legen. Dies sind Bereiche, die in erster Linie in die Zuständigkeit der Geschäftsführung und des Vorstandes und hier in besonderem Maße von Ihnen als CFO fallen.

Um diesen Anforderungen gerecht zu werden, müssen Sie und Ihr Unternehmen klare Kommunikationsrichtlinien festlegen. Diese sollten im Detail regeln, wann und wie Diskussionen und Austausch zwischen Investoren und Aufsichtsräten stattfinden sollten. Dies schützt zum einen das Gremium und verdeutlicht den Investoren den Rahmen für solche Diskussionen.

4 https://www.faz.net/aktuell/wirtschaft/unternehmen/lufthansa-grossaktionaer-thiele-stimmt-fuer-die-rettung-16830897.html.
5 Ebd.

Zum anderen profitieren Sie und Ihre Vorstandskollegen von einer besseren und vertrauenswürdigeren Beziehung zu Ihren Investoren. Im Dialog erfahren Sie aus erster Hand, was deren Erwartungen sind. Gleichzeitig erhalten Sie die Möglichkeit, unternehmensspezifische Lösungen für Governance-Themen zu fördern und diese im Rahmen Ihrer Kommunikation und Beziehung mit den Investoren einzubinden. Aus diesem Grund sollte Investor Relations weit oben auf Ihrer Tagesordnung stehen.

Investor Relationship und Zusammenarbeit mit Private-Equity-Gesellschaften

In Ihrer Beziehung zu Investoren und Private-Equity-Gesellschaften müssen Sie die richtige Balance finden. Die Corona-Pandemie hat für eine extreme Volatilität an den Finanzmärkten gesorgt und bei Investoren große Besorgnis ausgelöst. Obwohl sich die Aktienmärkte nach den ersten beiden Wellen der Pandemie weltweit wieder stabilisiert haben, ist erkennbar, dass sich die Beziehung zwischen Investoren und Unternehmen verändert hat.

Zusammen mit Ihrem Investor-Relationship-Team spielen Sie als CFO eine zentrale Rolle bei der Pflege guter Beziehungen zu Investoren. Dabei obliegt es Ihnen, die richtige Balance zwischen objektiver Darstellung und positiver Wachstumserwartung zu finden. Die Investoren erwarten von Ihnen als CFO, dass Sie die Stimme der Vernunft verkörpern, integer und zuverlässig sind. Dabei müssen die positiven Erwartungen an das Equity-Kapital und die Wachstumschancen Ihres Unternehmens in ein ausgewogenes Verhältnis gebracht werden. Diese Balance zu finden stellt eine große Herausforderung für Sie dar. Versuchen Sie dabei, entsprechende Detailkenntnisse mit einer klaren Unternehmensperspektive zu verbinden. Sie müssen ein glaubwürdiges und realistisches Bild zeichnen, das die Aussichten des Unternehmens in Hinblick auf die Markt- und Wettbewerbslage widerspiegelt, und dabei persönlicher Integrität und finanzwirtschaftlicher Seriosität beweisen.

Es versteht sich von selbst, dass dabei alles, was an den Stakeholder gerichtet ist bzw. wird, rechtlich einwandfrei sein muss. Darüber hinaus muss es auch ethisch und moralisch vertretbar sein. Dabei wollen sich die Investoren auf die finanzwirtschaftlichen Kompetenzen des CFO, auf sein korrektes Verhalten sowie auf seine Managerfähigkeiten verlassen können.

Zudem erwarten Investoren zunehmend, dass Sie als CFO die Unternehmensstrategie und die langfristige Ausrichtung des Unternehmens in einem breiteren Kontext darstellen und erläutern. Die Zeiten, in denen Investoren sich damit zufriedengaben, einmal im Quartal eine Erläuterung der Quartalszahlen zu erhalten, sind vorbei. Auf diese von Investoren gewünschten qualitativen Erläuterungen und Einschätzungen müssen Sie vorbereitet sein. Es genügt nicht, nur erklären zu können, wie der Gewinn erwirtschaftet wurde und woher er stammt. Vielmehr sollte es Ihnen zum Beispiel bei einem Rückgang der kurzfristigen Überschüsse möglich sein, eine breite, strategiebezogene Bewertung gegenüber den Investoren abgeben zu können, verbunden mit einer Prognose, wie sich das Unternehmen entwickeln wird.

Als weiterer Trend ist erkennbar, dass die Interaktionen zwischen CFO und Investoren an Häufigkeit zunehmen. Einer der Gründe hierfür mag die begrenzte Verfügbarkeit von Fremdfinanzierungen durch Investoren und Private-Equity-Partner sein. Dies ist der Preis dafür, dass Unternehmen Banken umgehen wollen, um sich direkt über den Kapitalmarkt zu finanzieren. Ein weiterer Grund könnte die extreme Volatilität am Rentenmarkt darstellen. Diese Volatilität hat eine größere Anzahl von Anleihegläubigern dazu veranlasst, den direkten Kontakt zu Unternehmen zu suchen.

Investor Relations muss in jeglicher Hinsicht geübt werden. In Ihrer Ausbildung hat sich vermutlich nahezu alles um Zahlen gedreht und weniger um den Umgang mit Investoren und Medien. Keine Frage: Fakten sind wichtig. Worum es jedoch geht, ist die Art und Weise, wie sie präsentiert werden. Und das will geübt werden. Aber selbstverständlich nicht auf einem echten Investoren-Meeting, sondern off record, am besten in einem Medientraining mit einem speziellen Mediencoach. Der Umgang mit Investoren und Medien verlangt Ihnen als CFO völlig andere Fähigkeiten ab als der Umgang mit Fakten und Zahlen. Ebenso der Umgang mit kritischen oder unerwarteten Fragen der Journalisten oder emotionalen Geschichten beim Investoren-Kontakt.

Folgende Schlüsselfragen helfen Ihnen, Ihr Investor Relationship Management zu strukturieren und besser mit Private-Equity-Gesellschaften zusammenzuarbeiten.

Arbeitshilfe: Schlüsselfragen – Investor Relationship und Zusammenarbeit mit Private-Equity-Gesellschaften

	Habe sehr gute Antwort	Habe gute Antwort	Habe mangelhafte Antwort	Habe ungenügende Antwort	Habe keine Antwort
Verfügen Sie als CFO über eine ausreichend offene und vertrauensvolle Beziehung zu den Anlegern, um alle Themen anzusprechen?	.	.	.	.	.
Wissen Sie, wer die Top 3/5/10 Investoren Ihrer Organisation sind?	.	.	.	.	.
Sind einige der Anleger aggressiv? Wenn die Antwort ja ist: Kennen Sie ihre Bedenken, und verfügen Sie über einen Aktionsplan?	.	.	.	.	.
Haben Sie gemeinsam mit dem Investor-Relations-Teameine Kommunikationsrichtlinie sowie Prozesse für einen offenen und ehrlichen Dialog mit den Investoren implementiert?	.	.	.	.	.

Beziehungsmanagement zu Banken
Die Kommunikation zwischen Ihnen als CFO und der Hausbank Ihres Unternehmens ist auch jenseits von Krisensituationen wichtig, gewinnt in schwierigen Zeiten wie der Corona-Pandemie aber noch einmal zusätzlich an Relevanz.

Gutes Beziehungsmanagement zu Banken beginnt da, wo beide Seiten vertrauensvoll zusammenarbeiten. Vor diesem Hintergrund sollten Sie den Dialog mit den Bankvorständen suchen. Derzeit wird gerade im Bereich Kommunikation viel ausprobiert und digitale Interaktionen finden immer mehr Einzug in die Alltagskommunikation. Technisch funktioniert einiges inzwischen bereits sehr gut. Das persönliche Gespräch werden ein Telefon oder eine Videokonferenz aber niemals ersetzen können. In der Regel stehen die Leiter der Finanzabteilung in Kontakt mit den Banken. Das kann für Sie als CFO aber gerade bei dringenden Entscheidungen zusätzliche Abstimmungsschleifen bedeuten. Durch den direkten Kontakt zwischen Kunde und Bank auf Vorstandsebene gewinnen beide Seiten einen besseren Überblick über die Situation im Unternehmen und die Kapitalmarktlandschaft.

Doch was genau sollten CFOs ihren Banken überhaupt mitteilen? Zunächst einmal sollten sie sie über die aktuelle Finanzlage informieren. Auf dieser Basis können sie gemeinsam eine Finanzierungsstrategie entwickeln. Als Basis hierfür benötigen Sie als CFO Informationen über alle Kreditlinien, das Umlaufvermögen und liquiditätsrelevante Vorgänge in Ihrem Unternehmen. Neben der aktuellen Situation sollten Sie zudem eine Prognose- und Planungsrechnung bereitstellen. Diese sollte darlegen, wie sich die aktuelle Situation unter verschiedenen Anlagen für die Zukunft entwickeln könnte.

Damit Banken die Situation Ihres Unternehmens besser einschätzen können, sollten Sie auch einen Bankenspiegel, also eine Auflistung sämtlicher Kreditgeber mit den jeweiligen Verbindlichkeiten diesen gegenüber, bereithalten. Auch dies hilft Ihren Kreditgebern, die Situation im Unternehmen besser einzuschätzen, und schafft zusätzliches Vertrauen.

Damit Ihre Banken genügend Reaktionszeit haben, sollten Sie frühzeitig Kontakt aufnehmen. Wenn sie beispielsweise in vier bis fünf Monaten frisches Kapital benötigen, sollten Sie schon jetzt auf Ihre Bank zugehen.

Es gibt keine Faustregel, wie regelmäßig Sie als CFO Kontakt zu Ihren Banken halten sollten. Je regelmäßiger und in kürzeren Abständen Sie dies aber tun, umso größer ist die Vertrauensbasis. Gerade in kritischen Phasen des Unternehmens werden sich Ihre Kontakte und Bemühungen auszahlen.

Beziehungsmanagement zu Wirtschaftsprüfern
Seit 1931 besteht eine gesetzliche Pflicht zur Prüfung des Jahresabschlusses größerer Kapitalgesellschaften durch einen Wirtschaftsprüfer. Auch wenn die Gesellschafterversammlung bzw. der Aufsichtsrat den Wirtschaftsprüfer beruft, sind Sie als CFO sein Ansprechpartner Nummer eins im Unternehmen.

Dies beginnt bereits im Rahmen der Auswahl des Wirtschaftsprüfers. In der Regel wird vor der Formulierung des Vorschlags an die Hauptversammlung bzw. Gesellschafterversammlung ein Auswahlverfahren durchgeführt. Interessierte und für Sie interessante Prüfungsgesellschaften können sich an einer Ausschreibung beteiligen. Auch wenn es grundsätzlich dem Aufsichtsrat obliegt, das Auswahlverfahren zu strukturieren und Kriterien für die Bewertung der Prüfer und ihrer Angebote zu formulieren, werden Sie als CFO stark eingebunden.

Im Rahmen der operativen Prüfung durch den Wirtschaftsprüfer sind Sie ohnehin der erste Ansprechpartner. Und dies für alle Seiten: Aufsichtsrat und Wirtschaftsprüfer.

In das Beziehungsgeflecht aus Aufsichtsrat, CFO und Wirtschaftsprüfer sind Sie unweigerlich eingebunden – und dies bei allen Tätigkeiten und Fragen, die der Wirtschaftsprüfer zu erfüllen bzw. zu klären hat.

Wichtig: Beziehungsgeflecht aus CFO, Aufsichtsrat und Wirtschaftsprüfer

Diese Grafik verdeutlicht unter vielerlei Gesichtspunkten, warum ein entsprechendes Beziehungsmanagement zum Wirtschaftsprüfer sowohl für Ihr Unternehmen als auch für Sie persönlich von großem Nutzen ist: Eine vertrauensvolle und enge Zusammenarbeit mit dem Wirtschaftsprüfer hilft Ihnen, auch schwierige Themen gemeinsam mit dem Wirtschaftsprüfer zielorientiert anzugehen und diese gemeinsam mit dem Wirtschaftsprüfer an den Aufsichtsrat zu adressieren. Neben den klassischen Themenfeldern der eigentlichen Prüfungstätigkeit betrifft dies derzeit auch stark die Digitalisierung im Rechnungswesen, im Finanzbereich und im gesamten Unternehmen.

Dabei sollten Sie beachten, dass Sie nicht in den Verdacht geraten, eine zu enge Beziehung zu Ihren Prüfern zu unterhalten, die unter Umständen sogar die Unabhängigkeit des Wirtschaftsprüfers infrage stellen könnte.

Kundenbeziehungsmanagement

Unter dem Begriff »Kundenbeziehungsmanagement« oder »Customer Relationship Management« (CRM) sind eine ganze Reihe von Strategien, Konzepten, Instrumenten, Lösungen, IT-Systemen und Erfahrungen entstanden. Ziel eines Kundenbeziehungsmanagements ist vor allem die Erzielung eines höheren

Deckungsbeitrags pro Kunde, die Ertragsverbesserung durch Ausschöpfung des Kundenpotenzials, die Fokussierung auf profitable Kunden und die Verstärkung der Kundenbindung.

Als CFO sind Sie ein wesentlicher und integraler Bestandteil des Kundenbeziehungsmanagements in Ihrem Unternehmen. Dabei sollten Sie sich an folgenden Grundsätzen für Ihre CRM-Strategien orientieren.

Wichtig: Grundsätze für Ihre CRM-Strategien

Die Ziele einer Festlegung und Systematisierung von Geschäfts- und Kommunikationsprozessen sind dabei vielfältig. Verdeutlichen Sie sich diese Ziele im Vorfeld jeder konzeptionellen Ausrichtung. Vom Tante-Emma-Laden um die Ecke können Sie sich noch heute professionelles CRM abschauen. Tante Emma kannte ihre Kunden persönlich, ihre Vorlieben und Eigenarten. So konnte sie ganz individuell auf jeden Kunden eingehen und wusste letztlich auch, was leuchtende Augen bei ihren Kunden verursachen würde. Damit waren ihr Kundenbindung, Wiederverkauf und ein ausgereiftes Empfehlungsmarketing sicher.

Unterstützen können Sie als CFO Ihre Kollegen im Rahmen des Kundenbeziehungsmanagements, indem Sie Teil des echten, relevanten Kundendialogs werden und die Basis für eine integrierte Kommunikation schaffen, das heißt, alle Maßnahmen in Werbung, PR und Kommunikation optimal aufeinander abstimmen.

Beziehungsmanagement im Sponsoring

Sponsoring ist ein wichtiges Marketing- und Kommunikationsinstrument. Von der Unterstützung des lokalen Leichtathletikvereins über die Fußballbundesliga bis hin zum Klassikfestival gibt es für Ihr Unternehmen vielfältige Möglichkeiten, sich als Sponsor öffentlichkeitswirksam zu präsentieren und zugleich unternehmerische Verantwortung zu zeigen. Effektives Sponsoring bietet viele Chancen – sowohl Ihnen als Sponsor als auch den Gesponserten – und ist als partnerschaftliches Marketing- und Kommunikationsinstrument ein Win-win-Geschäft.

Sponsoring bietet Ihnen die Möglichkeit, gesellschaftliche und soziale Verantwortung wahrzunehmen und dies nach außen hin zu zeigen. Es steht damit nicht nur gleichberechtigt neben den anderen Optionen des Werbemarkts und der Markenkommunikation, sondern kann darüber hinaus wesentlicher Bestandteil Ihrer Corporate-Social-Responsibility-Strategie und der Markenkommunikation sein.

Mit einer auf die Unternehmensziele abgestimmten Sponsoring-Strategie können Unternehmen sich und ihre Produkte und Dienstleistungen in einem einzigartigen emotionalen Umfeld präsentieren und einzelne Zielgruppen systematischer ansprechen. Erfolge einer gesponserten Mannschaft oder ein gelungenes kulturelles Event werden auf positive Art mit Ihnen als Sponsor verknüpft. Diese dabei übertragenen positiven Imagewerte können zu einer entsprechenden Emotionalisierung der Unternehmensbotschaft führen und Ihnen eine wichtige Differenzierungsmöglichkeit im Wettbewerb bieten.

Beim Sponsoring bieten Ihnen neue Entwicklungen in der Kommunikationstechnik viele Möglichkeiten, Ihre Zielgruppe zusätzlich zu aktivieren, etwa durch die Nutzung von Social-Media-Formaten.

Doch wie jedes andere unternehmerische Engagement auch ist Sponsoring mit Risiken verbunden. Zum Beispiel kann der Abschluss eines Sponsoring-Vertrags problematisch sein, wenn dieser auf unzulässige Weise mit einem anderen Vertrag verknüpft werden soll.

Doch nicht nur im direkten Verhältnis von Sponsor zu Gesponsertem können Risiken lauern. Durch Fehlverhalten seitens des Geförderten kann die beabsichtigte Wirkung beeinträchtigt werden. Das kann zu einem Reputationsschaden Ihres Unternehmens führen. Um potenziellen negativen Auswirkungen ihres Engagements entgegenzuwirken, sollten Sie direkte und indirekte Compliance-Risiken analysieren und diesen entsprechend vorbeugen. Mögliche Compliance-Risiken zeigt nachfolgende, nicht abschließende Zusammenstellung.

Praxistipp: Mögliche Compliance-Risiken beim Sponsoring

Potenzielle Compliance-Risiken lassen sich mit einer guten Sponsoring-Strategie und einem entsprechenden Sponsoring-Prozess als Teil des Compliance-Programms minimieren. Dies erfordert entsprechende Vorab-Maßnahmen wie eine Compliance-Prüfung. Hierbei sollten Sie und Ihr Unternehmen risikobasiert agieren: Vor allem Sponsoring-Aktivitäten, bei denen die erste Risikoeinschätzung ein mittleres oder hohes Compliance-Risiko ergab, bedürfen einer regelmäßigen Prüfung des Sponsoring-Verhältnisses.

Je nach Umfang kann ein Sponsoring eine nicht unerhebliche Investition bedeuten. Grundlage entsprechender Aktivitäten sollte daher eine Sponsoring-Strategie sein, die Sponsoring als Teil der gesellschaftlichen Verantwortung des Unternehmens und oder des strategischen Marketings positioniert. Sowohl hinsichtlich der Vermarktung als auch des Risikomanagements ist dabei wichtig, das Sponsoring in die Gesamtstrategie des Unternehmens zu integrieren. Basierend auf Ihrer Sponsoring-Strategie sollten

Sie einen Prozess festlegen, durch den Compliance-Risiken beim Sponsoring umgehend identifiziert werden können. Dieser Prozess sollte bereits Maßnahmen für den Fall enthalten, dass entsprechende Risiken festgestellt werden. Das umfasst klare Verantwortlichkeiten und Rollen sowie Handlungsanweisungen für die Auswahl, Durchführung und Kontrolle von Sponsoring-Aktivitäten. Der Sponsoring-Prozess ist an alle relevanten unternehmensinternen und -externen Akteure zu kommunizieren und nach Möglichkeit in Trainingsmaßnahmen einzubinden.

3.6.4 Persönlicher Check: Business Partnership Management

Diese Arbeitshilfe unterstützt Sie bei der Selbstreflektion zum Thema Business Partnership Management und hilft Ihnen, Prioritäten zu setzen.

Arbeitshilfe: Persönlicher Check – Business Partnership Management

	Sehr relevant	Relevant	Nicht relevant	Möchte ich umsetzen/ verbessern	Priorität (A/B/C)
Business Partnering implementieren	·	·	·	·	·
Beziehungsmanagement zu internen Stakeholdern	·	·	·	·	·
Allianzen über die eigene Organisation hinaus	·	·	·	·	·

3.7 Strategie (S)

3.7.1 Was ist Strategie?

Bevor ich näher auf den strategischen Beitrag von Ihnen als CFO eingehe, lassen Sie uns kurz die Begrifflichkeiten klären. Weder in der Lehre noch in der Praxis gibt es eine einheitliche Definition des Strategiebegriffs. Dies wirkt sich auf das einheitliche Verständnis in Ihrem Umfeld aus. Es gibt unzählige Strategie-Ansätze, die sich durch die jeweilige Fokussierung auf bestimmte Aspekte unterscheiden. Nachfolgende Definition stellt die gängigsten Konzepte zum Strategiebegriff dar.

Definition: Strategie

Unter Strategie wird die Setzung der Organisationsziele (= strategische Ziele) und die Gesamtheit der zur Erreichung dieser Ziele notwendigen Unterziele bzw. operativen Ziele und Maßnahmen verstanden. Eine gute Strategie gibt der gesamten Organisation Orientierung und fokussiert. Sie ist kein statischer Plan, sondern ein dynamischer Prozess.

Dabei bedeutet Strategie auch die Grundlage eines gemeinsamen, zielorientierten Handels in einer Organisation. Die Strategie bildet einen vollständigen Handlungsrahmen ab, der es gestattet, in allen denkbaren Situationen die richtige Entscheidung zu treffen. Diesbezüglich stellen die strategischen Ziele das Maß für die Richtigkeit der Entscheidungen dar. Diese müssen so heruntergebrochen werden, dass alle Beteiligten in der Organisation die Ziele als handlungsleitend verstehen und beachten.[6]

3.7.2 Der strategische Beitrag des CFO

Als CFO ist es Ihre Aufgabe, unternehmensweit eine klare Vision über die zukünftige Ausgestaltung aller Finanzbereiche vorzugeben (vgl. auch Kapitel 3.2.1). Die mit Sicherheit größte Herausforderung für Sie dürfte dabei die intelligente Verknüpfung zwischen Mensch und Technologie darstellen. Nur durch Ihren strategischen Beitrag kann und wird diese Verknüpfung neue Werte für Ihr Unternehmen schaffen und wichtige alte Werte erhalten können.

Ihre Strategie muss dabei den Aufbau von neuen Strukturen und Systemen bis hin zu neuen Formen der Zusammenarbeit abbilden. Um dies leisten zu können, müssen Sie kontinuierlich neue Möglichkeiten und Wege zu identifizieren, zu bewerten und unterschiedliche Szenarien Ihrer Strategien entsprechend zu modellieren. Ein Schlüssel zum Erfolg der jeweiligen Strategie wird dabei die Fähigkeit sein, die zunehmenden Datenmengen für die betrieblichen und strategischen Ziele nutzen zu können.

In der Praxis bedeutet das: Mehr als die Hälfte Ihrer Zeit wenden Sie für strategische Aufgaben auf. Doch welchen spezifischen strategischen Beitrag können Sie als CFO leisten?

Als CFO sind Sie in der idealen Position, eine zentrale Rolle bei der Festlegung entsprechender Strategien zu spielen. Sie haben den breiten Überblick über die Performance des gesamten Unternehmens sowie tiefen Einblick in alle Wertschöpfungsbereiche. Sie sind über die wirtschaftliche Situation und den Erfolg der jeweiligen Geschäftsbereiche besser informiert als jeder andere im Unternehmen. Hinzu kommt, dass Sie und Ihr Team in einzigartiger Weise nahezu mit allen anderen Bereichen des Unternehmens verknüpft sind. Ein weiterer Vorteil für Sie ist darin zu sehen, dass Führungskräfte aus anderen Unternehmensbereichen auf ihrem Gebiet häufig sehr sachkundig sind, jedoch eher seltener über den eigenen Tellerrand schauen können. Genau diesen Aspekt können Sie sich zu Ihrem Vorteil machen und Zusammenhänge zum Nutzen Ihrer Organisation herstellen.

Unbestritten ist, dass die Strategiebeiträge von CFOs stark variieren können –von der Unterstützung bei der Strategieentwicklung bis hin zur Umsetzung der strategischen Zielvorgaben. So kann Ihr strategischer Beitrag zum Beispiel darin bestehen, eine aktive Rolle bei der tatsächlichen Festlegung und Entwicklung der Unternehmensstrategie zu spielen. Oder Ihre Rolle als CFO ist darauf begrenzt, Informationen und Analysen für den CEO und den Aufsichtsrat bereitzustellen. Auch wenn Sie natürlich von

6 Vgl auch Grassmann/Grolman (o.D.).

anderen Einflüssen abhängig sind, liegt es zu einem großen Teil an Ihnen, Ihre Rolle diesbezüglich zu definieren – und auch einzufordern. Gewährleisten Sie, dass Sie und Ihre Mitarbeiter Orientierungshilfen, Empfehlungen und Beratungen hinsichtlich der Verwertung der bereitgestellten Informationen zur Verfügung stellen. Bei der Strategieentwicklung geht es nicht allein um Zahlen, sondern auch darum, den Prozess der Strategiefestlegung und -umsetzung sowie die Umsetzung der vom CEO festgesetzten Ziele voranzutreiben.

Die Festlegung der spezifischen Fünfjahresziele bleibt hingegen nach wie vor das Hoheitsgebiet des CEO. Sie als CFO fungieren jedoch als Co-Pilot bei der Umsetzung dieser Ziele. Eine wesentliche Rolle nehmen Sie auch dadurch ein, dass Sie strategische Überlegungen kritisch hinterfragen und bewerten, die Investitionshöhe und die Rentabilität in Bezug auf deren Risiken prüfen und die Wettbewerbslandschaft analysieren.

Praxistipp

Seien Sie sich darüber im Klaren, dass es für Sie als CFO zu allererst um die Finanzen geht. Stimmen die Finanzen nicht, haben Sie ein Problem. Vollkommen unabhängig davon, wie gut die operative Performance des Unternehmens ist.

Für die Entwicklung und Festlegung der Gesamtstrategie zeichnen Sie als CFO folgende Kernfähigkeiten und -kenntnisse aus.

Wichtig: Ihr strategischer Beitrag als CFO – Kernkompetenzen

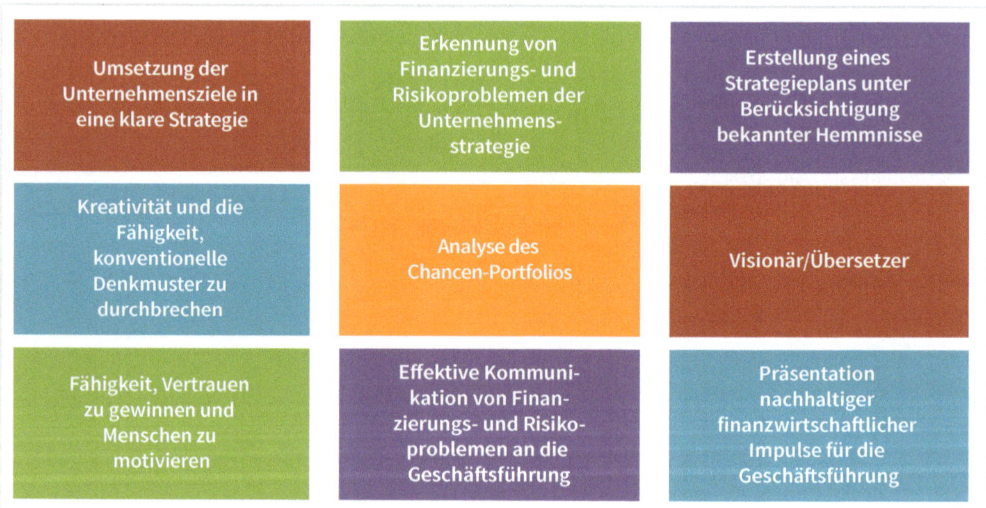

Helfen Sie durch Ihren strategischen Beitrag auch dabei, Kollaborationen mit anderen Unternehmen und Start-ups zu ermöglichen, potenzielle Partner zu identifiziere, sowie ein wirksames Überwachungssystem zu implementieren.

Nichts scheint derzeit in Stein gemeißelt zu sein. Die Strategien müssen ständig an die veränderte Markt und Wettbewerbsdynamik angepasst werden. Seien Sie die treibende Kraft im Aufbau agiler Strategien, die es Ihnen und Ihren Kollegen ermöglichen, schnell, effizient und wirksam auf diese Dynamiken zu reagieren.

3.7.3 Eine Zielpyramide erstellen

Ein bewährtes Mittel, um den Überblick über Ihre Strategien zu behalten, ist die Zielpyramide (auch Zielbaum genannt). Sie umfasst alle zum Erreichen der strategischen Ziele notwendigen Teilziele, die für diesen Zweck nach Ebenen unterteilt werden.

Jedes Ziel wird durch mehrere Ziele auf der nächsten Ebene der Zielpyramide beschrieben. Die Ziele bzw. die Ebenen der Zielpyramide können sowohl zeitlich als auch nach Inhalten, Funktionen, Bereichen etc. untergliedert sein.

Wichtig ist, dass die Zielpyramide gemeinsam von allen wesentlichen Wissens- und Entscheidungsträgern im Unternehmen erarbeitet wird. Grundsätzlich gilt: Es sollten diejenigen bei der Erstellung und Pflege der Zielpyramide teilnehmen, die das nötige Wissen und die Erfahrung mitbringen, um Antworten auf die implizierten Fragen zu geben. Durch diese Vorgehensweise fließt das gesamte verfügbare Know-how Ihrer Organisation in den Strategieprozess ein. Die Verantwortung für die Umsetzung bzw. Zielerreichung liegt so schon von Anfang an auf den richtigen Schultern.

Bei der Vielzahl von strategischen Zielen, Ober- und Unterzielen sowie operationalen Zielen kann man leicht den Überblick verlieren. Um dies zu vermeiden, sollten Sie einer vorgegebenen Systematik folgen, auch was die Zielbeschreibung betrifft.

Praxistipp: Angaben im Rahmen einer Zuordnung von Einzelzielen in ein Gesamtbild

Alle Ziele der Zielpyramide werden in einer Übersicht zusammengefasst. Damit wird sichergestellt, dass jederzeit Transparenz in Bezug auf die Ziele gegeben ist und das Gesamtbild, sprich die strategischen Ziele, im Fokus bleiben.

Für die Abbildung der Zielpyramide empfiehlt sich ein Projektstrukturplan oder Organigramm. Dies ermöglicht auch in komplexen Zielpyramiden ein leichtes Auffinden der Ziele in der Struktur und damit die Zuordnung von über- und untergeordneten Zielen.

3.7.4 Strategisches Denken ausbauen

Strategien entwickeln, Pläne schmieden und Ziele umsetzen: Das ist das Kerngeschäft von CFOs. Eine Voraussetzung dafür ist strategisches Denken.

Beim strategischen Denken geht es darum, Abstand zum eigenen Handeln zu gewinnen, Handlungsmöglichkeiten zu durchdenken und vorzudenken sowie das Erreichte kritisch zu reflektieren. Um dies leisten zu können, bedarf es einiger Kompetenzen, die Sie als guten Strategen auszeichnen und eine flexible Strategieplanung und deren Kommunikation ermöglichen. Diese Kompetenzen basieren zum einen auf Modellen, die in der Wissenschaft entwickelt werden und helfen, komplexe Zusammenhänge besser zu begreifen und sich einen Überblick zu verschaffen. Ebenso sind einfache Methoden und Werkzeuge hilfreich, mit denen Strategien formuliert und beschrieben werden. Dies wiederum ermöglicht Ihnen, auch andere direkt in die Umsetzung einzubinden.

Strategisches Denken soll vor allem dazu anregen, den gesunden Menschenverstand für die Strategieplanung einzusetzen. Und wie alles in der menschlichen Entwicklung muss sich diese zunächst ausbilden. Deshalb sollten Sie strategisches Denken täglich in der Praxis trainieren. Aus diesem Grund sind strategisches Denken und strategisches Handeln eng miteinander verbunden. Im Folgenden eine Anregung, wie Sie Ihr strategisches Denken ausbilden und entwickeln können.

Wichtig: Zentrale Elemente des strategischen Denkens

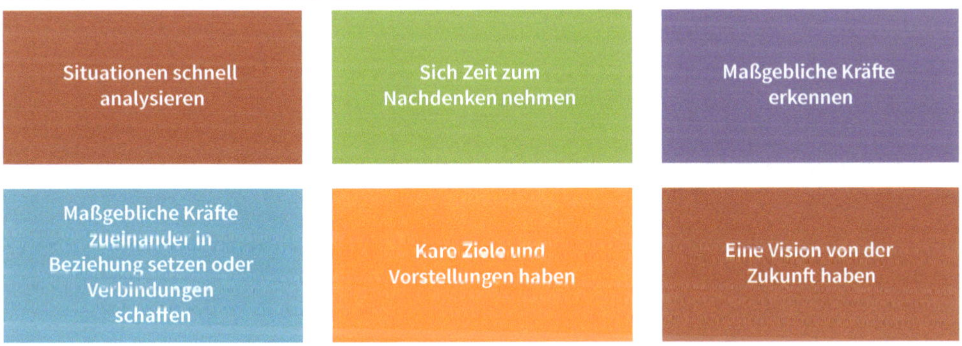

3.7.5 Persönlicher Check: Strategie

Diese Arbeitshilfe unterstützt Sie bei der Selbstreflektion zum Thema Strategie und hilft Ihnen, Prioritäten zu setzen.

Arbeitshilfe: Persönlicher Check – Strategie

	Sehr relevant	Relevant	Nicht relevant	Möchte ich umsetzen/ verbessern	Priorität (A/B/C)
Was ist Strategie?	·	·	·	·	·
Der strategische Beitrag des CFO	·	·	·	·	·
Eine Zielpyramide erstellen	·	·	·	·	·
Strategisches Denken ausbauen	·	·	·	·	·

3.8 Geschäftsmodell des Finanzbereichs im Wandel (GW)

3.8.1 Das Geschäftsmodell hinterfragen

Wer unsichere Zeiten überstehen will, braucht eine schlüssige Strategie, um die Auswirkungen der wirtschaftlichen Turbulenzen zu minimieren und die Geschäftstätigkeit für die Mitarbeiter sicherzustellen. Früher oder später muss sich jedes Unternehmen dem Unvermeidlichen stellen: der Neugestaltung seines Geschäftsmodells, seiner Geschäftsprozesse und seiner Arbeitsabläufe. Bestehende Unternehmenssysteme bieten häufig nicht die Möglichkeit, Innovationen voranzutreiben oder bei der Kundenerfahrung oder Produktivität neue Maßstäbe zu setzen. Auch Sie als CFO können nicht ignorieren, wie sich dadurch die Kostenstruktur in Ihrem Bereich verändert. Es herrscht ein erbarmungsloser Innovationsdruck. Noch nie vollzog sich der Wandel so schnell wie heute – und das Tempo wird noch anziehen.

Entlang der Veränderungskette in Ihrem Unternehmen müssen Sie auch die entsprechenden Finanzprozesse mit zum Teil erheblichem Aufwand anpassen. Es werden durchgängige Prozesse von der ersten Interaktion über die Auftragsabwicklung bis zum Kundenservice neu gestaltet. Das erfordert die Digitalisierung von Produkten und Services sowie eine völlige Neuausrichtung der Geschäftsmodelle. Als CFO müssen Sie das Geschäftsmodell des Finanzbereichs permanent hinterfragen und stetig anpassen.

Wichtig: Hinterfragen und Anpassen des Geschäftsmodells im Finanzbereich

Business wie gehabt oder Innovation	Führungskräfte tun sich schwer, die Notwendigkeit zur Aufrechterhaltung des bisherigen, rentablen Geschäftsbetriebs gegen Investitionen in künftige Innovationen abzuwägen. Nur allzu oft widersprechen sich diese beiden Ziele, was die meisten Führungskräfte dazu veranlasst, sich auf Ersteres zu konzentrieren und Letzteres zu vernachlässigen. Das ist ein Fehler.
Altlasten	Je länger ein Unternehmen besteht, desto mehr ist es in traditionellen Richtlinien, Verfahren und Managementstrukturen verhaftet und scheut Risiken. So stehen die internen Prozesse Veränderungen im Weg.
Innovations-kultur	Der digitale Wandel ist eine Reise ohne klares Ziel. Um die Chancen der Digitalisierung zu nutzen, benötigen Unternehmen daher die passenden Talente, die richtigen Fähigkeiten und gute Partner.
Komplexe IT-Infrastruktur	In einem durchschnittlichen Unternehmen werden Schätzungen zufolge 70 % bis 80 % des IT-Budgets allein dafür verwendet, den Betrieb aufrechtzuerhalten. In einer fragmentierten Anwendungslandschaft ist es schwierig, Daten als strategische Ressource zu verwalten und Stammdaten-Governance durchzusetzen. Das bedeutet, dass ein beträchtliches Potenzial ungenutzt bleibt, da die Unternehmen schätzungsweise nicht einmal 1 % der verfügbaren Daten verwenden können.
Produktivität	Mit einer Kombination aus digitalen Technologien können Unternehmen ihre Produktivität um 15 % bis 20 % steigern. Damit ändern sich die Kostenstrukturen und das Ertragsmodell von Wertschöpfungsketten grundlegend.
Arbeitsweise und Mitarbeiter-einbindung	Kontaktlose Systeme, automatisierte Prozesse und ähnliche Technologien werden in Zukunft zur Norm. Sie ergänzen die menschlichen Fähigkeiten und schaffen die Möglichkeit, dass Mitarbeiter sich auf wertschöpfende Aufgaben und das Ausnahmemanagement konzentrieren.

3.8.2 Das Geschäftsmodell neu ausrichten

Triebfeder für diese Innovationen werden Daten sein, die die richtigen Informationen für optimale Geschäftsentscheidungen liefern. Gerade bricht das Zeitalter intelligenter Megaprozesse an, die die richtigen Datenmengen miteinander kombinieren und daraus intelligente Einblicke gewinnen. Diese Einblicke stoßen dann automatisierte Transaktionen im Prozess an.

Für Sie als CFO bedeutet das, aus den immer größeren Datenmengen im Unternehmen neue Erkenntnisse zu gewinnen. Sie müssen den wachsenden Anspruch aller Stakeholder erfüllen, zur richtigen Zeit Zugriff auf die richtige Information zu haben, um die richtigen Entscheidungen treffen zu können. Dies wiederum macht agile Informationstechnologien und -prozesse erforderlich. Als CFO müssen Sie die strategische Richtung weisen, um skalierbares Unternehmenswachstum in einer zunehmend volatilen, globalisierten und im Umbruch begriffenen Welt zu fördern.

Wichtig: Ausrichtung des Geschäftsmodells im Finanzbereich

Dabei macht der Schnelle das Rennen! Die hier führenden Unternehmen profitieren davon, dass sie ihre Prozesse ständig mit weiteren Daten und Erkenntnissen verbessern können, während die Konkurrenz noch versucht, aufzuschließen. Die meisten Unternehmen gehen die Veränderungen schrittweise an, statt auf perfekte Lösungen und einen fertigen Technologie-Stack zu warten.

Umsetzung ist das Credo

Die digitale Transformation ist ein langer Weg. Die beste Vision und die tollste Strategie verändern allerdings nichts, wenn sie nicht Wirklichkeit werden. Auch wenn der Weg von der traditionellen Buchhaltung zum modernen Accounting komplex ist – das Wichtigste ist, dass man ihn überhaupt erst einmal beschreitet. Das kann im Kleinen beginnen, etwa bei der Standardisierung eines einzigen Schritts des Abschlussprozesses. Bereits dabei werden sich kleine Erfolge einstellen. Diese Etappensiege werden dazu führen, dass die nächsten Schritte standardisiert und automatisiert werden. Setzen Sie Ihre Visionen und Strategien jetzt auch in die Tat um!

Um dabei den richtigen Weg zu finden, müssen Sie ggf. Ihre Einstellung hinterfragen und möglicherweise ändern, umdenken und Zeit mitbringen. Doch wenn Sie jetzt einsteigen, haben Sie mehr Zeit, um sich in Ihrem Tempo mit den Herausforderungen zu befassen. Veränderungen erfolgen heute in so hohem Tempo, dass digitale Innovationen nicht lange neu bleiben. Was heute als Durchbruch gilt, ist schon in wenigen Jahren alltäglich. Deshalb ist es wichtig, jetzt zu beginnen, ein Fundament zu legen und Schritt für Schritt neue Werte zu schaffen, anstatt zu warten, bis fertige Lösungen und Technologien für Innovationen zur Verfügung stehen.

Schlanke, kostengünstige und datenbasierte Enterprise-Architektur

Kein Unternehmen reißt sich darum, seine Systeme auszutauschen. Schließlich sind Unternehmenslandschaften sehr unterschiedlich gestaltet und ausgerichtet. Folglich muss allen Beteiligten klar sein, welchen Nutzen ein Umstieg bietet. Die Entwicklung zum intelligenten Unternehmen ist kein technisches Upgrade. Echte Wertschöpfung wird erst dann erreicht, wenn Sie eine kunden- und zielorientierte Denkweise verfolgen und innovative Ansätze wie Design Thinking und agile Methoden zur Neugestaltung von Geschäftsprozessen und -modellen anwenden (mehr dazu in Kapitel 3.9.11). Grundlegend können Sie drei Pfade für die Migration einer Unternehmensarchitektur zum intelligenten Unternehmen gehen. Eines haben alle drei gemeinsam: eine schlanke, kostengünstige und datenbasierte Enterprise-Architektur, die die Flexibilität bietet, die Sie in der neuen Wirtschaft benötigen. Welcher Pfad für Sie der richtige ist, hängt davon ab, welchen Nutzen Sie anstreben und welche Strategie Sie verfolgen. Und machen Sie sich bewusst, dass es den einen richtigen Weg ohnehin nicht gibt. Im Folgenden die drei möglichen Pfade im Überblick:

1. **Neugestaltung von Geschäftsprozessen**
   Die meisten Unternehmen wollen die Transformation durchgängiger Geschäftsprozesse erreichen, ihre Landschaft vereinfachen und kundenspezifische Anpassungen reduzieren. Ziel ist es, die zentralen ERP-Prozesse in die Cloud zu migrieren, wobei eine vollständige Transformation angestrebt wird. Davon würden alle Geschäftsbereiche profitieren. Diese Unternehmen sind bemüht, das Frontoffice, die Logistikkette und Weiteres zu verändern, um die Customer Experience wirklich zu verbessern. Sie möchten innovative Prozesse in der gesamten Wertschöpfungskette etablieren. Dies kann nur gelingen, wenn sie von Grund auf neu beginnen und sich genau ansehen, welche der standardmäßigen Best Practices den jeweiligen Geschäftsanforderungen am ehesten entsprechen. Diese Unternehmen sind bereit, ihre ERP-Systeme in Private-/Public-Cloud-Umgebungen zu verlagern. Dies ist

zwar bei allen Geschäftsprozessen mit einem großen Aufwand verbunden, macht sich aber bezahlt: durch eine Senkung der Gesamtbetriebskosten um ca. 20 % bis 30 % und eine enorme Wertschöpfung bei der Einführung weiterer Prozesse.

2. **Neugestaltung des Geschäftsmodells**
   Es gibt auch Unternehmen, die ihr Geschäftsmodell erneuern oder sich mit anderen Unternehmen zusammenschließen möchten. Da die Grenzen zwischen den Branchen verschwimmen, eröffnen sich hervorragende Chancen, Geschäftsfunktionen aus einer Branche für ein neues Geschäftsmodell in einer anderen Branche zu nutzen. Dafür ist es erforderlich, von Grund auf neu zu beginnen.
3. **Einstieg mit der Migration von Geschäftsbereichen in Cloud-Lösungen**
   Manche Unternehmen beginnen parallel zur Planung und Umstellung damit, in den Randbereichen Innovationen einzuführen. Sie gehen einen Geschäftsbereich nach dem anderen an – Finanzen, Personalwesen, Beschaffung, Logistik, Fertigung – und fokussieren sich auf schnelle Wertschöpfung mithilfe des Cloud-Portfolios. Moderne Cloud-Speicher im Finanzbereich bieten zahlreiche Möglichkeiten, um Auswertungen, Liquiditäts- und Finanzpläne, Investment-Portfolios, Jahresabschlüsse bis hin zu Bescheiden, Verträgen und Rechnungen zur Verfügung zu stellen. Eine der größten Herausforderungen ist dabei die Vernetzung und Orchestrierung der einzelnen Cloud-Systeme zu einem Gesamtsystem.

Fazit

Treiben Sie Veränderungen voran, solange Sie die Wahl haben, und warten Sie nicht, bis Sie es tun müssen.

3.8.3 Persönlicher Check: Geschäftsmodell im Wandel

Diese Arbeitshilfe unterstützt Sie bei der Selbstreflektion zum Thema »Geschäftsmodell im Wandel« und hilft Ihnen, Prioritäten zu setzen.

Arbeitshilfe: Persönlicher Check – Geschäftsmodell des Finanzbereichs im Wandel

	Sehr relevant	Relevant	Nicht relevant	Möchte ich umsetzen/ verbessern	Priorität (A/B/C)
Das Geschäftsmodell hinterfragen	.	.	.	.	.
Das Geschäftsmodell neu ausrichten	.	.	.	.	.

3.9 Digitalisierung (D)

In diesem Kapiteln beleuchte ich umfassend das Thema Digitalisierung aus Ihrer Sicht als CFO. Lassen sie mich mit zwei Fragen an Sie beginnen:

1. Was ist Ihre persönliche Definition von Digitalisierung und was ihr persönliches »Why«, warum Sie sich dafür überhaupt engagieren sollten?
2. Wofür müssen Sie ein ausgeprägtes Gespür entwickeln und welche Themen sind bei der digitalen Transformation besonders entscheidend?

Insbesondere im Rechnungswesen sind und werden die Auswirkungen der Digitalisierung zu spüren sein, da unter anderem die operative Buchhaltung, bei der viele transaktionale, standardisierte Prozesse durchlaufen werden, stark automatisierbar ist und dort künftig kaum noch manuelle Eingriffe erforderlich sein sollten. Stellvertretend möchte ich an dieser Stelle nur das automatisierte Verbuchen von Geschäftsvorfällen anhand systemgestützter und selbstlernender Analysen vorliegender Rechnungen sowie von Kontoauszügen nennen. Aber auch unternehmenseigene Machine-Learning-Algorithmen zum automatischen Auslesen von Verträgen befinden sich in einer rasanten Entwicklungsphase und werden unsere Zukunft als Finanzexperten maßgeblich prägen.

In Gesprächen und bei meiner Arbeit mit CFOs stelle ich immer wieder fest, dass die Prioritäten im Moment immer noch bei Themen liegen, die vom Gefühl her bereits vor 15 bis 20 Jahren relevant waren. Die wohl am häufigsten genannten priorisierten Themen in Bezug auf Digitalisierung sind nach wie vor folgende:

Praxistipp: Prioritäten in Bezug auf Digitalisierung

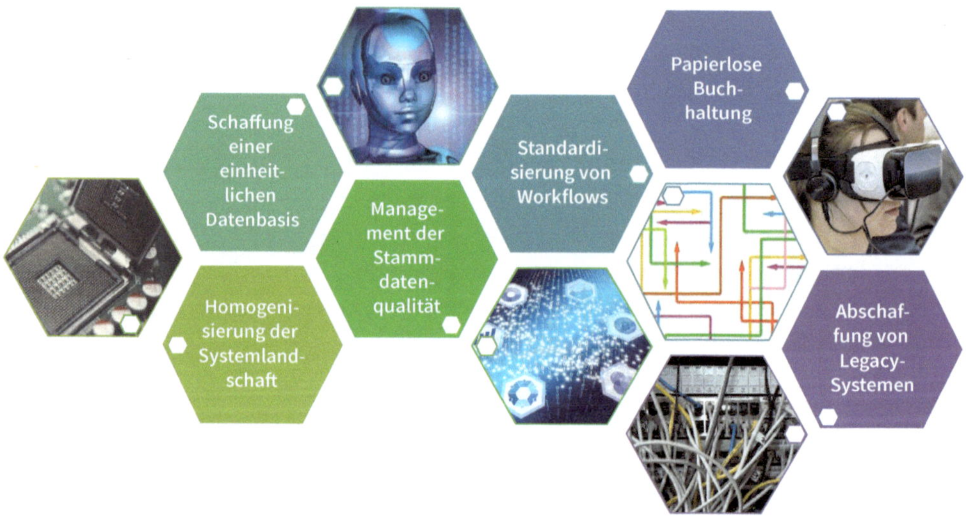

Bildquellen v. l. n. r.: pexels/Pok Rie; pixabay/geralt; Pixabay/geralt; pixabay/stux; pixabay/tmaier1964

Waren das nicht schon in den vergangenen 25 Jahren High-Priority-Aufgaben für einen CFO? Derzeit stellen vielmehr das Humankapital und dessen adäquates IT- und Fachwissen, aber auch nach wie vor in sich inkonsistente Systemlandschaften und eine ungenügende Datenqualität das Finanzwesen vor große Herausforderungen. Versuchen Sie, zu verstehen, warum diese Punkte bislang in Ihrer Organisation nicht in dem Maße umgesetzt wurden, dass sie im Rahmen der digitalen Transformation gar keine Rolle mehr spielen sollten. Wenn per heute jedoch alles bereits umgesetzt ist: Herzlichen Glückwunsch.

Lassen Sie uns nun aber nicht weiter zurückblicken, was war und hätte sein sollen, sondern unseren Fokus auf die Vorteile der Digitalisierung für die Bereiche, die Sie als CFO verantworten, lenken. Da ich die Vorteile in diesem Buch ausführlich beschreibe, möchte ich an dieser Stelle exemplarisch nur die Folgenden nennen.

Praxistipp: Vorteile der Digitalisierung für das Finanzwesen – Auswahl

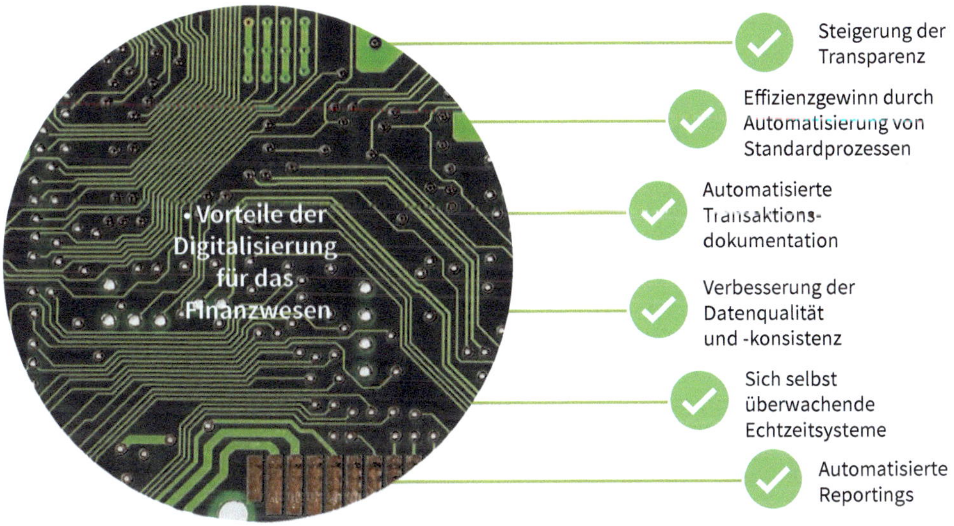

Bildquelle: pixabay/blickpixel

Aber auch da erzähle ich Ihnen nichts Neues. Das sind alles Themen, die seit vielen Jahren in allen Bereichen, die mit dem Finanzwesen verbunden sind, diskutiert, analysiert, beschrieben, definiert und als unabwendbare Zukunft betrachtet werden.

Wie sieht es jedoch mit der Umsetzung aus? Die Vorteile liegen auf der Hand, sind aber solange nutzlos, bis sie nicht implementiert und umgesetzt sind. Ihnen als CFO wird diesbezüglich eine wichtige, wenn nicht die wichtigste Rolle zuteil.

Fazit

Führen Sie – und gehen Sie voran! Denken Sie dabei immer an Pippi Langstrumpf: »Das habe ich noch nie vorher versucht, also bin ich mir völlig sicher, dass ich es schaffe.«

3.9.1 Ihre persönliche Definition von Digitalisierung

»Digitalisierung« ist ein Buzzword. Es kann alles umfassen, was nach unserem Verständnis nicht analog, sondern digital ist. Bei meiner Arbeit mit Menschen wird jedoch sehr schnell deutlich, dass jeder von uns andere Definitionen, Vorstellungen und Gedanken zum Thema Digitalisierung hat.

Folgt man dem Duden, finden sich lediglich zwei Beispiele für den Begriff »Digitalisierung«; eine Definition gibt es dort nicht:

1. Die flächendeckende Digitalisierung der Kinolandschaft
2. Sich durch Globalisierung und Digitalisierung abgehängt fühlen

Diese im Duden genannten Beispiele sind nach heutigem Verständnis eher etwas skurril. Umso mehr verdeutlichen sie das Dilemma, für das ich Sie sensibilisieren möchte.

Fazit

Alle sprechen über Digitalisierung, aber jeder versteht etwas anderes darunter.

Haben Sie für sich schon einmal eine Definition, was Sie als CFO unter Digitalisierung verstehen, zu Papier gebracht? Haben Sie Ihre Definition mit den Definitionen Ihrer Teammitglieder verglichen und sich auf eine gemeinsame Definition verständigt? Dies sind ganz grundsätzliche Fragen, die Ihnen und Ihrem Team den Weg der Digitalisierung ebnen, diesen Weg aber auch erschweren oder gar versperren können.

Definition: Digitalisierung

Digitalisierung beschreibt die Umwandlung analoger Werte oder Daten in ein digital nutzbares Format.

Können Sie dieser Definition folgen? Wenn nicht, halten Sie Ihre Gedanken, die Ihnen beim Lesen dieser Definition durch den Kopf gehen, am besten gleich schriftlich fest. Diese Gedanken sind sehr wertvoll! Halten Sie zum einen die Gedanken fest, die ihnen dazu positiv in den Sinn kommen; halten Sie zum anderen aber auch die Aspekte fest, die Sie abändern würden oder die dieser Definition sogar entgegenstehen. Notieren Sie sich dann zu jedem Ihrer Gedanken bzw. Aspekte das Warum: Warum ist dieser Gedanke oder Aspekt in Bezug auf die Definition für Sie positiv oder negativ? Das ist die Grundlage für Ihre persönliche Definition von Digitalisierung.

Gehen Sie mit der Beantwortung der folgenden Fragen noch einen Schritt weiter und verschaffen Sie sich Klarheit über Ihre eigene Definition von Digitalisierung.

Arbeitshilfe: Persönliche Definition von Digitalisierung

	Habe sehr gute Antwort	Habe gute Antwort	Habe mangelhafte Antwort	Habe ungenügende Antwort	Habe keine Antwort
Was bedeutet Digitalisierung für Ihre Vorstands- bzw. Geschäftsführungskollegen?	·	·	·	·	·
Was bedeutet Digitalisierung für andere Teilbereiche Ihres Unternehmens?	·	·	·	·	·
Welche konkreten Herausforderungen ergeben sich durch die Digitalisierung Ihres Bereichs?	·	·	·	·	·
Vor welche Herausforderungen stellt die Digitalisierung andere Teilbereiche Ihres Unternehmens?	·	·	·	·	·
Wie ist der Stand der Digitalisierung im Finanz- und Rechnungswesen?	·	·	·	·	·
Welche konkreten Chancen ergeben sich durch die Digitalisierung Ihres Bereichs?	·	·	·	·	·
Welche konkreten Risiken ergeben sich durch die Digitalisierung Ihres Bereichs?	·	·	·	·	·

Nur wenn Sie Ihre eigene Definition von Digitalisierung so konkret wie möglich formuliert haben, ist es Ihnen möglich, diese mit der Definition Ihres Umfelds und anderer Stakeholder abzugleichen und ggf. anzupassen. Halten Sie Ihre persönliche Definition der Digitalisierung am besten schriftlich fest. So können Sie Ihre Erwartungshaltung an Ihr Team und Ihr Umfeld in Bezug auf Digitalisierung klar und konkret kommunizieren.

3.9.2 Innovation versus Disruption

Vieles wurde über Innovation und Disruption in den vergangenen Jahren geschrieben, viele Fachvorträge – und weniger fachliche Vorträge – darüber gehalten. Um hier Redundanzen zu vermeiden, möchte ich Ihnen für Ihr eigenes Mindset noch einmal den Unterschied zwischen Innovation und Disruption bewusst machen. Denn diese Unterscheidung trennt für mich diejenigen CFOs, die Dinge durch die Nutzung digitaler Technologien ein bisschen besser machen möchten, von denjenigen CFOs, die in ihren Bereichen Dinge auf den Weg bringen, die die alten überflüssig machen.

Wichtig: Innovation versus Disruption

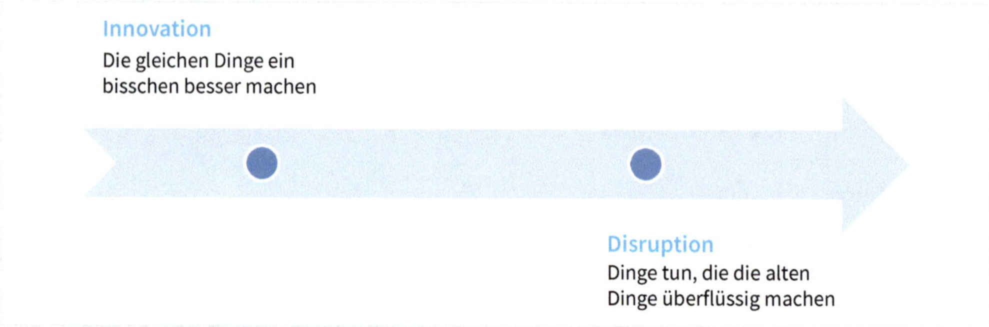

Digitalisierung wird häufig als Abbildung analoger Themen, Vorgehensweisen und Prozesse unter Zuhilfenahme digitaler Technologien verstanden. Unternehmen verwenden sehr viel Zeit und Energie darauf, zu überlegen, wie die bestehenden Abläufe, Prozesse und Kommunikationskanäle im Finanz- und Rechnungswesen digital abgebildet werden können. Meiner Erfahrung nach werden jedoch sehr wenig Zeit und Ressourcen darauf verwendet, sich Gedanken darüber zu machen, wie diese Abläufe und Prozesse im wahrsten Sinne des Wortes disruptiv behandelt werden könnten:

Zitat

»Wenn ich die Menschen gefragt hätte, was sie wollen, hätten sie gesagt: schnellere Pferde.«
Henry Ford

Diese Worte sind Henry Ford vor mehr als einem Jahrhundert in den Mund gelegt worden. Sein Zitat, so es denn eines ist, hat sich über Jahrzehnte in vielen Bereichen bewahrheitet.

Ganz anders verhält es sich mit disruptiven Innovationen. Sie sind weniger evolutionär als vielmehr revolutionär, also zerstörerisch! Denn das ist die eigentliche Bedeutung des Wortes »disruptiv«. Dieses stammt vom Lateinischen »disrumpere« und meint wortwörtlich »zerreißen«. Das lateinische Original beschreibt genau, was disruptive Innovationen tun: Sie zerreißen bisherige Märkte und Geschäftsmodelle förmlich in der Luft. Sie nehmen sie auseinander, bis nichts mehr übrig bleibt von dem, was war.

Wichtig ist mir in diesem Zusammenhang: Für Sie als CFO steht bei vielen disruptiven Innovationen der Digitalisierung in Ihrem Bereich gar nicht so sehr das Produkt im Vordergrund als vielmehr der Denkansatz. Versuchen Sie deshalb nicht, wo es geht, Altes etwas besser zu machen, sondern die Digitalisierung als Chance zu nutzen, Bisheriges zu zerreißen und durch Besseres zu ersetzen.

Dabei plädiere ich dafür, auch auf Innovation zu setzen. Denn nur wenige Innovationen haben das Zeug dazu, disruptiv und zerstörerisch zu sein. Die Weiterentwicklung und Verbesserung von Bestehendem ist die häufigste Form von Innovation. Das Rad kann schließlich nicht ständig neu erfunden werden.

Das zentrale Wesen eines Innovationstreibers liegt in der digitalen Technologie oder besser noch der Digitalisierung. Sie und Ihr CFO-Team besetzen die Kundenschnittstellen, sei es intern oder extern, zum Beispiel mit einem besseren Service, einem zusätzlichen Benefit oder einer höheren Qualität. Dann beginnen Sie, die Kundenbeziehung auszubauen, neue Geschäftsmodelle für Ihre CFO-Bereiche anzuwenden, einzuführen und zu monetarisieren. Das ist disruptiv, denn es zerstört Ihre bisherige Geschäftsgrundlage. Auch wenn das zunächst in vielen Bereichen nicht vorstellbar erscheinen mag – schließlich muss das Tagesgeschäft laufen –, sollte sich Ihr Mindset und das Ihres Teams an dieser Denkweise ausrichten.

Fliegen Sie als CFO nicht mit dem herkömmlichen Innovationsstrom, sondern durchkreuzen sie diese eingeflogenen Fluglinien im dafür von mir konstruierten B 2-Disruption-CFO. Nehmen sie Platz im Cockpit!

Praxistipp: Nehmen Sie Platz im Cockpit des B 2-Disruption-CFO

PS: Bestellungen des B 2-Disruption-CFO nehme ich gerne entgegen. Ab Bestellung von zehn Stück Rabatt verhandelbar! Angebot nur gültig, solange Vorrat reicht.

Denn eines scheint klar: Um als CFO in der digitalen Transformation Erfolg zu haben und nicht langsam – oder auch schneller – den Anschluss zu verlieren, müssen Sie sich, so konservativ unser Bereich auch sein mag, innovativen Überlegungen in allen Facetten öffnen und disruptive Veränderungen in allen CFO-Bereichen ermöglichen.

Diejenigen CFOs, die sich nicht scheuen, die Vorgehensweisen, Prozesse und Kommunikationskanäle in ihren Zuständigkeitsbereichen durch eine Anpassung der DNA disruptiv zu verändern, »gönnen« alten Strukturen einen sehr schnellen, aber auch sehr grausamen Tod. Doch dies schafft Platz für neues Leben und exponentielles Wachstum.

Arbeitshilfe: Welche Geschwindigkeit wollen Sie als CFO wo gehen?

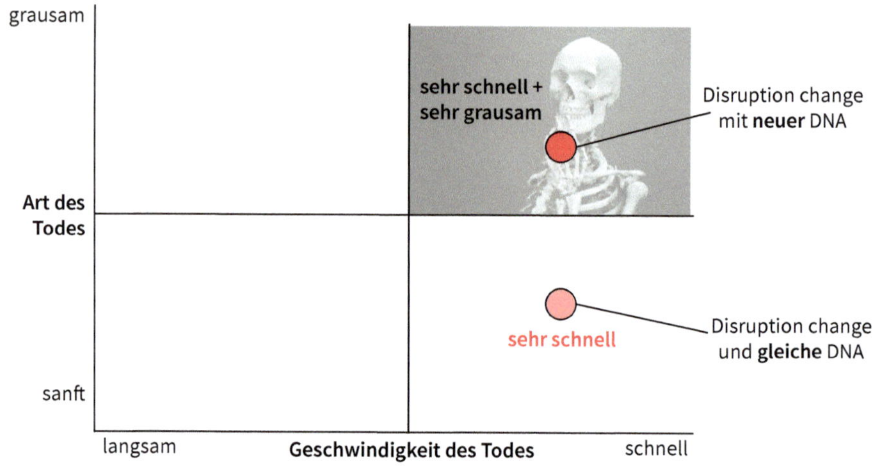

Bildquelle: pixabay/cadop

Sie können in die jeweiligen Quadranten eintragen, welche Art und welche Geschwindigkeit des Todes Sie den bestehenden Vorgehensweisen, Prozessen und Kommunikationskanäle in Ihren Zuständigkeitsbereichen einräumen »möchten« – vielleicht ein makabres, dafür aber sehr anschauliches Vorgehen. Es macht großen Spaß, das mit Ihrem Team auszuarbeiten. Sie werden staunen, wie kreativ Ihr Team ist.

3.9.3 Ihr persönliches Why

Der Markenspezialist Simon Sinek verwendet ein Modell, das er den goldenen Kreis (Golden Circle) nennt, um zu erklären, wie legendäre Führungskräfte wie Steve Jobs, Martin Luther King Jr. und die Gebrüder Wright das erreichen konnten, was andere ebenso kluge und fleißige – und besser finanzierte – Köpfe nicht erreicht haben. Es ist der Rahmen um das Warum, der eine Marke erfolgreich macht.

Wenn Sie diesem Ansatz folgen, ist es Ihnen und Ihrer Organisation mit Sicherheit möglich darzulegen, was sie tun. Im Idealfall ist es Ihnen auch möglich, Ihr Alleinstellungsmerkmal zu benennen, dieses zu erläutern, sowie darzulegen, wie Sie etwas tun. Warum sie aber etwas tun, das fällt vielen Menschen und Organisationen schwer. Der Profit, der in diesen Zusammenhängen oft genannt wird, ist nicht das Warum. Das wäre viel zu kurz gesprungen und entspricht nicht dem hier gemeinten Sinn des Warum. Das Warum ist vielmehr Ihre innere Antriebsfeder.

Der Golden Circle als einfaches Konzept stellt auf simple Art und Weise dar, wie die Aspekte Warum (why), Wie (how) und Was (what) ineinandergreifen.

Wichtig: Golden Circle nach Simon Sinek

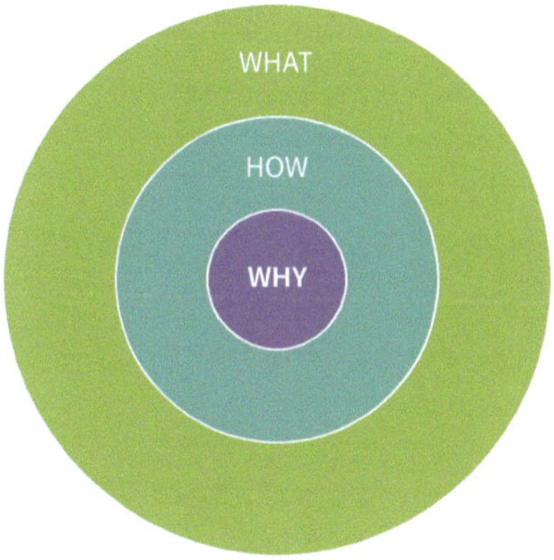

In seinen Untersuchungen und Studien geht Simon Sinek davon aus, dass diese Zusammenhänge nicht nur psychologisch, sondern auch biologisch im Menschen verankert sind. Hierbei spielt der Neokortex als Teil der Großhirnrinde eine wichtige Rolle. Der Neokortex ermöglicht uns Menschen höhere kognitive Fähigkeiten als das Denken oder die Sprache. Transformiert bedeutet dies, dass der Neocortex mit dem »Was«-Level vergleichbar ist. Die inneren beiden Level »Wie« und »Warum« hingegen werden vom sogenannten limbischen System abgebildet. Hauptaufgabe des limbischen Systems ist es, unser Affekt- und Triebverhalten gegenüber der Umwelt zu regulieren sowie über unser Verhalten und unsere Entscheidungsfindung zu entscheiden. Das limbische System ist für komplexe Sprache aber unzugänglich. Bei der Kommunikation von außen nach innen im Kreis wird nach der Ansicht von Sinek nur der Neocortex angesprochen. Bei der Kommunikation von innen nach außen aber der Teil des Gehirns, der die Entscheidungen trifft. Das »Was« dient dann nur noch der Bestätigung und Rationalisierung.

Lassen Sie uns die Fragen des goldenen Kreises auf das Thema Digitalisierung transformieren. Was ist Ihr persönliches Warum der Digitalisierung? Erst wenn Sie sich im Klaren darüber sind, für was Sie die Transformation vorantreiben und erfolgreich umsetzen möchten, kommunizieren Sie Ihr Warum so, dass Sie die Transformation gemeinsam mit Ihrem Team zum Erfolg bringen wird.

Glauben Sie, dass die digitale Transformation und ihre Umsetzung in Ihrem Unternehmen den Lauf der Welt verändern könnte, oder glauben Sie lediglich, dass die Digitalisierung zur Steigerung des Profits dienen wird?

Fazit: Ihr persönliches Why

Was ist Ihr Warum? Warum wollen Sie die digitale Transformation vollziehen? Antreiber, Motivation, Gründe ...?
»Why should anyone care?«

3.9.4 Das Spiel gewinnen wollen

Ja, wer will das nicht: das Spiel gewinnen. Dafür ist es aber notwendig, sich die grundlegenden Fragestellungen vor Augen zu führen. Denn sonst kann es passieren, dass Sie zwar das Gefühl haben, gewonnen zu haben, Sie aber das falsche Spiel gespielt haben oder auf dem falschen Spielfeld waren. Hand aufs Herz: Haben Sie sich schon einmal Gedanken zu den folgenden Fragen gemacht? Falls nicht, tun Sie dies gerne jetzt, und halten Sie Ihre Antworten schriftlich fest oder visualisieren Sie sie sogar.

Arbeitshilfe: Das Spiel gewinnen wollen

	Habe sehr gute Antwort	Habe gute Antwort	Habe mangelhafte Antwort	Habe ungenügende Antwort	Habe keine Antwort
Welches Spiel möchten Sie gewinnen?	.	.	.	.	.
Was möchten Sie gewinnen?	.	.	.	.	.
Von welcher Liga sprechen Sie/wir überhaupt: Kreisklasse oder Champions League?	.	.	.	.	.
Heimspiel oder Auswärtssieg?	.	.	.	.	.
Wollen Sie allein gewinnen oder im Team?	.	.	.	.	.
Was soll das Spielfeld sein?	.	.	.	.	.
Stellen Sie sich einen Turnhallenboden vor, auf dem für alle möglichen Spiele unterschiedliche Linien und Markierungen eingezeichnet sind. Welche Farbe haben Ihre Linienmarkierungen und wo genau befinden sich diese?	.	.	.	.	.
Wer ist Ihr Hauptkonkurrent, der Ihnen den Sieg streitig machen könnte?	.	.	.	.	.
Wie lauten die Spielregeln?	.	.	.	.	.
Wer spielt alles mit?	.	.	.	.	.
Geben Sie alles dafür, zu gewinnen?	.	.	.	.	.
Wer sind Sie: Gewichtheber, Langstreckenläufer, Torwart, Bodenturner, Degenfechter, Boxer, Quarterback, Shoot-first Point Guard, Sumoringer, Full Contact Fighter, Schachspieler, Dressurreiter oder jemand anderes? Wer?	.	.	.	.	.
Spielt Ihr Umfeld überhaupt das gleiche Spiel?	.	.	.	.	.

Machen Sie sich Ihre Stärken bewusst, überlegen Sie sich eine ausgeklügelte Strategie für das Spiel, das gespielt wird, und arbeiten Sie mit Nachdruck an Ihrer Gewinnerstrategie und Ihrer »winning aspiration«, also Ihren Kernaussagen über die ideale Zukunft.

Als erfahrener Sportler und Trainer gebe ich Ihnen den Ratschlag: Vergessen Sie das harte Training nicht, wenn Sie als CFO in der Transformation der Beste sein wollen! Trainieren Sie Ihre ganz persönlichen Erfolgsfaktoren. Immer und immer wieder. Denn selbst wenn Sie das bessere Talent haben sollten: Es gibt genügend andere, die nach dem Sieg gieren und Ihnen diesen durch hartes Training streitig machen wollen.

3.9.5 Den Spagat zwischen Alt und Neu üben

Die Digitalisierung beendet Geschäftsmodelle und schafft neue Möglichkeiten für Produkte, Dienstleistungen und wiederkehrende Umsätze. Als CFO müssen Sie dabei viele Dinge neu bewerten: Preisgestaltung, Umsatzströme und die damit verbundenen Finanzmodelle.

Die Technologie hilft Ihnen, Ihren CFO-Bereich und das gesamte Unternehmen dahingehend einem Wandel zu unterziehen, dass operative Aufgaben reduziert und Unterstützungen in allen Bereichen flexibler werden und skalierbare Systeme und Prozesse den Alltag bestimmen. Dabei müssen Sie Hand in Hand mit dem CEO arbeiten. Dies betrifft auch die zunehmenden Cyber-Attacken. Hier geht es darum, gemeinsam eine Quantifizierung von digitalen Risiken, eine Priorisierung dieser Risiken und einen Schutz der – digitalen – Vermögenswerte sicherzustellen. Um dies in einem integrierten Ansatz gewährleisten zu können, sind entsprechende funktionale Technologie-Silos zu implementieren.

Ihr Fokus als CFO liegt zukünftig auf Plattformen und nicht auf Produkten. Dies bedeutet einen weiteren Spagat für Sie. Es geht nicht länger um Produkte, sondern um Erlebnisse ganzer Ökosysteme, die Nutzer und Anbieter zusammenbringen und dadurch gemeinsame Werte schaffen. Plattformen sind eine natürliche Erweiterung eines kundenorientierten Ansatzes für Veränderungen. Passen Sie Ihren CFO-Bereich und Ihr Unternehmen schnell und kontinuierlich an die sich ändernden technologischen Anforderungen Ihrer Kunden an. Dies setzt eine klare Abgrenzung und Definition des internen und externen Kunden Ihrer Finanzabteilung voraus. Es geht um die Optimierung des gesamten Erlebnisses und nicht nur um eine einzige Transaktion. Als Experte des agilen Finanzwesens müssen Sie deshalb den wahren Wert der Kunden verstehen und analysieren. Sie müssen in der Lage sein, M&A-Möglichkeiten in weiteren Geschäftsbereichen für die Kunden zu erkennen, zu evaluieren sowie strategisch und operativ wertvoll umzusetzen.

Am Ende des Transformationsprozesses sollten Ihre Mitarbeiter das Kundenerlebnis instinktiv priorisieren können und die richtigen Tools zur Verfügung haben – und auch anwenden können –, um dieses Erlebnis mit den richtigen unternehmensweiten Lösungen zu ermöglichen.

Genau diesen Spagat hinzubekommen – einerseits innovationsgeführtes Wachstum voranzutreiben und andererseits Gutbewährtes einzubauen sowie ein umsichtiges Risikomanagement für die neuen Strukturen zu etablieren – ist eine der größten Herausforderungen, denen Sie sich als CFO stellen müssen und an deren Umsetzung und Lösung Sie letztlich gemessen werden.

3.9.6 Ein Digital Mindset entwickeln

Im Zusammenhang mit der digitalen Transformation hat auch der Begriff »Digital Mindset« Einzug in unseren Sprachgebrauch gefunden. Handelt es sich dabei lediglich um ein weiteres Buzzword? Was bedeutet dieser Begriff für Sie als CFO in der digitalen Transformation?

Zunächst es ist mit Sicherheit erforderlich, eine Abgrenzung in der Definition zu finden. Viele Begriffe werden in diesem Zusammenhang durcheinandergeworfen und die Definitionen weichen stark voneinander ab.

Was würden sie sagen: Entspricht Digital Mindset auch Digital Skills? Reichtallein der Einsatz von digitalen Technologien in Ihrem Bereich aus, um Ihren Mitarbeitern ein Digital Mindset zu bescheinigen? Haben jüngere Mitarbeiter, die Digital Natives, automatisch ein Digital Mindset? Wie ist es um Ihr Digital Mindset und das Ihrer Führungskollegen bestellt?

Bemerkenswert ist, dass der Begriff »Digital Mindset« in Wikipedia noch nicht katalogisiert ist. Nach der reinen Definition geht es bei Mindset grundsätzlich um eine Haltung bzw. Einstellung. Folgende Gedanken könnten Teil der Definition eines digitalen Mindsets sein:

- Offenheit für technische, digitale Entwicklung
- Begeisterung für neuartige Prozesse
- Verständnis für die Veränderungsprozesse, die die digitalen Translationen mit sich bringen
- Grundsätzliche positive Grundhaltung gegenüber der Digitalisierung

Für mich definiert sich digitales Mindset folgendermaßen:

Definition: Digitales Mindset

Digitales Mindset ist die Grundhaltung gegenüber neuen digitalen Technologien. Es umfasst Verhaltensmuster in Bezug auf sowie das Maß an Offenheit gegenüber digitalisierten Prozessen, die in allen möglichen Bereichen Einfluss auf Arbeit und Kommunikation ausüben.

Dabei wird das Mindset durch viele Erinnerungen und Erfahrungen geprägt, die bis heute ihre Wirkung bei Ihnen entfalten.

Diese Definition soll Ihnen als Anregung dienen. Aufgrund der Mannigfaltigkeit dieses Begriffs sollten Sie sie bezogen auf Ihr Umfeld kritisch betrachten und ggf. anpassen. Wichtig dabei: Lassen Sie sich und Ihr Umfeld von einer einheitlichen Definition leiten. Dabei sollten Sie immer im Blick haben, dass Sie und Ihr Umfeld schon allein aufgrund Ihrer unterschiedlichen Prägungen unterschiedliche Ausprägungen in Bezug auf ein digitales Mindset aufweisen.

Namhafte Forscher haben Untersuchungen angestellt, wie Menschen mit Niederlagen umgehen.[7] Auch die Frage, was manche Menschen dazu veranlasst, unbeeindruckt Herausforderung zu suchen,

7 Vgl. insbesondere Dweck (2017).

während andere aufgeben, beschäftigte die Forscher. Ihren Theorien zufolge gibt es zwei Formen von Mindset:

1. Growth Mindset (growth = englisch für »Wachstum«; hier häufig mit »wachstumsorientiert«, »dynamisch übersetzt«) und
2. Fixed Mindset (fixed = englisch für »starr«, »unflexibel«)

Dabei wurde beobachtet, dass diejenigen, die eher in die Kategorie Fixed Mindset gehören, dazu neigen, bestimmte Fähigkeiten als angeboren, also als Talent zu betrachten. Wenn sie also an einer Aufgabe scheitern, so führen sie das darauf zurück, dass ihnen bestimmte Begabungen offenbar fehlen. Andere hingegen, die in die Kategorie Growth Mindset gehören, sind der festen Überzeugung, dass sie alles erreichen können, solange sie genügend Einsatz bringen, trainieren oder lernen. Interessant ist die Erkenntnis der Forscher, dass Kinder, deren Intelligenz gelobt wurde, sehr viel wahrscheinlicher ein starres Mindset entwickelten als diejenigen, deren Anstrengungen gelobt wurden. Letztere tendierten dazu, ein dynamisches Mindset zu entwickeln.

Sie als CFO sollten sich immer wieder selbst, aber auch Ihr Team in Bezug auf das digitale Mindset reflektieren. Zum einen vor dem Hintergrund, ob die entsprechenden Erwartungshaltungen diesbezüglich in Einklang stehen, und zum anderen, ob Sie und Ihr Team an das Thema der digitalen Transformation mit gebührender Offenheit herangehen und welche Fragestellungen und Thematiken Sie eventuell daran hindern. Dies auch unter Berücksichtigung der Auswirkungen des persönlichen Mindsets.

Wichtig: Auswirkungen des persönlichen Mindsets

Menschen mit dynamischem Mindset

- sind wissbegierig und neugierig
- wissen, dass Anstrengungen nötig sind, um etwas zu erreichen
- betrachten Fehler als Chance, daraus zu lernen
- kennen ihre Schwächen und arbeiten daran
- lieben Herausforderungen
- sind offen für neue Erfahrungen und Wege

Menschen mit starrem Mindset

- meiden Herausforderungen, wenn sie Niederlagen befürchten
- können nicht gut mit Niederlagen umgehen
- versuchen, Niederlagen zu verbergen
- sind überzeugt davon, nur auf einem Gebiet begabt zu sein
- wiederholen innerlich negative Glaubenssätze

Ihr Mindset ist zudem für Ihr persönliches Wachstum entscheidend. Verfügen Sie über ein offenes und dynamisches Mindset, ist es Ihnen möglich, ständig neue Werkzeuge und Fähigkeiten dazuzulernen. Im Umkehrschluss beschränkt Sie ein starres Mindset und grenzt Ihren Handlungsspielraum ein. So bildet Ihr Mindset den Rahmen um Ihre Fähigkeiten und die Ihnen zur Verfügung stehenden Werkzeuge.

Wichtig: Das Mindset als Rahmen

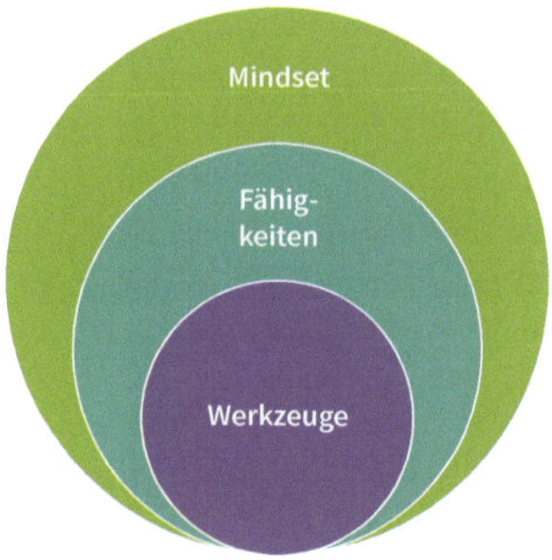

Ein positives Mindset, auch in Bezug auf die Digitalisierung, ist eine der Grundlagen, die Sie als CFO auszeichnen. Hinterfragen Sie ihr digitales Mindset regelmäßig und entwickeln Sie sich stetig weiter. Seien Sie offen für neue Erfahrungen, aber auch gegenüber dem Mindset Ihres Teams. Natürlich sind Sie wie wir alle durch bestimmte Wesenszüge, Rückschläge und Erfahrungen geprägt, aber durch Interaktionen mit anderen können Sie an Ihrem Mindset arbeiten. Dabei müssen Sie geduldig sein, denn das eigene Mindset zu verändern ist ein stetiger Prozess.

Praxistipp: So ändern Sie Ihr Mindset

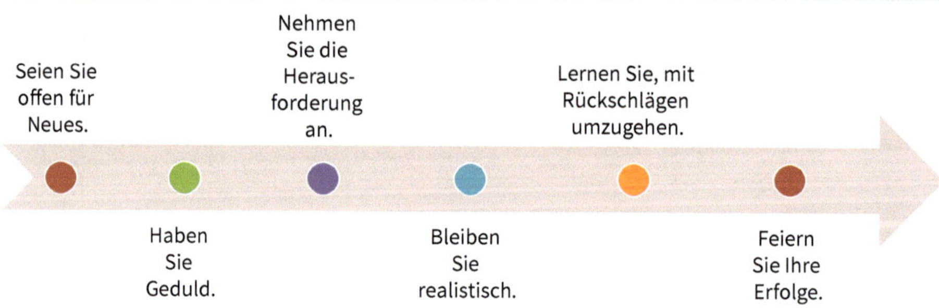

3.9.7 Ihren Digital IQ erweitern

Wenn Sie als CFO Ihre Agenda des Wachstums, des Vermögensschutzes und der Transformation Ihrer Organisationen erfolgreich umsetzen wollen, müssen Sie Ihre digitale Bereitschaft und die vorhandenen Kompetenzlücken adressieren. Und zwar mit einem Gefühl der Dringlichkeit. Passen Sie sich dem schnellen Tempo der Digitalisierung an und eignen Sie sich neue Fähigkeiten an, um Ihren Digital IQ. auszubauen Der Digital IQ beschreibt die Summe all Ihrer sozialen, emotionalen und kognitiven Fähigkeiten, die es Ihnen ermöglichen, sich den Herausforderungen zu stellen und sich an die Anforderungen des Lebens in der digitalen Welt anzupassen. Aber wie?

Dies können Sie zum einen durch viele Bücher, Schulungen und Expertenratschläge tun. Was halten Sie aber von dem Vorschlag, den routinemäßigen Austausch mit den Digital Natives der Generation Y und der Millennials zu suchen und auf deren Meinungen und Vorschläge zu hören? Das ist das wichtigste und wertvollste Wissen, auf das Sie im Moment zurückgreifen können. Dabei geht es mir insbesondere auch um die Naivität und Unbekümmertheit der jungen Kollegen, wodurch neue Blickwinkel, Methoden, Ideen und Prozesse ans Tageslicht befördert werden.

Sie können auch noch ein Schritt weiter gehen und ein Reverse-Programm in Erwägung ziehen. Dieses verbindet Sie persönlich mit jüngeren, digital versierten Mitarbeitern. In dieser Form können Sie Digitalisierungsthemen diskutieren, sich aber auch entsprechende Tech-Trends, Innovationen, Ideen und Herangehensweisen demonstrieren lassen. Dies fördert Ihr digitales Verständnis und hilft Ihnen, einen digitalen IQ aufzubauen.

3.9.8 Die Beziehung zu CIO und CDO gestalten

Wer ist letztlich für die digitale Transformation im Finanzwesen verantwortlich? Die IT-Abteilung? Der CIO? Der CDO? Der CFO? Oder am Ende doch der Abteilungsleiter im Rechnungswesen?

Als CFO spielen Sie eine gewichtige Rolle bei der digitalen Strategie. Die meisten Unternehmen haben den Willen, in digitale Innovationen zu investieren, der C-Level-Führung fehlt jedoch meist noch der richtige Ansatz, um den Digitalisierungsprozess effektiv zu verwalten. Im Moment scheint es so, als ob IT-Führungskräfte Ihnen in puncto Digitalisierungsstrategie den Rang ablaufen könnten. Denn schließlich haben diese ihren Fokus auf Investitionen in Business Intelligence, Datenanalyse und das Internet der Dinge gerichtet. Allein dadurch könnte es in den nächsten Jahren zu einem signifikanten Führungswechsel in Ihrem Unternehmen kommen. Hinzu kommt, dass Chief Information Officers (CIOs) oftmals sehr eng mit dem Chief Digital Officer (CDO) zusammenarbeiten, wodurch Sie als CFO unter Umständen bei zentralen Entscheidungen – komplett – außen vor bleiben könnten.

Auch die interne und externe Suche nach Talenten und Verstärkung für die digitale Transformation liegt häufig in den Händen der CIOs. Das verschafft diesen einen nicht zu unterschätzenden Vorteil gegenüber Ihnen als CFO.

Und wie gestaltet sich die Beziehung zwischen CFO und CIO? Sehr häufig auf einer »platonischen« Kostenebene. Das ist nicht gut und wie wir alle wissen, führt platonische Liebe nicht zur Befruchtung. CFOs weisen in diesem Zusammenhang gerne auf ihre Hoheit über Budget, Technologiekosten und Investitionsausgaben für die digitale Transformation hin. Doch dabei ist klar, dass es uns bei der Umsetzung der digitalen Transformation um mehr als nur die reine Kostenseite geht.

Auch hier stellt sich also die grundlegende Frage: Können Sie aus Ihrer Haut heraus und mit welcher grundlegenden Haltung stehen Sie der digitalen Transformation gegenüber? Sehen Sie auch in Ihrer Beziehung zum CIO und CDO das große Ganze.

Wichtig: Das große Ganze

Betrachten Sie die digitale Transformation nicht ausschließlich als Kostenstelle und sehen Sie in der Transformation nicht ein IT-Problem. Sehen Sie stattdessen das große Ganze!

3.9.9 Mit dem CMO zusammenarbeiten

Aufgrund der vielseitigen Herausforderungen der digitalen Transformation müssen Sie Unterstützung und Verbündete in allen nur erdenklichen Bereichen finden. Dies betrifft auch die interne und externe Vermarktung und die Kommunikation der digitalen Transformation (siehe auch Abschnitt 3.5) – ein weiterer erfolgsentscheidender Baustein in der Umsetzung der Transformation in Ihrem Unternehmen. Dafür sollten Sie die Zusammenarbeit mit dem CMO (Chief Marketing Officer) suchen und intensivieren. Versuchen Sie auch hier, mit den organisatorischen Veränderungen Schritt zu halten und enge und kooperative Beziehungen einzugehen. Dabei gilt es, mangelnde gemeinsame Prozesse und kulturelle Unterschiede der beiden Bereiche zu überwinden. Denn CFOs und CMOs sind traditionell eher entfernte Verbündete. Dennoch kann in der heutigen digitalen Wirtschaft eine starke Finanz-Marketing-Beziehung den Unterschied zwischen erfolgreicher und weniger erfolgreicher Transformation ausmachen.

Ein weiterer wichtiger Aspekt der Zusammenarbeit zwischen CFO und CMO sind die steigenden Marketingausgaben in Reaktion auf veränderte Kanäle und Kanalausweitungen in der digitalen Welt. Diese müssen durch effektive Messmethoden gerechtfertigt werden. Da nicht alle Renditen leicht zu bestimmen sind, sollten Sie gemeinsam mit dem CMO KPIs sowohl für einzelne Marketinginitiativen als auch für weniger direkt zurückverfolgbare Maßnahmen wie die Markenpositionierung vereinbaren.

3.9.10 Der CFO als Impulsgeber

CIO, CDO, CMO – wie eben beschrieben stehen Sie als CFO oft in Konkurrenz zu diesen dreien. In jedem Fall müssen die Impulse der digitalen Transformation im Finanzwesen von Ihnen ausgehen. Sie müssen die Digitalisierung initiieren, vorantreiben und unterstützen.

Sie müssen die Digitalisierungsstrategien für Ihren Bereich entwickeln, aber auch die Auswirkungen der Digitalisierung im Auge behalten und bei auftretenden Veränderungen entsprechende Anpassungen vornehmen. Ebenso müssen Sie als Impulsgeber ein Verständnis dafür entwickeln, wo die größten Chancen, aber auch die größten Bedrohungen der Digitalisierung in Ihrem Umfeld liegen. Als CFO müssen Sie auch als Technologieführer fungieren und dafür sorgen, dass in die Gesamtorganisation Vertrauen und Fähigkeiten aufgebaut werden. Sie müssen navigieren und Ihr Team und den Rest der Organisation auf digitale Rückschläge und Störungen vorbereiten. Denn in Ihren Verantwortungsbereich fällt auch, die Organisation darin zu unterstützen, die richtige Balance zwischen kurzfristigen Zielen und langfristigem Potenzial zu finden. Dies betrifft auch die Berechnung unterschiedlicher ROI-Szenarien für Investitionen in digitale Technologien. Sie gelten als Vorreiter für Neuerungen in Technologie und IT.

Dabei werden Sie immer wieder feststellen, dass häufig noch – große – Lücken zwischen Ihren eigenen Zielen und der Realität im Finanzbereich und im Gesamtunternehmen bestehen. Diese gilt es zu schließen. Durch neue Technologien können Sie das Unternehmen und Ihre Finanzabteilungen prägen. Seien Sie dabei hartnäckig und werden Sie zum strategischen Businesspartner des CEO.

Fazit

Seien Sie der Impulsgeber der digitalen Transformation!

3.9.11 Modelle zur Umsetzung digitaler Transformation

Modelle sind Gebilde oder – oft vereinfachte – Darstellungen, die eine Untersuchung oder Erforschung bestimmter Sachverhalte erleichtern oder diese erst ermöglichen. Ziel ist es insbesondere, komplexe Zusammenhänge vereinfacht darzustellen. Dabei zeichnen sich Modelle durch drei wesentliche Merkmale aus.

Wichtig: Merkmale von Modellen

Vor dem Hintergrund dieser Merkmale dienen Modelle bei der Umsetzung der digitalen Transformation zur Analyse, Planung und Kommunikation der Geschäftstätigkeiten, der umzusetzenden Schritte und der zu erreichenden Ziele.

Im Rahmen der Analyse bilden Modelle die wichtigsten Elemente der digitalen Transformation und deren Beziehungen zueinander ab. Dabei bestimmt das gewählte Modell und die zugrunde liegende Theorie, welche Elemente zur Beschreibung der möglichen Realität wesentlich sind und in welcher systemischen Beziehung sie zueinanderstehen.

Bei der Planung helfen Ihnen Modelle, Schlüsselentscheidungen zu identifizieren und diese adäquat zu strukturieren sowie Elemente immer wieder zu hinterfragen und die Beziehungen dieser Elemente untereinander zu visualisieren.

Im Rahmen der Kommunikation können Modelle Strategien plausibel und konkret illustrieren. Dabei vermitteln sie ein in sich konsistentes und strukturiertes Bild der Grundmechanismen der aktuellen oder geplanten Prozesse und Tätigkeiten.

Dabei gibt es nicht die eine Methode, die für alle Ansätze, Projekte, Vorhaben oder Unternehmen passt. Einige Modelle verfolgen einen ganzheitlichen Ansatz und stellen einen Prozess dar, der von der Ideengenerierung bis hin zum Gewinnen eines tieferen Verständnisses reicht. Andere Modelle sind hingegen spezialisiert und versuchen, ein bestimmtes Problem zu lösen.

Bei der Auswahl des Modells spielt auch Ihre persönliche Präferenz eine Rolle. Um jedoch das richtige Modell für die Lösung eines auszuwählen, bedarf es einer gewissen Routine in der Anwendung der Modelle. Geben Sie sich auch hier wieder Zeit, wenn Sie anfangs mit dem einen oder anderen Modell fremdeln. Meine Empfehlung: Probieren Sie mehrere Tools und Modelle aus. Denn mit der Anwendung unterschiedlicher Modelle, vielleicht sogar zu den gleichen Themen, gewinnen Sie neue Blickwinkel hinzu. Und wenn sie Ihr Lieblingsmodell gefunden haben, sollten Sie immer wieder auch andere Modelle verwenden, um einen entsprechenden Perspektivenwechsel vornehmen zu können. Von den Erkenntnissen, die Sie aus der Verwendung unterschiedlicher Modelle ableiten können, werden Sie in Ihren Entscheidungsprozessen grundlegend profitieren. Hinzu kommt, dass der Entwicklungsprozess im Rahmen der digitalen Transformation ein ständiger Prozess ist, bei dem einzelne Analyseinstrumente mehrfach eingesetzt werden müssen.

Nachfolgend stelle ich Ihnen einige Modelle und deren Nutzen im Rahmen der digitalen Transformation vor.

Wichtig: Modelle zur Umsetzung der digitalen Transformation

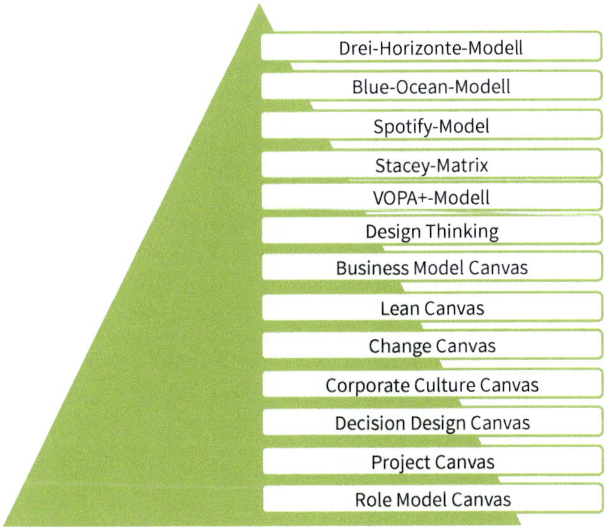

Drei-Horizonte-Modell

Das Drei-Horizonte-Modell (Baghai et al.) unterscheidet drei Innovations- und Wachstumshorizonte. Die vertikale Achse »Wert« repräsentiert den möglichen und erwarteten Wertzuwachs. Die horizontale Achse »Zeit« repräsentiert die Zeit, die bis zum Einsetzen der erwarteten Effekte vergeht.

Dieses Modell dient zum einen zur Entwicklung neuer, digitaler Geschäftsmodelle. Sie können dieses Modell aber auch im Rahmen der Digitalisierung Ihres Finanzbereiches oder für Ihr persönliches Wachstum nutzen. Unabhängig davon, wofür sie das Modell verwenden, um langfristiges Wachstum in dem von Ihnen betrachteten Bereich zu generieren, müssen alle drei Horizonte abgedeckt und durchlaufen werden.

Wichtig: Drei-Horizonte-Modell nach Baghai et al.

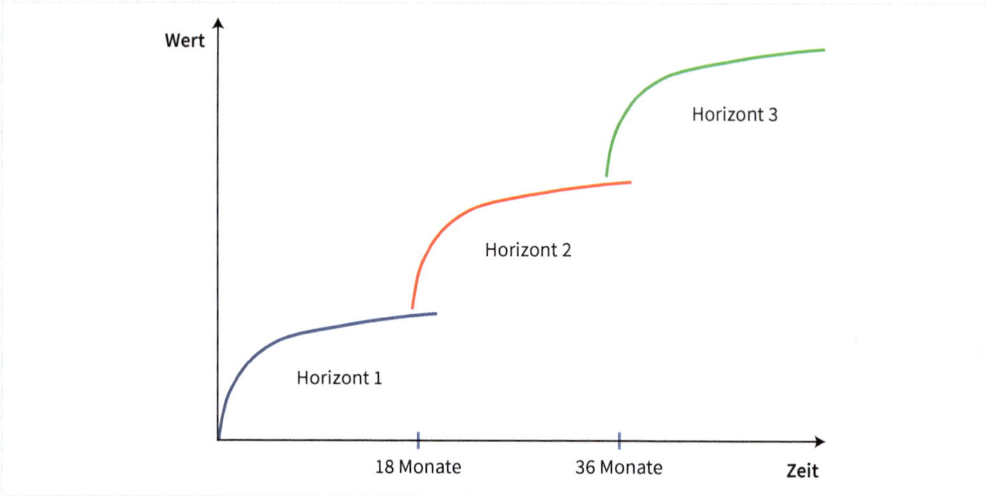

In Horizont 1 findet das aktuelle »Geschäft« statt. Die Wachstumskurve verläuft, wie in den beiden anderen Horizonten auch, logarithmisch. Das bedeutet, dass die Abstände zwischen zwei Markierungen auf den Achsen nicht mehr gleich groß sind, sondern nur die Abstände zwischen den Exponenten. Die Idee dahinter ist, dass bei Daten mit starken Größenunterschieden so auch eine bessere Darstellung der kleineren Datenwerte gegeben ist. Irgendwann ist weiteres Wachstum nicht mehr möglich, sodass bereits in dieser Horizontphase Innovation stattfinden muss, um die existierenden Bedürfnisse und Anforderungen erfüllen zu können. Viele dieser Innovationen in Horizont 1 finden auf der Ebene Effizienzoptimierung und Qualitätssteigerung statt. Das Motto im ersten Horizont lautet: more of the same. Ziel ist kurzfristiger Wertzuwachs in den nächsten 12 bis 18 Monaten. Auch wenn die Wirkung nicht lange auf sich warten lässt, sind der erwartete Wertzuwachs und die Nachhaltigkeit für das weitere Wachstum vergleichsweise gering.

Wenn weiteres Wachstum erzielt werden soll, müssen Innovationen entwickelt werden, die über die von Horizont 1 hinausgehen. Dies müssen deutliche Erweiterungen oder Substitutionsinnovationen sein. Die Entwicklungen in Horizont 2 finden dabei nicht zufällig statt. Sie basieren auf validierten Modellen und vorher gesicherten Optionen. In Horizont 2 werden viele Ideen parallel bearbeitet. Es geht darum, mit wenig Aufwand und Kosten viele Optionen für die Zukunft zu sichern. Maßnahmen und Innovationen in Horizont 2 erfordern Investments, die erst in 18 bis 36 Monaten ihre Wirkung entfalten. Im Vergleich zu Horizont 1 wird diese Geduld jedoch auch mit einem höheren Wertzuwachs kompensiert.

Horizont 3 umfasst alle Innovationen, die Ihr heutiges Geschäftsmodell ersetzen oder völlig neu adressieren. Die Wirkung dieser Maßnahmen stellt sich erst nach mehreren Jahren ein, dafür ist der daraus resultierende Wertzuwachs immens. Diese Maßnahmen bergen aber auch ein deutlich höheres Risiko.

Die größte Herausforderung für Sie ist dabei, sich aus dem Alltagsgeschäft zu lösen und sich um die Horizonte 2 und 3 zu kümmern. Nicht, dass wir uns an dieser Stelle falsch verstehen: Es ist richtig, dass Ihre wesentlichen Kapazitäten auf dem aktuellen Geschäft liegen. Doch sei die Frage erlaubt, ob Sie hier tatsächlich den größten Wertzuwachs, an dem wir letztlich ja alle gemessen werden, für Ihr Unternehmen, Ihre Mitarbeiter und auch für sich selbst erzielen können. In meinen Coachings empfehle ich immer wieder, dass Sie diese Frage reflektieren sollten: In welchen der drei Horizonte erwarten Sie den höchsten Wertzuwachs und lässt sich dieser bereits heute valide vorhersagen? Oder bauen die Wertzuwächse stetig aufeinander auf? Wahrscheinlich eher nicht. Und genau deshalb ist für Sie von besonderem Interesse, wo genau in diesem Drei-Horizonte-Modell der Kurvenanstieg voraussichtlich den höchsten exponentiellen Anstieg aufweisen wird.

Eine weitere Frage ist, wohin Investitionen fließen sollen. Dabei spielen auch Widerstände in Horizont 1 eine zentrale Rolle. Denn die in Horizont 1 tätigen Menschen wollen dort verdientes Geld in der Regel wieder in Horizont 1 investieren. Dies hat auch mit dem Faktor Sicherheit, der uns Menschen so wichtig ist, zu tun. Lieber in die Entwicklung von Bestehendem investieren als in neue, unsichere Themen. Dieser Argumentation opfert allerdings langfristiges Wachstum kurz- und mittelfristigen Erfolgen. Neue Ideen und innovative Vorhaben fallen dann dem operativen Alltag zum Opfer.

Aus der nachfolgenden Grafik können Sie die drei Kernaussagen für Ihre Reflexion und die daraus abgeleitete praktische Umsetzung übernehmen.

Arbeitshilfe: Drei-Horizonte-Modell – To dos

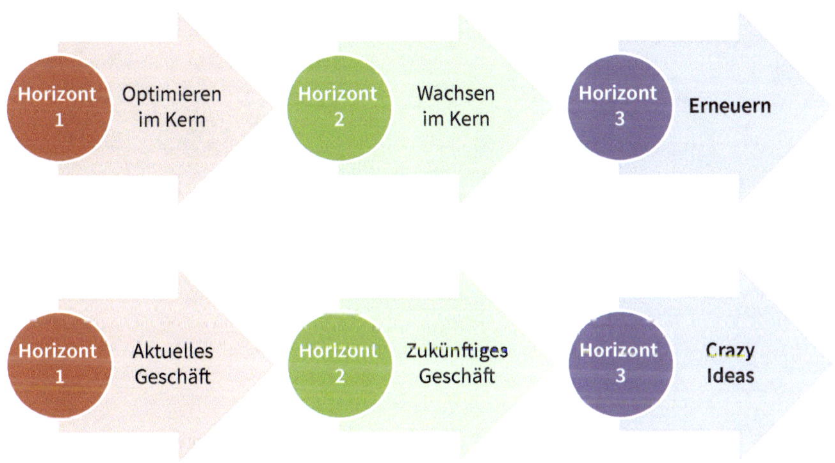

Blue-Ocean-Modell

Das Blue-Ocean-Modell ist ein Instrument im Business Development. Ziel der dahintersteckenden Strategie ist es, keinen Konkurrenzkampf in stark umkämpften Märkten (red oceans) zu suchen, sondern vielmehr auf neuen Märkten (blue oceans) zu agieren.

Ich verwende das Blue-Ocean-Modell etwas abgeändert, um gemeinsam mit meinen Kunden Themen und Schritte im Umsetzungsprozess der Digitalisierung zu identifizieren, zu analysieren und in einem einfachen Bild zu visualisieren. Das Modell hilft Ihnen dabei, Ihr Vorgehen nachhaltig zu planen. Ihm zugrunde liegt das ERSK-Quadrat, wobei jeder Quadrant für eine andere Aktion steht:

1. Eliminieren
2. Reduzieren
3. Steigern
4. Kreieren

Folgendes Beispiel verdeutlicht dies. Nehmen wir an, Sie möchten Klarheit darüber gewinnen, wie die optimale Prozesslandschaft nach erfolgreicher digitaler Transformation in Ihrem CFO-Bereich aussieht. Als Startpunkt könnten Sie in den jeweiligen Quadranten die Ergebnisse Ihrer Prozessanalysen wie folgt eintragen.

Beispiel

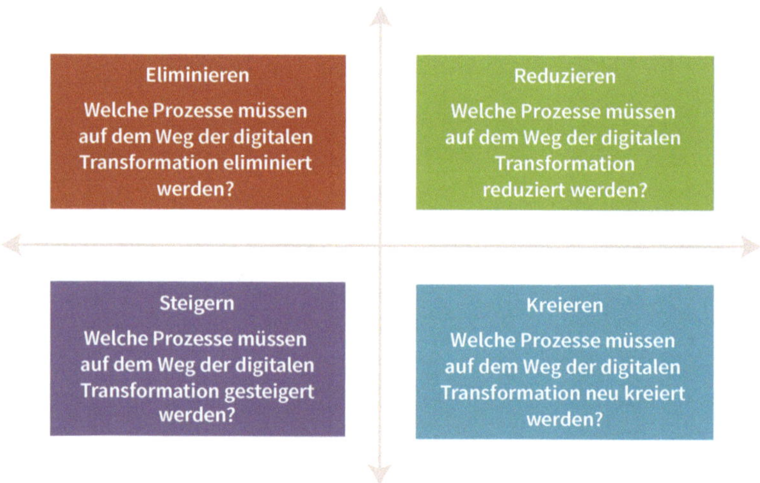

Das Blue-Ocean-Modell kann auch für unzählige andere Zwecke angewendet werden. So können Sie damit zum Beispiel auch Ihre nächsten persönlichen Entwicklungsschritte als CFO 4.0 analysieren, planen und visualisieren. Probieren Sie nachfolgende Übung am besten gleich einmal aus. Denn Sie haben bis hierher eine ganze Menge über sich gelernt. Jetzt wäre ein idealer Zeitpunkt, ein Zwischenresümee zu ziehen.

Übung: Meine nächsten Entwicklungsschritte als CFO 4.0

Spotify-Modell

Der schwedische Musik- und Video-Streamingdienst Spotify hat in einer einzigartigen Mischung unterschiedlichster agiler Methoden ein vollkommen neues Organisationsmodell entwickelt: das Spotify-Modell.

Die Stärke des Spotify-Modells liegt darin, dass Mitarbeiter mit unterschiedlichem Fachwissen in einem Team, einem sogenannten Squad, zusammenarbeiten mit dem Ziel, selbstständig Produkte oder Dienstleistungen zu entwickeln. Gleichzeitig können sich Mitarbeiter mit demselben Fachwissen in sogenannten Chapters und Guilds über ihre Erfahrungen austauschen und sich so fachlich weiterentwickeln.

Das Spotify-Modell besteht demnach aus: Squads, Tribes, Chapters und Guilds (Truppen, Stämme, Kapitel und Gilden).

Wichtig: Struktur des Spotify-Modells

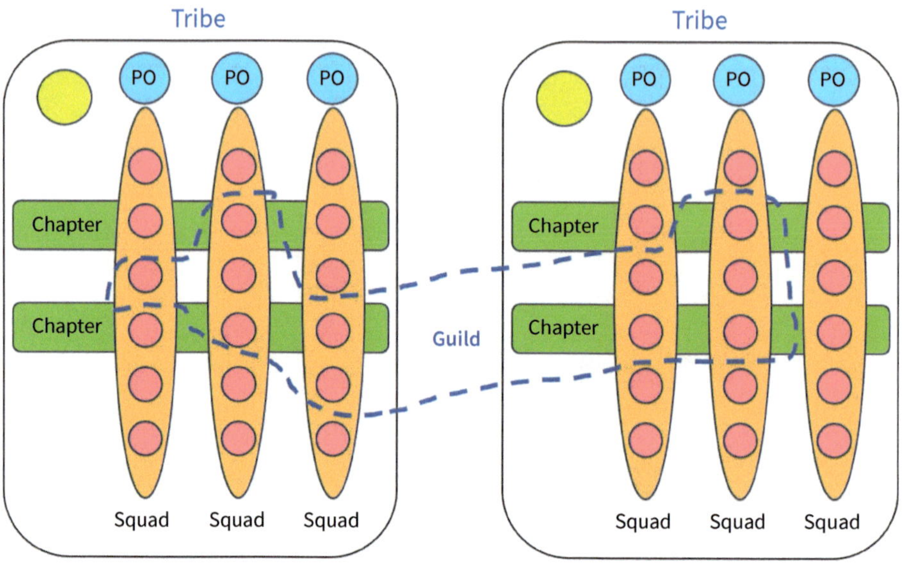

Erläuterung: PO: Product Owner

Die Squads bilden die Basis des Modells. Sie sind vergleichbar mit einem Scrum-Team. Ein Squad ist dabei selbstorganisiert und hat den Charakter eines Mini-Start-ups. Durch das multidisziplinäre Team soll das Squad über das Wissen und die Kompetenzen verfügen, die für die Zielerreichung und Entwicklung benötigt werden. Jedes Squad hat eine langfristige Mission. Durch die Selbststeuerung gibt es keinen Teamleiter; sehr wohl aber einen Product Owner, der Prioritäten für die Arbeit vorgibt, die das Team zu erledigen hat. Um eine Roadmap entwickeln zu können, arbeiten die jeweiligen Product Owner der verschiedenen Squads zusammen. Die Roadmap visualisiert den strategischen Kurs des gesamten Unternehmens. Auf Grundlage der Roadmap erstellt jeder Product Owner einen dazu passenden Product Backlog für das Team. Ein Agile Coach hilft den Squads dabei, eventuell auftretende Hindernisse zu erkennen und zu beseitigen.[8]

Ein Tribe umfasst eine Gruppe von Squads, die am gleichen Produkt oder an der gleichen Dienstleistung arbeiten. Ebenso ist es möglich, dass sie jeweils an miteinander in Verbindung stehenden Produkten oder Dienstleistungen arbeiten. Ein Leiter des jeweiligen Tribe ist für die optimale Arbeitsumgebung der Squads zuständig. In regelmäßigen Meetings präsentieren sich die Tribe-Teams gegenseitig ihre Arbeit, um so auf dem Laufenden zu bleiben.[9]

8 Vgl. auch Agile Scrum Group B.V.

9 Ebd.

In regelmäßig stattfindenden Scrums (= Besprechungen), in denen jedes Squad durch ein Mitglied vertreten wird, tauschen sich die Squads über den jeweiligen Projektstand aus.[10]

Ein Chapter setzt sich aus Mitgliedern eines Tribes zusammen, die über dieselbe Fachkenntnisse und Expertisen verfügen. In Chapter-Meetings werden erworbenes Wissen und Herausforderungen des jeweiligen Fachgebiets besprochen. Die Chapter-Leitung ist für die Führung dieser Meetings zuständig. Zudem soll die Chapter-Leitung eine Entwicklung der Mitarbeiter sicherstellen, diese in ihrem Kompetenzaufbau unterstützen sowie ein angemessenes Gehaltsniveau für alle Mitarbeiter gewährleisten.[11]

Ein Guild umfasst Arbeitnehmer mit demselben Fachwissen aus unterschiedlichen Tribes aus der ganzen Organisation. Ein Guild ist eine freiwillige Community, die den fachlichen Austausch seiner Mitglieder fördert. Inhaltlich bietet ein Guild regelmäßige Treffen und Mailinglisten, die durch einen Guild-Koordinator organisiert werden. Dies stellt einen unternehmensweiten fachlichen Austausch sicher.[12]

Führungskräften kommt im Spotify-Modell eine besondere Aufgabe zu. Sie sprechen vor allem über das Warum, die zu lösenden Probleme oder die Mission. Damit erzielt das Model ein hohes Alignment im Warum und gibt dem Unternehmen einen übergreifenden Sinn. Dieses inhaltliche Alignment sowie ein starker Purpose bilden den Rahmen für die Autonomie jedes einzelnen Squad.

Wichtig: Alignment versus Autonomy

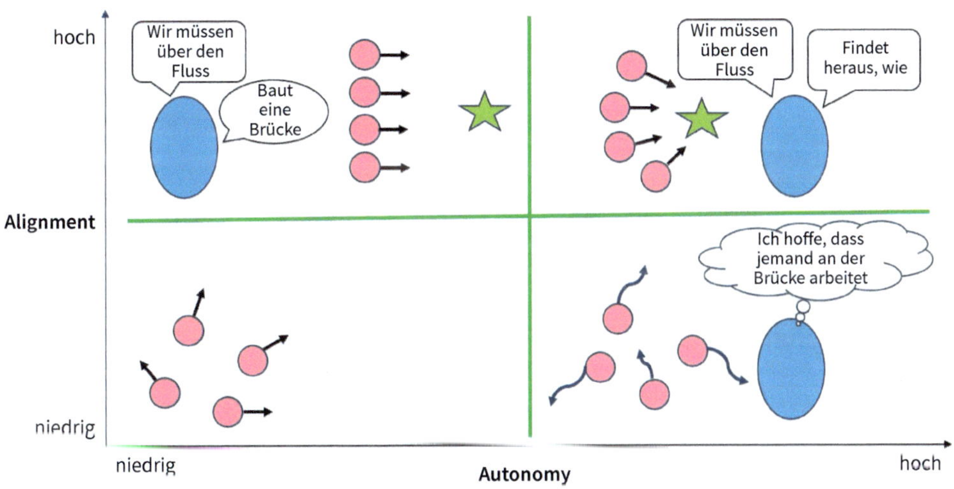

10 Ebd.
11 Ebd.
12 Ebd.

Wie die vorhergehende Abbildung zeigt, mag es zwar für jeden Einzelnen in seinem ungebremsten Freiheitsdrang schön sein, wenn Alignment und Autonomy beide niedrig ausfallen, aber dem gemeinsamen Ziel dient es nicht. Es ist erst gar kein Ziel sichtbar und definiert. Bei hoher Autonomy und niedrigem Alignment sind Sie als CFO zwar durchaus präsent, zumindest in Gedanken, das Ergebnis dürfte aber nicht wesentlich besser ausfallen. Bei hohem Alignment und niedriger Autonomy gibt es ein definiertes Ziel, doch die einzelnen Protagonisten richten sich nicht auf dieses Ziel aus, weshalb die Brücke, die gebaut wird, wohl eher suboptimal ausfallen dürfte. Bei gleichzeitig hohem Alignment und hoher Autonomy lassen Sie als CFO Ihren Mitarbeitern ausreichend viel Freiraum, damit sich diese jeweils individuell auf das vorgegebene Ziel fokussieren können, um dann gemeinsam eine bestmöglichste Lösung zu erarbeiten.

Dabei vertraut das Spotify-Modell darauf, dass sich alle am Prozess Beteiligten gegenseitig befruchten (cross pollination). Unter cross pollination wird der Prozess verstanden, bei dem Pollen (= Pulver, das vom männlichen Teil einer Blüte produziert wird) von einer Blüte zu einer anderen durch Wind, Insekten usw. transportiert werden. Sofern Tools, Methoden und Werkzeuge hilfreich sind und Squads oder andere Teams daraus einen Mehrwert ziehen, mutieren diese automatisch zum Standard. Auch ohne Vorgaben oder Corporate Policies.

Das Spotify-Modell setzt auf eine ausgeprägte Fehlerkultur. Fehler und daraus resultierende Learnings sind Teil einer langfristigen Strategie. Je schneller Fehler erkannt werden, desto eher erfolgt das Learning und desto höher ist die Chance, sich zu verbessern. Deshalb werden Fehler genau analysiert, um die Ursache zu identifizieren und zu verhindern, dass der gleiche Fehler nochmals auftritt.

Gleichzeitig fördert das Spotify-Modell Experimente. Was nicht funktioniert, wird gelassen, was gut funktioniert wird solange weiterentwickelt, bis die Erweiterung Nutzen stiftet.

Praxistipp: Systematische Experimente – Grundgedanke

Mitarbeiter werden ermutigt, permanent Neues auszuprobieren. So dürfen sie zum Beispiel 10% ihrer Zeit auf eigene »Hacks« verplanen, wobei hier natürlich nicht das gute alte Hackfleisch gemeint ist, sondern Themen, die jeder Mitarbeiter für sich vorantreiben – oder wie man in Bayern sagen würde »verhackwurschteln« – möchte. Zudem veranstaltet Spotify regelmäßig »Hack Weeks«, in denen Mitarbeiter in freien Teams an eigenen Projekten arbeiten. Dabei stehen nicht sinnvolle Produkterweiterungen im Vordergrund. Es wird darauf vertraut, dass die Mitarbeiter in diesem Prozess etwas für weitere Produktentwicklungen lernen. Und falls nicht, haben sie Spaß gehabt! Ein kostbares und sehr motivierendes Gut, wie wir wissen.

Nachfolgend habe ich zwölf weitere Praxistipps für Ihr persönliches Learning aus dem Spotify-Modell zusammengestellt.

Praxistipp: Learnings aus dem Spotify-Modell

1. Menschen sind natürliche Innovatoren. Also gehe ihnen einfach aus dem Weg und lasse sie Dinge ausprobieren.
2. Denke es, baue es, versende es, verbessere es.
3. Regeln sind ein guter Anfang, aber breche sie wenn nötig.
4. Wir wollen Fehler schneller machen als alle anderen.
5. Eine schnelle Fehlerbehebung ist am wichtigsten.
6. Loslassen sollte Routine sein, kein Drama.
   Spezialisierte Squads sorgen dafür, dass Releases oft möglich sind. Diese Release Squads arbeiten jedoch nur am Prozess und stellen Infrastruktur und Tools zur Verfügung. Jedes Squad releast dabei eigenständig.
7. Veröffentlichungszüge, sogenannte Release trains
   Sie fahren je nach Produktbereich einmal pro Woche oder alle drei Wochen ab. Pünktlich und regelmäßig. Was fertig ist, fährt mit, was nicht, nicht. Entsprechend gibt es keine Release-Pläne.
8. Funktionsumschalter, sogenannte Feature toggles
   Sie erlauben Squads, auch unfertige Codes zu committen, um Integrationsprobleme frühzeitig zu erkennen. Zudem erlauben die Toggles (Umschalter), neue Features sukzessive zu launchen und nur einem ausgewählten Kreis zur Verfügung zu stellen.
9. Auswirkung > Geschwindigkeit
   Ein Feature ist erst »done«, wenn es die gewünschte Wirkung erzielt. Nicht nachdem es fehlerfrei bereitgestellt wurde. Das setzt eine entsprechende Auslegung der »Definition of Done« voraus.
10. Innovation > Vorhersehbarkeit
    Es gibt keine festen Release-Pläne: »100 % predictability means no innovation.«
11. Internes Open-Source-Modell
    Der Code gehört der Community. Squads entwickeln den Code anderer Squads weiter, wenn diese andere Prioritäten haben.
12. Große Projekte vermeiden
    Große Projekte nur, wenn es gar nicht anders geht. Dann tägliche Synchronisation zwischen den Squads, regelmäßige Demo-Days und ein kleines Führungsteam, um das »big picture« im Auge zu behalten.

Stacey-Matrix
Die Stacey-Matrix visualisiert den Zusammenhang zwischen der Genauigkeit, mit der ein Ziel – im konkreten Fall zum Beispiel die Digitalisierung Ihrer Finanzprozesse – spezifiziert ist, und der Kenntnis des Lösungsansatzes, mit dem es erreicht werden kann.

Dieses Modell habe ich Ihnen in Kapitel 3.1.7 bereits ausführlich dargestellt.

VOPA+-Modell
Das VOPA+-Modell (W. Buhse) hilft Ihnen bei der Definition von Bereichen, in denen Sie bei der digitalen Transformation aktiv als CFO agieren müssen, um einen durchdachten und organisierten Wechsel von einer hierarchischen Organisation hin zu einer vernetzten Umgebung zu begleiten.

Das VOPA+-Modell greift dabei, basierend auf Vertrauen, auf vier Felder zurück, die für eine vernetzte Führung wichtig sind.

Wichtig: VOPA+

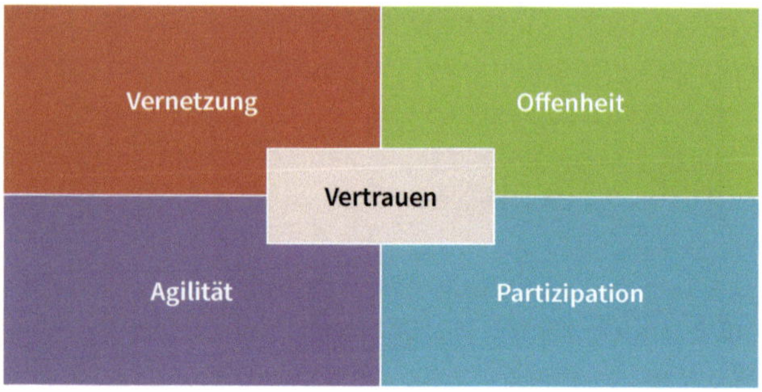

Die Grundlage für ein neues Führungsverständnis ist Vertrauen: Vertrauen in sich selbst, Vertrauen in andere. Definieren Sie dabei den Rahmen, in dem die von Ihnen geführten Mitarbeiter agieren können. Vertrauen Sie dabei Ihren Mitarbeitern und dem Netzwerk und lernen Sie, loszulassen. Dabei geht es nicht um die rigorose Abschaffung bisheriger Strukturen, sondern um eine spezifische Integration einer vernetzten Hierarchie.

Eine Vernetzung sollte über alle nur möglichen aktuellen und neuen Kanäle erfolgen. Ziel ist es, kollektive Intelligenz – Schwarmintelligenz – durch die Vernetzung von möglichst viel Wissen nutzbar zu machen.

Durch proaktive Informationsbereitstellung und Weitergabe sollte Offenheit gelebt werden. Eine konstruktive Problemlösung ist nur dann vollständig möglich, wenn alle Beteiligten über alle relevanten Informationen verfügen und diese transparent austauschen. Dabei muss das Bestreben nach eigenem, exklusivem Wissen, das uns Macht und Unentbehrlichkeit suggeriert, in den Hintergrund treten.

Und Offenheit bedarf der Partizipation. Und zwar der Partizipation von allen: Ihnen und Ihren Mitarbeitern. Partizipation dahingehend, im Rahmen eines klar spezifizierten Aufgaben-, Verantwortungs- und Kompetenzbereichs mitzuarbeiten. Partizipation aber auch dahingehend, Mitarbeiter bei relevanten Entscheidungen zu berücksichtigen. Und dies nicht nur als Alibi- bzw. Scheinpartizipation.

Die Bereitschaft, autonome Arbeit zu ermöglichen und zu fördern, ist ein wesentlicher Baustein von Agilität. Begangene Fehler werden von den vielen selbstorganisierten Teams erkannt, analysiert und nach Möglichkeit künftig vermieden. Dies setzt wie in vielen anderen Modellen auch grundsätzlich eine neue Fehlerkultur und Fehlertoleranz voraus.

Es ist Ihre Aufgabe, diese Werte gemeinsam mit Ihren Führungskräften vorzuleben. Jeden Tag. Nur dann besteht die begründete Annahme, dass sich dieses für die digitale Transformation notwendige Führungsverständnis auch im gesamten Unternehmen etablieren wird.

Prüfen Sie, welche konkreten Konsequenzen Sie für Ihr eigenes Handeln aus diesem Modell ableiten können. Wie genau werden Sie in Bezug auf diese fünf Bereiche Ihre Führung bewusst anpassen und neu agieren? Reflektieren Sie zeitnah, ob Sie durch Ihr verändertes Verhalten eine Verhaltensänderung bei Ihren Mitarbeitern oder ein kleines Stück neue Kultur wahrnehmen können. Falls dies für Sie nicht oder nicht ausreichend spürbar sein sollte, liegt es einzig an Ihnen, Ihr Verhalten Stück für Stück weiter so anzupassen, dass Sie von Ihrer Umwelt das zurückbekommen, was Sie von ihr erhoffen.

Design Thinking
Design Thinking (Larry Leifer, Terry Winograd, Larry Page) ist eine iterative Methode zur Lösung komplexer Probleme und zur Entwicklung neuer Ideen. Mit dieser Methode gelingt es Ihnen unter Berücksichtigung von Wirtschaftlichkeit, Machbarkeit und Zielorientierung eine sehr gute Lösung zu entwickeln.

Der Name der Methode leitet sich aus der Arbeitsweise von Designern ab, die einem intuitiven Prozess, der auf Beobachtung und Fokussierung basiert, folgen. Design Thinking ist Methode und Haltung zu gleich. Methode, weil Design Thinking Ihnen einen Prozess bietet, wie Sie Probleme mit Fokus auf den Kunden lösen können. Design Thinking erfordert aber auch eine gewisse Haltung, die sich im Wesentlichen durch folgende Merkmale charakterisieren lässt:

- Sie starten mit einem »Beginner Mind«.
- Erst das Problem verstehen, dann Lösungen entwickeln.
- Der Anfang steht im Fokus.
- Sie sind bereit, nicht tragfähige Ideen zu verwerfen.
- Sie sind erst fertig, wenn Ihre erfolgversprechende Idee implementiert ist.

Design Thinking lässt sich in vielen Bereichen anwenden. Mit der offenen, kreativen und gleichzeitig systematischen Herangehensweise bietet das Konzept ein strukturiertes Vorgehensmodell für Fragestellungen und Problembereiche. So können Sie Design Thinking auch für die Entwicklung neuer Services oder den digitalen Umbau Ihrer Organisation einsetzen.

Der in allen Bereichen iterative Prozess des Design Thinking teilt sich in sechs Phasen auf.

Wichtig: Die Phasen des Design Thinking – iterativ!

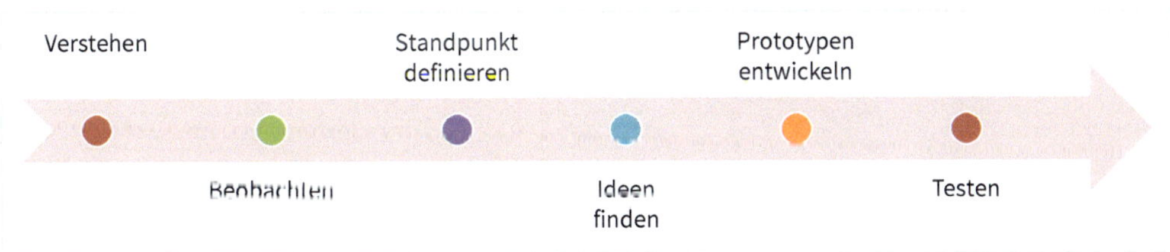

Phase 1 – Verstehen und das Problem definieren: Sie definieren die Ausgangssituation, das zu lösende Problem, und stellen sicher, dass alle Beteiligten ein gemeinsames Verständnis davon haben. Ziel dieser Phase ist es, die Problemstellung zu definieren und den Raum für eine potenzielle Lösung abzugrenzen. Das Produkt dieser Phase ist eine Aufstellung von Hypothesen, wie das Problem aus Sicht Ihrer Kunden empfunden wird.

Phase 2 – Beobachten und Kundenbedürfnisse verstehen: In dieser Phase geht es darum, die Bedürfnisse und Prioritäten Ihrer Kunden zu analysieren und zu verstehen. Idealerweise können Sie sich demonstrieren lassen, wie Ihr Kunde das Problem heute löst. Achten Sie dabei besonders auf improvisierte Lösungen. Diese sind ein Indiz dafür, dass Probleme besonders dringlich sind. Stellen Sie das Beobachten und Zuhören in den Vordergrund – getreu dem Motto: You want to help someone? Shut up and listen!

Phase 3 – Standpunkt definieren: In dieser Phase entwickeln Sie auf Basis Ihrer Annahmen und Beobachtungen einen konzeptionellen Rahmen, der den Lösungsraum absteckt und Ihren idealen Kunden definiert. Sie bringen die durch Ihre Analysen gewonnenen Eindrücke auf den Punkt. Im Vordergrund steht, sich eine konkrete Vorstellung über den Kreis von Nutzern zu machen, die im besonderen Maße von dem Problem betroffen sind, für das Sie eine Lösung entwickeln. Diese Gruppe wird als »Buying Persona« bezeichnet, wobei »buying« durchaus übergreifend verstanden werden sollte.

Phase 4 – Ideen entwickeln: Durch den folgenden Prozess entwickeln Sie gemeinsam mit Ihrem Team Ideen, wie Sie das Problem für die definierte Zielgruppe (Buying Persona) lösen möchten.

Arbeitshilfe: Ideen entwickeln

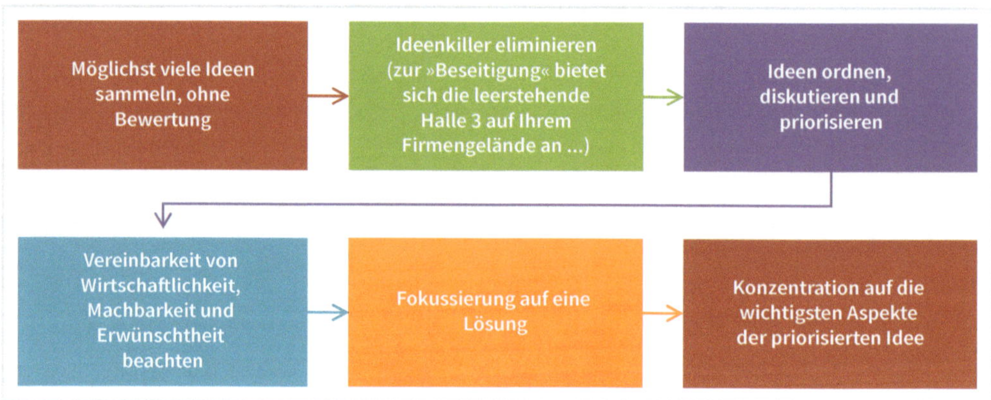

Phase 5 – Prototypen entwickeln: Nun ist es an der Zeit, Ihre priorisierte Idee in einen Prototypen zu überführen, also die Lösung zu modellieren.

Arbeitshilfe: Grundsätze des Prototyping

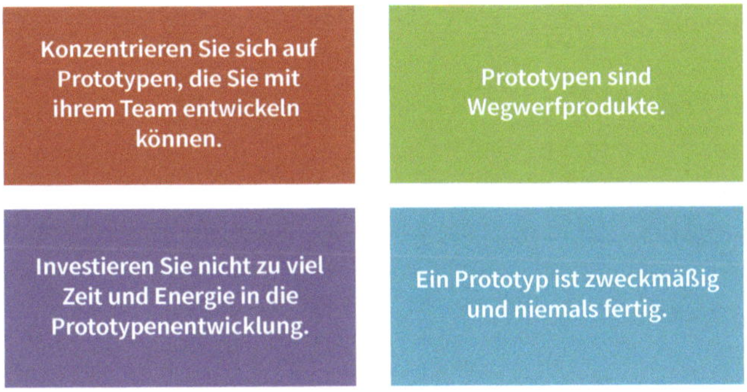

Phase 6 – Testen: Dem Kunden wird der Prototyp präsentiert. Ziel dieser Phase ist es, Feedback zu erhalten. Die Fragen des Kunden geben Ihnen wertvolle Einblicke, wie dieser mit Ihrem Prototypen umgeht, ob er diesen annimmt und welche Verbesserungsvorschläge er hat.

Abhängig davon, wie die Testphase abgeschlossen wird, heißt es nun –wie beim Spiel Monopoly – entweder »Zurück auf Los«, »Ziehen Sie eine Ereigniskarte« (wobei Sie hier im Gegensatz zu Monopoly das Ereignis, das Sie dem gewünschten Ziel näherbringt, selbst definieren müssen) oder im besten Fall »Implementieren«. Genau das ist das Spannende an einem iterativen Prozess.

Canvas-Modelle

Ein Canvas (Canvas = Leinwand) unterstützt Sie bei der Definition und Dokumentation unterschiedlichster Themen anhand von vorgegebenen Elementen. Das erste Canvas im geschäftlichen Umfeld geht auf das Business Model Canvas von Alexander Osterwalder und Yves Pigneur zurück. Alle anderen Canvas-Modelle sind aus diesem Business Model Canvas, das als Grundlage dient, abgeleitet, und dem Thema entsprechend angepasst worden.

Durch die Visualisierung in einem Canvas lassen sich viele einzelne Ideen baukastenartig zusammenfügen und zueinander in Beziehung setzen. Ein Canvas hat sich als effektive und originelle Methode erwiesen, um alle Beteiligten zum Nachdenken anzuregen. Es erfordert einen offenen Dialog und liefert nach der gemeinsamen Interaktion ein Gesamtbild.

Das jeweilige Canvas ist intuitiv verständlich, einfach aufgebaut und kaum erklärungsbedürftig. Zudem ist der organisatorische und materielle Aufwand gering. Die Bearbeitung eines Canvas-Modells fordert den Austausch im Team und die Teammitglieder setzen sich mit den jeweiligen Punkten und ihrer eigenen Rolle bewusst auseinander.

Bei größeren Gruppen empfiehlt sich eine kompetente Moderation, die jedoch nicht die Kreativität des »Befüllers« ausbremsen sollte. Weisen Sie Ideenkiller in ihre Grenzen!

Und so funktioniert's: In die einzelnen Felder tragen Sie zu jedem Schlüsselfaktor relevante Stichworte ein. Am besten notieren Sie diese auf Klebezetteln und kleben sie in das jeweilige Feld. So können Sie mit Ihren Ideen und Stichworten spielen, diese abnehmen, neue dazu hängen oder bestehende Stichworte in ein anderes Feld verschieben.

Eine der wichtigsten Regeln beim Ausfüllen eines Canvas ist, dass es keine Reihenfolge zu beachten gibt. Dort wo Aspekte gefunden werden, sollten Sie diese gleich eintragen. So können Sie zum Beispiel mit dem Element beginnen, zu dem Sie spontan eine Idee haben oder das ihnen am meisten zusagt. Wichtig ist, dass Sie am Ende ein konsistentes Bild erhalten. Dieses hilft Ihnen, Ihr jeweiliges Ziel zu erreichen.

Praxistipp

Beim Ausfüllen des Canvas geht es nicht um Perfektion oder Vollständigkeit. Konzentrieren Sie sich auf das Wesentliche, auf die Kernthemen und -antworten.

Nachfolgend stelle ich Ihnen die aus meiner Sicht für Sie als CFO wichtigsten Canvas-Modelle vor. Diese helfen Ihnen bei der Bewältigung der Herausforderungen im Rahmen der digitalen Transformation.

Wichtig: Canvas-Modelle – Übersicht

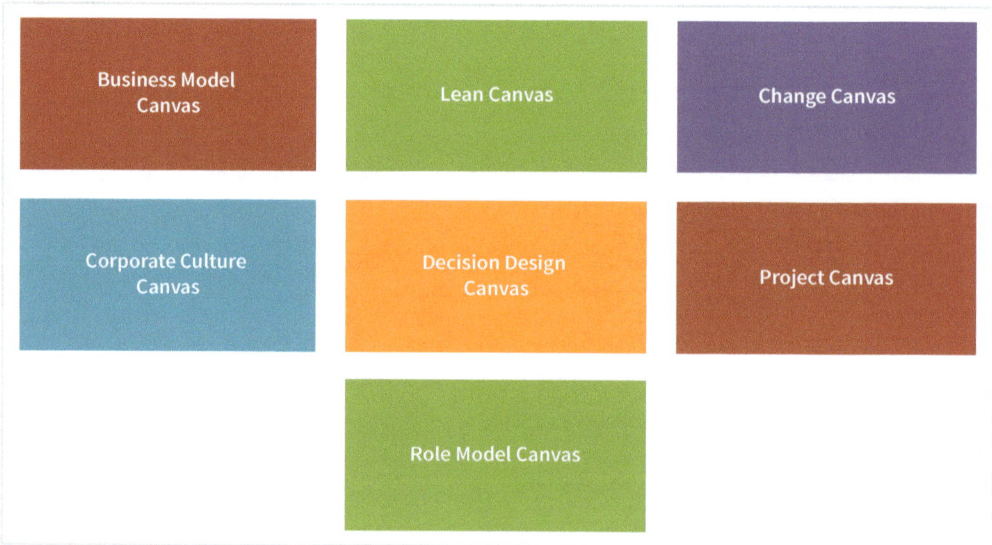

Business Model Canvas
Das Business Model Canvas (Alexander Osterwalder und Yves Pigneur) unterstützt Sie bei der Definition und Dokumentation Ihres Geschäftsmodells anhand von neun vorgegebenen Elementen. In den einzelnen Feldern werden zu jedem Schlüsselfaktor Stichworte notiert. In der Grafik habe ich bereits relevante Schlüsselfragen, die keinesfalls abschließend sind, in das Modell mit aufgenommen.

<table>
<tr><th colspan="5">Business Model Canvas</th></tr>
<tr><th>Schlüsselpartner
(Key Partners)</th><th>Schlüsselaktivitäten
(Key Activities)</th><th>Nutzenversprechen
(Value Properties)</th><th>Kundenbeziehungen
(Customer Relationship)</th><th>Kundentypen
(Customer Segments)</th></tr>
<tr><td>Wer sind unsere Schlüsselpartner?
Wer sind unsere Schlüssellieferanten?
Welche Schlüsselressourcen kommen von Partnern?
Welche Schlüsselaktivitäten kommen von Partnern

Vorteile von Partnerschaften
Verbesserung der Leistung
Einsparung von Kosten und Aufwand
Verringerung von Risiken und Unsicherheiten
Zugang zu Ressourcen und Leistungen</td><td>Welche Schlüsselaktivitäten erfordern:
unsere Nutzenversprechen?
unsere Vertriebs- und Kommunikationskanäle?
unsere Kundenbeziehungen?
unsere Einnahmequellen?

Kategorien
Produktion
Problemlösung
Plattform/Netzwerk</td><td>Welchen Nutzen bieten wir dem Kunden an?
Welches Kundenproblem helfen wir zu lösen?
Welches Produkt- bzw. Leistungspaket bieten wir an?
Welche Kundenbedürfnisse befriedigen wir?

Eigenschaften
neu
Leistungen
kundengerecht
Arbeitserleichterung
Design-Marke
Status
risikoarm
Preis
kostengünstig
verfügbar</td><td>Welche Art von Kundenbeziehung?
Welche haben wir bereits geschaffen?
Welches Produkt- bzw. Leistungspaket bieten wir an?
Welche Kundenbedürfnisse befriedigen wir?

Beispiele
persönliche Unterstützung
spezielle persönliche Unterstützung
Hilfe zur Selbsthilfe
automatisierte Dienstleistungen
Communities
kreative Partnerschaft</td><td>Wem bieten wir einen Nutzen an?
Wer sind unsere wichtigsten Kunden?

Massenmarkt
Nischenmarkt
ein Marktsegment
verschiedene Marktsegmente
vielseitige Plattformen</td></tr>
<tr><td rowspan="2"></td><th>Schlüsselressourcen
(Key Ressources)</th><td rowspan="2"></td><th>Vertriebs- und Kommunikationskanäle
(Channels)</th><td rowspan="2"></td></tr>
<tr><td>Welche Schlüsselressourcen benötigen wir für
unser Nutzenversprechen?
unsere Vertriebs- und Kommunikationskanäle?
unsere Kundenbeziehungen?
unsere Einnahmequellen?

Ressourcenarten
Produktionsmittel
Wissen (Patente, Markenschutz, Daten)
Personal
Finanzen</td><td>Über welche Kanäle wollen wir unsere Kunden erreicht werden?
Wie erreichen wir sie jetzt?
Wie funktionieren diese Kanäle gemeinsam?
Welche funktionieren am besten?
Welche sind besonders kostengünstig?
Wie können wir sie mit typischen Kundenaktivitäten in Berührung bringen?

Kanal-Phasen
1. Aufmerksamkeit: Wie können wir Aufmerksamkeit für unser Angebot erzeugen?
2. Bewertung: Wie helfen wir unseren Kunden dabei, unser Nutzenversprechen zu bewerten?
3. Kauf: Wie ermöglichen wir es Kunden, bestimmte Produkte und Leistungen zu kaufen?
4. Vertrieb: Wie liefern wir unser Nutzenversprechen an den Kunden?
5. Nach dem Kauf: Wie betreuen wir die Kunden nach dem Kauf?</td></tr>
<tr><th colspan="2">Kostenstruktur
(Cost Structures)</th><th colspan="3">Einnahmequellen
(Revenue Streams)</th></tr>
<tr><td colspan="2">Welches sind die wichtigsten Kosten im Geschäftsmodell?
Welche Schlüsselressourcen sind besonders kostenintensiv?
Welche Schlüsselaktivitäten sind besonders kostenintensiv?

Ist unser Geschäftsmodell eher
kostenorientiert (geringe Kosten, geringes Preis-Leistungs-Versprechen, maximale Automatisierung)?
Nutzenorientiert (Nutzenangebot im Vordergrund, Premium Nutzenversprechen)?</td><td colspan="3">Für welchen Nutzen sind unsere Kunden bereit, Geld auszugeben? Wofür geben Sie es derzeit aus? Wie bezahlen sie derzeit? Wie würden sie lieber bezahlen? Welchen Anteil haben die jeweiligen Einnahmequellen an den Gesamteinnahmen?

Arten
Verkauf, Nutzungsgebühr, Abonnement, Verleih/Vermietung/Leasing, Lizenzen, Vermittlungsgebühr, Werbung
feste Preise (Listenpreis, abhängig z.B. von den Produktionskosten, vom Kundensegment, von der Menge)
variable Preise (Verhandlungssache, ertragsabhängig, marktabhängig)</td></tr>
</table>

Das Lean Canvas (Ash Maurya) ist eine Weiterentwicklung des Business Model Canvas. Der Fokus liegt hier auf dem eigentlichen Produkt bzw. Service, das bzw. der gerade sehr frisch ist und in den Kinderschuhen steckt, und somit auf der initialen Umsetzungsphase neuer Produkt- bzw. Dienstleistungsideen. Es geht um das Was: Was setze ich um? Denn gerade in dieser frühen Phase stellen sich wichtige Fragen, auf die es aber vielleicht noch keine konkreten Antworten gibt. Zur Orientierung kann Ihnen die folgende Arbeitshilfe dienen.

Arbeitshilfe: Lean Canvas – initiale Umsetzungsphase

	Habe sehr gute Antwort	**Habe gute Antwort**	**Habe mangelhafte Antwort**	**Habe ungenügende Antwort**	**Habe keine Antwort**
Was setze ich um?	.	.	.	.	.
Wer sind die Partner, mit denen in Zukunft zusammengearbeitet wird?	.	.	.	.	.
Ist bekannt, wie die Schlüsselaktivitäten des Unternehmens aussehen?	.	.	.	.	.
Ist bekannt, wie die Schlüsselaktivitäten in der Finanzabteilung aussehen?	.	.	.	.	.
Ist bekannt, wie die Schlüsselaktivitäten für Sie als CFO aussehen?	.	.	.	.	.

Das Lean Canvas besteht aus neun Feldern: Problem, Lösung, Kennzahlen, Kosten, unfairer Vorteil, Vertriebs- und Kommunikationskanäle, Kundensegment, Einnahmequellen und Alleinstellungsmerkmale.

<table>
<tr><th colspan="5">Lean Canvas</th></tr>
<tr><th>Problem</th><th>Lösung</th><th>Kosten</th><th>Unfairer Vorteil</th><th>Kundensegment</th></tr>
<tr><td rowspan="3">Welches sind die drei wichtigsten Probleme?</td><td>Welche drei wichtigsten Lösungen bietet das Angebot?</td><td rowspan="3">Welche Kostenfaktoren gibt es?</td><td>Was ist der entscheidende Vorteil gegenüber der Konkurrenz?
Welche Eigenschaft erschwert es den Wettbewerbern, das Angebot zu kopieren?</td><td rowspan="3">Wer ist vom Problem betroffen?
Was sind die Zielgruppen?
Wer ist der idealtypische Kunde?
Wer ist der Zielkunde?</td></tr>
<tr><th>Kennzahlen</th><th>Vertriebs- und Kommunikationskanäle</th></tr>
<tr><td>Wie wird der Erfolg messbar?</td><td>Auf welchen Kommunikations- und Vertriebswegen können künftige Kunden erreicht werden?</td></tr>
<tr><th colspan="2">Einnahmequellen</th><th colspan="3">Alleinstellungsmerkmale</th></tr>
<tr><td colspan="2">Wie wird Umsatz generiert?
Mit welcher Höhe und Dauerhaftigkeit dieser Einnahmen kann gerechnet werden?</td><td colspan="3">Warum sollte die Zielgruppe das Angebot wahrnehmen?
Wie lautet der USP?
Was macht das Angebot so herausragend?</td></tr>
</table>

Nach Ash Maurya

Change Canvas

Das Change Canvas (Wouter Ten Have et al.) ist ein einfaches Werkzeug, um Veränderungsprozesse zu begleiten. Als grafische Darstellung verbindet es den Veränderungsprozess auf den Ebenen Strategie, Prozesse und Kultur. Das Change Canvas dient Unternehmen, Organisationsbereichen aber auch Individuen als Werkzeug zur Planung, Durchführung, Begleitung sowie Reflexion von Veränderungen.

Change Canvas

Dringlichkeit

Welche Notwendigkeit besteht zum Wandel?

Warum ist der aktuelle Zustand nicht mehr passend?

Welche krisenhafte Situation besteht?

Was ist der Auslöser für die Veränderung?

Ziele

Welche Ziele sind auf dem Weg zur Vision zu erreichen?

Welche Strategie ergibt sich zur Erreichung der Vision?

Vision

Was ist die Vision?

Wie sieht das Zielbild aus?

Beteiligte

Wer ist von der Veränderung direkt oder indirekt betroffen?

Erfolgsfaktoren

Wie wird der der Erfolg gemessen?

Wie tritt Veränderung/Erfolg ein?

Wann ist das Ziel erreicht?

Führung

Welcher Führungsstil ist notwendig?

Welche Begleitung wird eingesetzt?

Selbstverständnis

Welches eigene Verhalten ist notwendig?

Wie wird Commitment bei den anderen erzeugt?

Erfolge und Vorteile

Welche Vorteile bringt die Veränderung?

Welche Erfolge können erzielt werden?

Kommunikation

Wann und wo können Dialoge iniziiert werden?

Was muss wann an wen kommuniziert werden?

Maßnahmen

Welche Maßnahmen sind wann durch wen umzusetzen?

Welche Methoden werden eingesetzt?

Nach Wouter Ten Have et al.

Um eine Veränderung erfolgreich gestalten zu können, sollten Sie die nachfolgenden Punkte näher beleuchten.

Wichtig: Veränderung

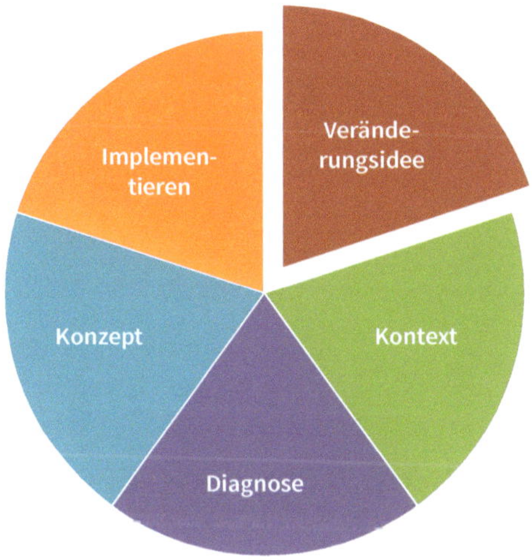

Das Stellen der richtigen Diagnose ist entscheidend und verhindert, dass an den falschen Dingen gearbeitet wird. Sie als CFO sollten darauf achten, dass diese wichtige Phase der Veränderung in Ihrer Organisation nicht übersprungen wird oder zu kurz kommt. Eine gute Diagnose ermöglicht es Ihnen, die Aufmerksamkeit auf die wirklichen Hindernisse zu lenken, und bietet Ansatzpunkte für die gezielte Arbeit an entsprechenden Fragestellungen mit Ihrem Team.

Corporate Culture Canvas

Das Corporate Culture Canvas[13] kann in allen Phasen einer Kulturentwicklung eingesetzt werden, insbesondere auch im Rahmen der digitalen Transformation. Denn diese setzt in vielen Bereichen eine Veränderung der Unternehmenskultur voraus. Mithilfe des Canvas können Sie die relevanten Eckpfeiler für eine Konkretisierung von kulturellen Veränderungsprozessen gemeinsam mit Ihren Führungskräften herausarbeiten oder ein Kulturentwicklungsprogramm planen.

Das Corporate Culture Canvas muss jedoch nicht zwangsläufig für große, übergeordnete Themen genutzt werden. Setzen Sie es ruhig auch für Ihr direktes Umfeld oder sogar für sich selbst ein, wenn Sie an kulturellen Themen, die Auswirkungen auf Ihr Umfeld haben, arbeiten möchten.

13 Vgl. bildwerkk GbR

Corporate Culture Canvas

Unternehmenssinn	Kultur-Vision	Unternehmensvision
Warum gibt es unser Unternehmen? Welchen Sinn soll unser Unternehmen für die Beteiligten, die Kunden, die Gesellschaft und/oder andere Gruppen erfüllen?	Was wollen wir grundsätzlich mit unseren Maßnahmen zur Entwicklung der Unternehmenskultur langfristig erreichen? Welche Kultur-Vision kann unsere Unternehmensvision und den Sinn des Unternehmens unterstützen?	Wie soll unser Unternehmen in fünf bis sieben Jahren am Markt stehen oder gesehen werden? Für welches Zielbild können wir uns begeistern?
Rückblick | Wertschätzung	**Kultur-Ziele**	**Hinderliches | Förderliches**
Wo kommen wir her? Wofür stehen wir? Was hat uns bisher geprägt? Was waren und sind wichtige Stationen und Erfolge der Unternehmensgeschichte? Welche Persönlichkeiten haben das Unternehmen bisher maßgeblich geprägt? Was war uns bisher wichtig?	Welche messbaren Ziele zeigen uns in den nächsten 12 Monaten, dass wir unserer Kultur-Vision näher kommen?	Was fördert die Weiterentwicklung unserer Kultur heute? Was könnte die Entwicklung behindern? Was macht uns zuversichtlich oder skeptisch, die Kultur-Vision und die Ziele zu erreichen?
Dringlichkeit	**Kultur-Strategie**	**Mitstreiter | Kritiker | Stakeholder**
Warum wollen oder müssen wir gerade jetzt unsere Unternehmenskultur weiterentwickeln? Was muss in Zukunft anders als in der Vergangenheit werden? Was gewinnen wir durch die Weiterentwicklung unserer Kultur?	Welche maßgeblichen Maßnahmen leiten wir aus den Kultur-Zielen ab und gehen wir kurz- bis mittelfristig an? Welche Strukturen & Prozesse, Aktivitäten & Programme und welchesVerhalten bzw. welche Kompetenzen müssen wir weiterentwickeln, um die Kultur-Ziele zu erreichen?	Wer kann, wird oder muss uns bei der Umsetzung von Kultur-Vision, Zielen und Strategien helfen? Wer wird gegen die Umsetzung in Opposition gehen?

Wertefundament	Artefakte
Was sind unsere langfristigen Überzeugungen und Grundannahmen? Welches sind die Kernwerte, die wir in unserem Unternehmen leben? Welche Werte sind wichtig, um die Kultur- und Unternehmensvision sowie den Sinn unseres Unternehmens zu erreichen?	Durch welche Dokumente oder andere Artefakte drückt sich unsere Kultur aus? Auf welchen Wegen vermitteln wir uns oder Dritten, was uns wichtig ist?

Nach bildwerkk® GbR

Decision Design Canvas

Das Decision Design Canvas (Marjolijn und Edwin Graaf) ist eine grafische Übersicht über vier Schritte des Entscheidungsmodells. Mithilfe des Canvas haben Sie alle Schritte der Entscheidungsfindung im Blick und stellen sicher, dass Sie nichts überspringen.

Praxistipp: Einsatzgebiete des Decision Design Canvas

Wie die anderen Canvas-Modelle auch hilft Ihnen das Decision Design Canvas dabei, die einzelnen Schritte getrennt, aber auch im Zusammenhang zu erfassen. Jeder Schritt im Entscheidungsprozess hat seinen eigenen Wert und leistet einen Beitrag zu der zu treffenden Entscheidung.

Durch das Decision Design Canvas rückt nicht nur die endgültige Entscheidung in den Vordergrund, sondern auch die Ergebnisse der einzelnen Schritte, die zu dieser Entscheidung geführt haben. Das Hervorheben dieser einzelnen Schritte ist auch im weiteren Umsetzungsprozess wichtig, denn so wird deutlich, wie es zu dieser gemeinsamen Entscheidung kam.

Achten Sie darauf, dass das Canvas nicht als einfache Ausfüllaufgabe betrachtet wird. Dies könnte dazu führen, dass Sie und Ihr Team sich zu sehr auf das Endergebnis konzentrieren und weniger offen für die verschiedenen Möglichkeiten und Lösungsansätze sind.

Wichtig: Decision Design Canvas

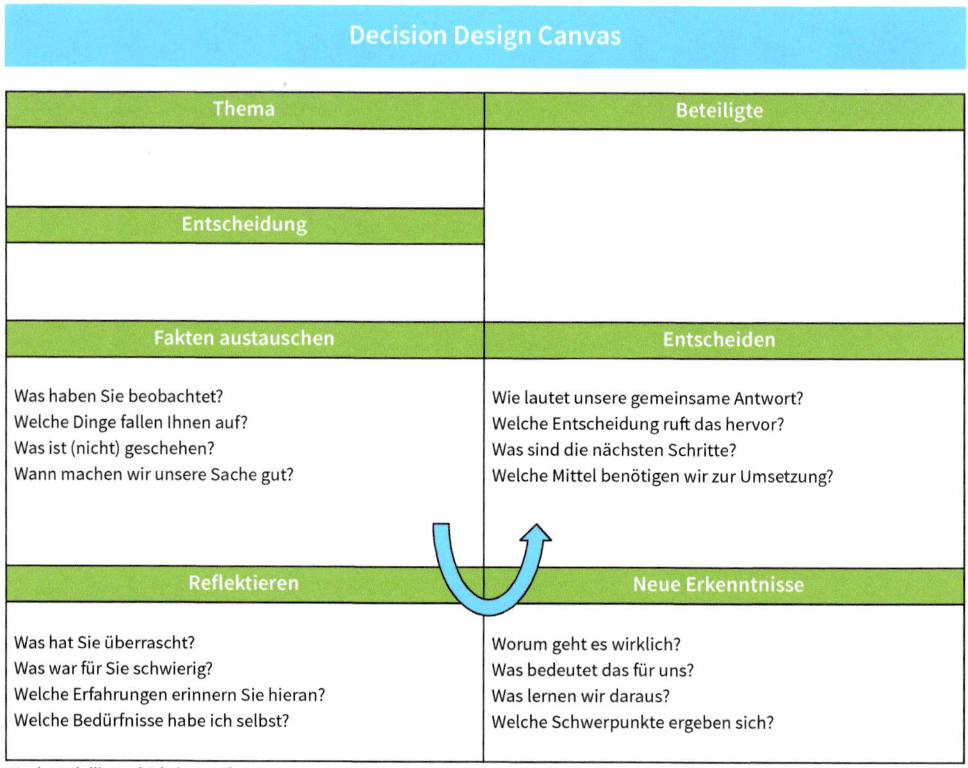

Nach Marjolijn und Edwin Graaf

Project Canvas

Das Project Canvas (Rudy Kor, Jo Bos und Theo van der Tak) enthält alle zentralen Rahmendaten eines Projekts. Auch hier sind diese in thematische Blöcke strukturiert, sodass sie schnell einen Überblick erhalten. Adressat ist der Auftraggeber des Projekts.

Praxistipp: Einsatzgebiete des Project Canvas

Das Projekt Canvas unterstützt Projektleiter und -teams dabei, dem Auftraggeber des Projekts, aber auch untereinander die richtigen Fragen zu stellen. So erhalten alle Beteiligten einen schnellen Überblick über die fünf W-Fragen eines Projekts.

Auch hier gibt es bei der Erstellung des Canvas keine ideale Vorgehensweise. Denn diese hängt wie bei den anderen Modellen von der eigenen Präferenz ab. Streben Sie keine Vollständigkeit an, sondern reduzieren Sie das Projekt auf seinen Kern.

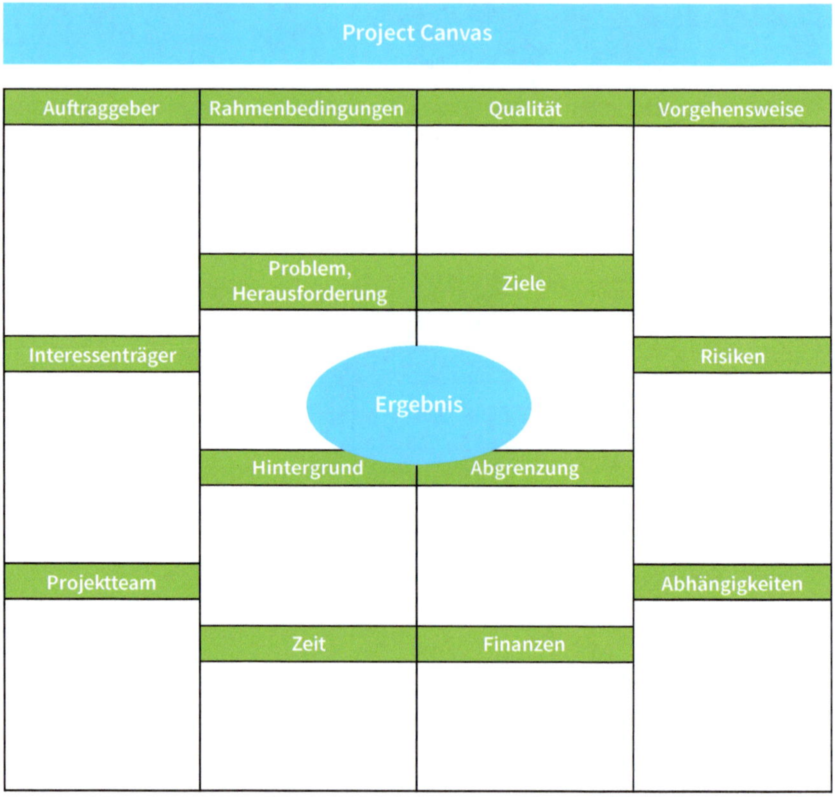

Nach R. Kor, J. Bos, T. van der Tak

Role Model Canvas

Das Role Model Canvas (Christian Botta) ist eine visuelle Methode zur klaren Definition von Rollen in Projekten, Teams und im Unternehmen. Die Bereiche des Canvas veranschaulichen Aufgaben, Verantwortliche und Ziele der jeweiligen Rolle.

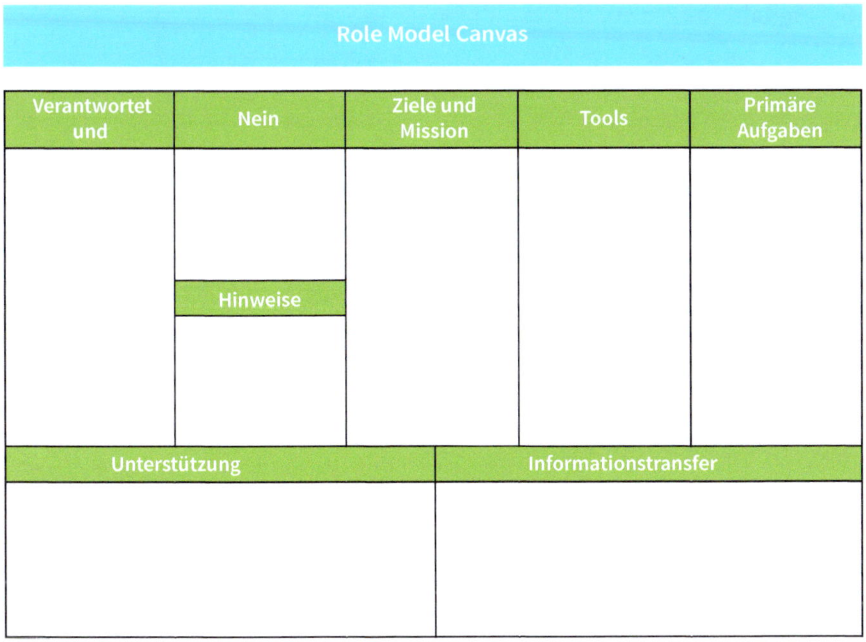

Nach C. Botta

Gerade im Rahmen der digitalen Transformation, wo es darum geht, entsprechende Rollenbilder und Aufgaben zu hinterfragen, neu zu gestalten oder umzubesetzen, ist dieses Tool sehr nützlich.

Praxistipp: Einsatzgebiete des Role Model Canvas

3.9.12 Die digitale Transformation top-down umsetzen

Sie wollen mit der digitalen Transformation tiefgreifende Veränderungen umsetzen. Dabei müssen Sie sich auch Gedanken darüber machen, wie Sie diesen Wandel umsetzen wollen. Von oben nach unten – oder von unten nach oben?

Beim Top-down-Ansatz, der in diesem Fall favorisiert werden sollte, legen Sie als Topmanagement die Veränderungen in Planungen fest und setzen diese um. Dabei geht es vor allem um das Vorleben und Vorangehen. Die anstehenden Veränderungen sollten von Ihnen an das mittlere Management weitergegeben und von diesem übernommen werden, damit alle Beteiligten ein einheitliches Verständnis entwickeln und dieses an die entsprechenden Mitarbeiter weitergeben können.

Es geht mir an dieser Stelle nicht nur um (un-)klare Vorgaben und Anweisungen durch das Topmanagement. Denn der Top-down-Ansatz hat die Herausforderung zu meistern, dass Vorgaben nicht als von oben diktiert angesehen werden und so auf unüberbrückbare Widerstände bei den Beschäftigten treffen. Mitarbeiter reagieren auf Veränderungen häufig erst einmal ablehnend, insbesondere wenn diese so tiefgreifend sind wie bei der Digitalisierung und jeder einzelne Mitarbeiter aufgefordert ist, sich selbst zu verändern. Mitarbeiter bilden im Laufe der Zeit eine persönliche Komfortzone, aus der heraus sie ihren Arbeitsalltag bewältigen. Um die Transformation aber mitzugestalten, müssen sie diese Komfortzone verlassen. Veränderung verursacht bei Menschen aber grundsätzlich Angst. Man weiß nicht was kommt und ob es dann noch so gut sein wird wie derzeit – auch wenn man keine Gelegenheit in der Kaffeeküche ausgelassen hat, über den aktuellen Zustand zu schimpfen.

Noch einer weiteren Herausforderung müssen Sie sich bei der Top-down-Umsetzung bewusst sein: Die Veränderungen, die von Ihnen als Topmanagement vorgelebt und etabliert werden sollen, kommen bei den Mitarbeitern der dritten und unteren Hierarchieebenen oft nicht mehr in ihrem ursprünglichen Sinne an. Dies kann zahlreiche Gründe haben. Entweder wird die Veränderung bei ihrer Weitergabe selbst verfälscht, oder die Begründung für die Veränderung wird verfälscht, was wiederum Widerstände begünstigt.

Beispiel: Stille Post

Sie können sich das wie auf einem Kindergeburtstag vorstellen, wenn beim Spiel »Stille Post« ein Satz auf den Weg geschickt wird und am Ende etwas völlig anderes herauskommt.

So kommt der Ausgangssatz:

»Wir alle lieben digitale Transformation und werden alles daran setzen, dass diese in neun Monaten vollständig in allen Bereichen umgesetzt wurde.«

beim letzten Spielteilnehmer folgendermaßen an:

»Vier Fallehieben minimale Transfusion, und werden alle darum hetzen, das miese in neun Monaten vollständig in allen Scheichen unbesetzt wurde.«

Dieses Phänomen der Stillen Post kristallisiert sich auch sehr häufig bei meiner Arbeit mit den unterschiedlichsten Ebenen in Unternehmen heraus: Wenn Topmanager in Workshops mit mir darüber klagen, dass ihre Strategie der Digitalisierung, die Umsetzungskonzepte etc. nicht verstanden und nicht umgesetzt werden, und sie nach einem Hebel suchen, diese in die Köpfe der Mitarbeiter hineinzubekommen, schildert mir die zweite Ebene im gleichen Unternehmen in einem anderen Workshop Folgendes: Sie wüssten überhaupt nicht, worin die Digitalisierungsstrategie und das Ziel der digitalen Transformation bestehe, und hätten aufgrund dessen, was sie tagtäglich erlebten, das Gefühl, es gebe gar keine Strategie auf Topmanagementebene. Sie gingen vielmehr davon aus, dass das Management ohne konkrete KPIs und – was noch viel schlimmer sei – ohne Verständnis für die praktische Umsetzung eine illusorische und überhaupt nicht zu realisierende digitale Umsetzung einfordere.

Die Wahrheit liegt bekanntlich irgendwo in der Mitte. Ein wichtiger Schlüssel dabei ist für mich das Thema Kommunikation: über alle Ihnen zur Verfügung stehenden Kanäle.

3.9.13 Bereitschaft für die Digitalisierung schaffen

Als CFO müssen Sie umsetzen und umarmen! Sie nehmen eine Schlüsselrolle dabei ein, in der gesamten Organisation Bereitschaft und Vertrauen für die digitale Transformation zu schaffen.

Die Herausforderung für Sie als CFO besteht darin, den eigenen Verständnismangel sowie das fehlende Verständnis bei Ihren Führungskräften anzugehen, um Ihre strategischen Prioritäten erfüllen zu können. Das betrifft insbesondere das fehlende Verständnis für den digitalen, intelligenten Aufbau von Technologien und anspruchsvolle Datenanalysen.

Wie schon erläutert, spielt auch Ihr Mindset eine wesentliche Rolle. Ist dieses auf Wachstum ausgerichtet, umarmen Sie als CFO die digitale Welt wesentlich schneller, als wenn Sie sich auf die organisatorische Transformation, die Kosteneffizienz oder das Risikomanagement konzentrieren. Dies schließt aber nicht aus, dass Digitalisierung ebenfalls zu einer potenziellen Kosteneffizienz und einer notwendigen und erfolgreichen operativen Transformation führen kann.

3.9.14 Die Rollenbilder im Finanzwesen wandeln sich

Die Rollenbilder im Finanzbereich wandeln sich. Neben den klassischen Aufgaben werden heute Finance Data Scientists, also Spezialisten für finanzanalytische Auswertungen, oder Financial Performance Consultants eingesetzt. Kaufmännisches Wissen und Accounting- und Controlling-Expertise müssen die Mitarbeiter im Finanzbereich aber weiterhin mitbringen. Fachwissen wird nicht obsolet werden, sondern weiterhin eine wichtige Bedeutung haben, da die Technologie keinen Selbstzweck darstellt. Dies stellt einen großen Spagat für Ihre Mitarbeit im Finanzwesen dar – und zwar zwischen:

1. Prozessverständnis,
2. Affinität zu IT-Systemen sowie
3. Know-how in Bezug auf Datenanalysen einerseits

und dem jeweiligen – aus heutiger Sicht – originären Fachwissen andererseits.

Das sind Kenntnisse und Eigenschaften, die Sie als CFO fordern und fördern müssen, auf die Sie aber auch im Recruiting neuer Mitarbeiter achten sollten. Die Organisation des Rechnungswesens wird im Zuge der Digitalisierung infrage gestellt und interdisziplinäre Teams aus Accounting, Controlling und IT sind gefordert.

3.9.15 Alte Welt – neue Welt

Der Mensch ist ein Gewohnheitstier. Die meisten von uns sind im Moment noch die alte – analoge – Welt gewöhnt. Sie als Führungskraft haben gelernt, sich in dieser Welt durchzusetzen und die für diese Welt als positiv betrachteten Organisationsstrukturen zu akzeptieren. Nun verlangt die digitale Transformation jedoch von Ihnen, für sich selbst und Ihr Team neue Arbeitsweisen zu implementieren. Und dies bei – noch – alten Organisationsstrukturen und Denkmodellen. Unabhängig davon, was sich bei Ihnen derzeit schneller dreht – die Arbeitsweise oder die Organisationsstruktur: Beides ist im Moment nicht aufeinander abgestimmt und greift nicht ineinander. Vom gewohnten Feintuning der alten Welt möchte ich erst gar nicht sprechen.

Als CFO ist es Ihre Aufgabe, diese Ungleichheiten zu erkennen, zu analysieren und entsprechende neue Strukturen für die neuen Arbeitsweisen zu schaffen und zu implementieren. Das, was sie dabei zu leisten haben, nennt sich Ambidextrie. Vom lateinischen »ambo« (beide) und »dextera« (rechte Hand) abgeleitet, bedeutet dieser Begriff »Beidhändigkeit« – und hebt die Wichtigkeit der Integration von Exploitation – Ausnutzung von Bestehendem – und Exploration – Erkundung von Neuem – hervor. Das ist genau das, was Ihre jetzige Situation beschreibt: Sie müssen gleichzeitig effizient und flexibel sein und Ihre beiden Hände mit gleicher Geschicklichkeit nutzen. Da ist auf der einen Seite die linke Hand, die das Management von Stabilität übernehmen soll, und auf der anderen Seite die rechte Hand, die die Komplexität managen muss.

Ihre Aufgabe ist es, den neuen von der Digitalisierung geprägten Arbeitsweisen die entsprechenden Organisationsstrukturen zuzuordnen. Und das unter sich ständig wandelnden Vorzeichen, welche Arbeitsweise denn nun für welchen Bereich und Prozess am stimmigsten ist. Sie sind dafür verantwortlich, in Ihren Bereichen die neue Welt zu gestalten und gemeinsam mit Ihrem Team aufzubauen.

Aber, wie eingangs erwähnt, sind wir Gewohnheitstiere. Das bedeutet, dass diese neue Welt ungewohnt ist, Angst macht und Widerstände hervorruft. Noch sitzt die alte Welt fest im Sattel, was wiederum bedeutet, dass es der alten Welt im Moment zum Teil noch sehr leichtfällt, die mühsam aufgebaute neue Welt wieder einzureisen. Die neuen Strukturen sind extrem zerbrechlich und oft genügen kleine, falsche Worte und Handlungen gegen diese neue Welt, um sie einstürzen zu lassen.

Wichtig: Digitale Transformation – das rohe Ei!

Gerade dieser Disput zwischen alter und neuer Welt lässt die digitale Transformation für Sie zu einem rohen Ei werden. Wenn Sie nicht aufpassen, zerbricht Ihnen das Ei und rinnt Ihnen durch die Hände. Selbst wenn Sie die Schale kleben könnten: Den Dotter und das Eiweiß bekommen sie nicht mehr ins Ei.

Und nun stellen Sie sich vor, dass Sie aufgrund der Schnelligkeit, die Ihnen die Digitalisierung abverlangt, mit dem rohen Ei einen Eierlauf mit Löffel durchführen. Ist Ihr Löffel deutlich größer als das Ei, sind Sie unschwer erkennbar im Vorteil. Problematisch wird es, wenn Sie einen kleinen Teelöffel verwenden müssen. Das erhöht Ihr persönliches Risiko, dass Ihnen das Ei herunterfällt und zerbricht.

Sie brauchen viel Diplomatie und Empathie. Viele Augen schauen auf Sie und die Menschen in Ihrem Umfeld haben die Erwartungshaltung, dass Sie ihre Gefühle berücksichtigen und sich in sie hineinversetzen. Vermeiden Sie deshalb Aussagen wie:

- »Stört nicht!«
- »Ihr könnt machen, was ihr wollt, aber ich entscheide!«
- »Der Ober sticht den Unter!«

Denn diese würden nur kaputte Eier auf dem Boden zu hinterlassen.

Seien Sie offen für das Neue, aber auch für die Menschen, die gemeinsam mit Ihnen diesen Weg gehen. Haben Sie keine Angst vor Widerworten oder Streit. Das gehört – leider – dazu. Versuchen Sie, Ihrem Team etwas von Ihren eigenen Ressourcen zurückzugeben. Seien Sie für Ihre Mitarbeiter da, beschäftigen Sie sich mit deren persönlichen Problemen, und tun Sie die Themen, die Ihnen vorgetragen werden, nicht lapidar ab.

Jeder in Ihrem Team hat seine Aufgabe und Funktion auf diesem zum Teil beschwerlichen und langen Weg. Und denken Sie daran: Ohne Wasserträger verdurstet das gesamte Team.

3.9.16 Digitale Transformation – Bazillus im Unternehmensblut

Wie in den vorhergehenden Kapiteln beschrieben, ist die digitale Transformation für Ihre komplette Organisation ein Fremdkörper. Mir kommt es oft so vor, als werde die digitale Transformation und alle daran beteiligten Personen als Bazillus im Unternehmensblut behandelt. Die alte Welt – in dieser Metapher Ihr Unternehmenskörper – bekommt schon beim Gedanken an digitale Transformation Schweißausbrüche und würde sich am liebsten krankschreiben lassen. Das Fieber steigt und die Symptome werden an allen Ecken und Enden sichtbar: Ausschlag hier, Pusteln dort, Magenkrämpfe, und ohne Vorwarnung treten hohes Fieber, Abgeschlagenheit, Schüttelfrost, Schweißausbrüche, Kopfschmerzen, Halsschmerzen und Hustenreiz auf. Meist kommen noch Lichtscheue und Geräuschempfindlichkeit hinzu. Es fühlt sich an, als sei ein kleiner Amokläufer in Ihrem Unternehmenskörper unterwegs.

Sie sind nun Doktor und Immunsystem zugleich. War das nicht schon immer ihr Traumberuf? Eigentlich wollten Sie doch nur der Herr – oder Frau – der Zahlen sein. Aber sind sie das wirklich: Doktor und Immunsystem zugleich? Ich würde eher behaupten, dass Sie der Treiber, Impulsgeber und Initiator der digitalen Transformation sind. **Also der Bazillus!**

Tja, und jetzt? Spüren Sie schon die Widerstände des Immunsystems, das gegen Sie kämpft? Die vielen Tabletten und Medikamente, die Ihrem Unternehmen verschrieben wurden? Meist von Prof. Dr. Dr. McKinsey & Co., der aber noch nie selbst Unternehmensbazillus war und daher auch nicht weiß, wie es sich anfühlt, ein solcher zu sein, Ihnen aber dennoch wissenschaftlich fundiert und mit ausgebufften Methoden die Medizin zur Heilung reicht. Diese schmeckt allerdings meist nicht gut und ist extrem teuer.

Fazit

Achten Sie darauf, dass Sie mit Ihren Methoden und Konzepten zur Bewältigung der digitalen Transformation ein Bazillus sind, den der Unternehmenskörper noch vertragen kann. Denn Sie wissen ja, was ein Körper mit Unverträglichkeiten macht, die ihm Magenkrämpfe und Schweißausbrüche bescheren. Er will sie schnellstmöglich wieder loswerden.

Das Folgende nehmen Sie bitte nicht persönlich, ich spreche selbstverständlich von anderen: Der Körper kotzt es aus oder lässt es an anderer Stelle auf schnelle Art und Weise entgleiten.

3.9.17 Ashby's Law – die Handlungsvarietät erhöhen

Nachdem Sie bestimmt kein zerstörerischer Bazillus sein möchten, möchte ich Ihnen ein paar Gedanken von William Ross Ashby nahebringen. Seine als Ashby's Law bekannt gewordene Gesetzmäßigkeit aus der Kybernetik besagt, dass ein System, das ein anderes steuert, umso mehr Störungen im Steuerungsprozess ausgleichen kann, je größer seine eigene Handlungsvarietät ist. Als Varietät wird die Zunahme an Wirk-, Handlungs- und Kommunikationsmöglichkeiten eines Systems bezeichnet. Nach Ashby dient die Varietät der Messung der Komplexität eines Systems. Damit das System die Steuerung ausführen kann, muss die Varietät des Steuerungssystems mindestens so groß sein wie die Varietät der auftretenden Störungen.

Was bedeutet das für Sie als CFO? Ich möchte Ihnen damit veranschaulichen, dass Sie den von Ihnen geführten Prozess der digitalen Transformation, bei dem es zu teils heftigen Störungen im Unternehmenssystems, aber auch im Umweltsystem kommen kann und wird, durch einen entsprechenden Steuerungsprozess ausgleichen müssen, der eine höhere Handlungsvarietät aufweist als das eigentliche System. Klingt etwas abstrakt, deshalb sollen Ihnen die nachfolgenden zwei Beispiele meine Gedanken veranschaulichen.

Beispiele: Ashby's Law übertragen auf Sie als CFO in der digitalen Transformation

1. Stellen Sie sich vor, die digitale Transformation ist eine Brücke über eine fünf Kilometer lange Schlucht. Damit die Schwankungen dieser Brücke durch das von Ihren Ingenieuren eingebaute Sicherungssystem abgefangen werden – und die Brücke nicht einstürzt –, muss das Sicherungssystem eine höhere Handlungsvarietät aufweisen als die Brücke selbst. Sie sind als CFO nun gefragt, für die digitale Transformation ein Sicherungssystem vorzuhalten und zu implementieren, das die Schwankungen in dem von Ihnen verantworteten System – dem Prozess der Digitalisierung – ausgleichen kann. Neben dem Errichten des eigentlichen Sicherungssystems wird die darin bestehen, mögliche Gründe für den Einsturz Ihrer Digitalisierungsbrücke zu antizipieren, um daraus geeignete Sicherungsmaßnahmen mit höherer Handlungsvarietät ableiten zu können.
2. Oder vergleichen Sie den Prozess der Digitalisierung mit der Regelungstechnik eines Thermostats. Das Thermostat vergleicht den Istwert eines Thermometers mit dem Sollwert, der als gewünschte Temperatur eingestellt wurde. Eine Abweichung zwischen diesen beiden Werten veranlasst den Regler im Thermostat, die Wärmezufuhr – in aller Regel die Durchflussmenge – so zu regulieren, dass sich der Istwert dem Sollwert angleicht. Transformiert auf Ihre Situation bedeutet dies, dass Sie quasi das Thermostat im Prozess der digitalen Transformation darstellen müssen, um so die Durchflussmenge, zum Beispiel die Projektanzahl und Projektumfänge, zu regulieren. Diese Durchflussmenge darf weder zu hoch noch zu niedrig sein. Neben der Funktion des Thermostats übernehmen Sie aber auch das Einstellen des Thermostats und legen den Sollwert für Ihr Team fest. Aber Vorsicht: Achten Sie darauf, ein sensibles Thermostat einzubauen, und beobachten Sie, was minimale Veränderungen des Sollwerts am Thermostat bewirken. Denn Sie wollen sicher nicht, dass Ihr Team vor lauter Schwitzen nicht mehr atmen und arbeiten kann.

Fazit

Machen Sie sich Gedanken darüber, wie Ihr Sicherungssystem konkret ausgestaltet sein muss, damit die im Zuge der digitalen Transformation auftretenden Schwankungen nicht zum Einsturz des kompletten Systems führen.

3.9.18 Mit Fehlern umgehen

Wie Sie mit Fehlern umgehen, ist grundlegend für Ihren Erfolg als CFO. Und das gerade deshalb, weil wir als Finanzexperten zu absoluter Genauigkeit erzogen wurden. Vieles dreht sich in unserer Fachsprache um den »scope«, also die maximalen Fehler, die wir gerade noch als tolerierbar hinnehmen, ehe wir den Schluss ziehen, dass das vorliegende Ergebnis mit hoher Wahrscheinlichkeit falsch ist. Irgendwo tief in uns drin steckt das Jagen nach Nachkommabeträgen.

Deshalb braucht es ein Umdenken. Einen Wandel in der Fehlerkultur! Klingt sinnvoll und logisch, erfordert aber wie alle Veränderungen von kulturprägenden Aspekten viel Zeit. Doch es lohnt sich, diesen Wandel zu durchlaufen. Auch hier ist es Ihre Aufgabe, als CFO voranzugehen.

Fehlermanagement und Fehlerkultur

Häufig werden die Begriffe »Fehlermanagement« und »Fehlerkultur« synonym verwendet, doch sie unterscheiden sich in ihrer Bedeutung:

1. Fehlermanagement ist das Steuern von Handlungen, die im Umgang mit Fehlern ausgeführt werden sollen. Ziele sind die Fehlervermeidung und die Qualitätssicherung. Oft wird mit systematischen Prozessen und Methoden gearbeitet und sehr oft herrscht eine Fehlervermeidungskultur.
2. Fehlerkultur beschreibt hingegen den Umgang mit Fehlern und Misserfolgen innerhalb einer Gruppe von Menschen. Welche Reaktionen gibt es auf Fehler? Werden Fehler aus Sorge vor negativen Folgen eher vertuscht oder offen besprochen? Werden Fehler bestraft oder gemeinsam konstruktiv verwertet? Akzeptiert man Fehlerrisiken, weil die Methode »Trial and Error« der Weiterentwicklung dient? Oder ist es tabu, sichere Wege zu verlassen?

Für Ihren eigenen Erfolg ist es wichtig, eine konstruktive Fehlerkultur, die Fehler akzeptiert und zur Weiterentwicklung nutzt, vorzuleben und für Ihr Team zu prägen. Denn die Themen, die Sie im Rahmen der digitalen Transformation zu bearbeiten haben, sind ohne Fehler kaum zu bewältigen. Fehlerkultur hat aus diesem Grund auch grundsätzlich Vorrang vor Fehlermanagement. Dabei sollte klar sein: Fehler zu machen ist verzeihbar – sie Vorgesetzten und/oder Kollegen nicht mitzuteilen wiegt hingegen schwer.

Führungskräfte sehen hier oft deutlich weniger Handlungsbedarf als ihre Mitarbeiter. Doch auf die Wahrnehmung der Mitarbeiter kommt es an. In Teams wird über Fehler gesprochen, jedoch gibt es nach oben und unten deutliche Tabus und Kommunikationsbarrieren. Das Team weiß Bescheid, doch der Chef ahnt nichts – oder umgekehrt.

Seien sie also kritisch bei der Bewertung der Fehlerkultur in Ihrem Bereich bzw. im Gesamtunternehmen. Bei den Mitarbeitern rennen Sie mit einer positiven Fehlerkultur offene Türen ein. Als Führungskraft sind Sie gefragt, diese – auch für Sie und das Unternehmen – förderliche Kultur ins Leben zu rufen.

In der heutigen Zeit müssen Sie als CFO Veränderungen initiieren, Innovationen anstoßen und Ihre Mitarbeiter dazu einladen und ermutigen, die Dinge neu und anders zu machen. Wichtig dafür ist der Umgang mit dem Scheitern, denn wer viel Neues wagt, wird auch viel tun, was nicht erfolgreich ist.

Aber wieso wird eine positive Fehlerkultur immer wichtiger? In der jetzigen digitalen Translationsphase passiert immer häufiger Unvorhergesehenes, auf das Sie mit Ihrem Team schnell reagieren müssen. Es ist nicht abzusehen, ob das, was Sie heute tun, morgen noch zu den Anforderungen passt. Normalerweise neigen Mitarbeiter dazu, sich ausgesprochen vorsichtig zu verhalten, um um jeden Preis zu vermeiden, dass Fehler ans Tageslicht kommen. Dabei bedienen sie sich bewährter Strategien.

Wichtig: Vorsichtiger Umgang mit und Vermeidung von Fehlern

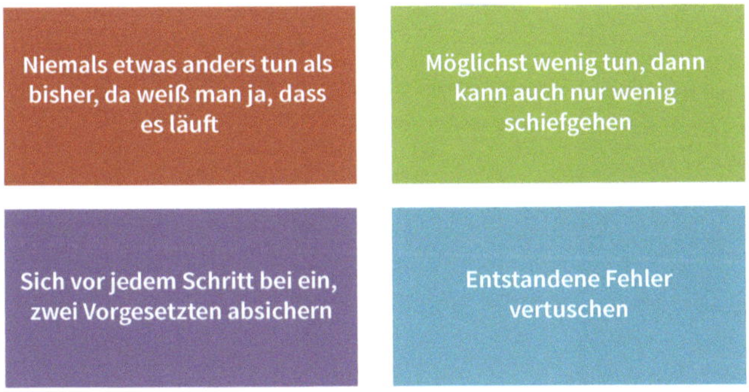

Das ist nicht gut, denn über Fehler sollte man reden können. Um dies zu erreichen, können Sie sich etwas bei den agilen Arbeitsformen abschauen. Beim iterativen Vorgehen werden Veränderungen schon in einen Prozess einbezogen, bevor sie überhaupt geschehen sind. Der Prozess wird so gestaltet, dass Veränderungen und Anpassungen jederzeit möglich sind. Innerhalb der Iterationsphasen wird über einen kurzen, überschaubaren Zeitraum gearbeitet. Danach wird gemeinsam beobachtet, welche Parameter sich geändert haben und welche Reaktionen es auf bereits erarbeitete Lösungen gegeben hat. Wurden alle Ergebnisse berücksichtigt, beginnt die nächste Iterationsphase. Es kann auch bedeuten, dass Sie experimentieren, etwas ausprobieren und sich dann zeitnah das Feedback von Stakeholdern und Ansprechpartnern einholen. Hieraus leiten Sie ab, wie Sie weiter verfahren, ob Ihre Idee weiterentwickelt und angepasst oder ad acta gelegt wird.

Im kreativen Bereich gibt es die sogenannte 9er-Regel. Diese besagt, dass neun von zehn Ideen nicht gut sind – im Umkehrschluss also nur eine von zehn Ideen gebraucht werden kann. Aus diesem Grund werden in kreativen Prozessen mittels Brainstorming viele Ideen produziert. Denn um an die 10 % guten Ideen zu kommen, müssen Sie 90 % Ideen zulassen, die nicht zum gewünschten Erfolg führen. Sie werden also nicht innovativ und schon gar nicht disruptiv sein, wenn Sie nicht den Mut haben, Dinge auszuprobieren und zu scheitern. Im Grunde brauchen Sie eine Kultur, die genau das feiert: Fehlversuche und Scheitern.

Eine konstruktive Fehlerkultur etablieren

Das Wichtigste vorweg: Eine Fehlerkultur zu verändern braucht Zeit, viel Zeit! Mitunter fünf bis zehn Jahre. Aber auch kleinere Schritte, die vermeintlich unbemerkt bleiben, können eine große Wirkung erzielen. Jeder Trippelschritt lohnt sich für Sie, Ihr Team und das gesamte Unternehmen.

Nachfolgender Praxistipp soll Ihnen als Leitfaden dienen, eine konstruktive Fehlerkultur bei sich selbst, in Ihrem Team, aber auch im gesamten Unternehmen zu etablieren. Wie so oft im Leben gilt auch hier: Gehen Sie kleine Schritte und beginnen Sie bei Themen, bei denen Sie sich wohlfühlen. In der Spalte »Möchte ich verbessern« sollten Sie maximal fünf Themen markieren, die Ihrer Einschätzung nach die höchste Wirkung auf die Etablierung einer konstruktiven Fehlerkultur haben.

Praxistipp: 36 Tipps zur Etablierung einer konstruktiven Fehlerkultur

	Sehr gut ausgeprägt	Gut ausgeprägt	Weniger ausgeprägt	Bescheiden ausgeprägt	Möchte ich verbessern
1. Seien Sie ein Vorbild im Umgang mit Fehlern.	.	.	.	.	
2. Loben Sie den offenen Umgang mit Fehlern.	.	.	.	.	
3. Seien Sie freundlich und wertschätzend, wenn Fehler gemacht wurden oder ein Experiment gescheitert ist.	.	.	.	.	
4. Benennen Sie eigene Fehler.	.	.	.	.	
5. Gehen Sie mutig voran.	.	.	.	.	
6. Zeigen sie, dass Sie nicht unfehlbar sind.	.	.	.	.	
7. Üben Sie sich im Geben von Feedback.	.	.	.	.	
8. Üben Sie sich im Empfangen von Feedback.	.	.	.	.	
9. Sorgen Sie dafür, dass Feedback alltäglich wird.	.	.	.	.	
10. Bleiben Sie offen.	.	.	.	.	
11. Signalisieren Sie, dass Sie ansprechbar sind, wenn es zu Fehlern, Misserfolgen oder Unerwartetem kommt.	.	.	.	.	
12. Haben Sie erreicht, was sSe sich in der vergangenen Iterationsphase vorgenommen haben? Warum? Warum nicht?	.	.	.	.	
13. Sind Sie in Bezug auf Zeit, Kosten, Arbeitsleistung im gesetzten Rahmen geblieben? Warum? Warum nicht?	.	.	.	.	
14. Was hat gut funktioniert? Was nicht?	.	.	.	.	
15. Wie können Sie das optimieren, was noch nicht läuft?	.	.	.	.	
16. Leben Sie, dass Ausprobieren keine perfekten Ergebnisse bringen muss.	.	.	.	.	
17. Legen Sie gemeinsam mit Ihrem Team eine »Definition of done« fest: Wie viel Perfektion ist gefragt? Was bedeutet für uns »done«? Wann sind wir fertig?	.	.	.	.	
18. Sorgen Sie für Transparenz.	.	.	.	.	
19. Legen Sie fest und kommunizieren Sie, was genau bei einem Fehler passiert.	.	.	.	.	
20. Klären Sie, wer Ansprechpartner bei welchen Fehlern ist.	.	.	.	.	

	Sehr gut ausgeprägt	Gut ausgeprägt	Weniger ausgeprägt	Bescheiden ausgeprägt	Möchte ich verbessern
21. Erklären Sie, welche Schritte auf Fehler folgen.	·	·	·	·	·
22. Ermöglichen Sie Ihrem Team, aus den Fehlern der anderen zu lernen.	·	·	·	·	·
23. Machen Sie auch Fehler seitens der Mitarbeiter transparent.	·	·	·	·	·
24. Analysieren sie Fehler sachlich	·	·	·	·	·
25. Nehmen Sie keine Schuldzuweisungen vor.	·	·	·	·	·
26. Klären Sie sachlich, was schiefgelaufen ist, warum der Fehler entstanden ist und was verbessert werden kann.	·	·	·	·	·
27. Sorgen Sie für Veränderung.	·	·	·	·	·
28. Feiern Sie Fehler.	·	·	·	·	·
29. Veranstalten sie sogenannte Fuck-up-Nights, in denen jeder über seinen Misserfolg berichtet, damit daraus gelernt werden kann.	·	·	·	·	·
30. Etablieren Sie Lernrunden über alle Ihre CFO-Bereiche hinweg.	·	·	·	·	·
31. Akzeptieren Sie Ihre eigenen Fehler und Lernprozesse. Ärgern Sie sich nicht über Fehler, sondern lernen Sie daraus.	·	·	·	·	·
32. Haben Sie Geduld mit sich.	·	·	·	·	·
33. Probieren Sie aus.	·	·	·	·	·
34. Sie müssen nicht perfekt sein.	·	·	·	·	·
35. Wenn Sie merken, dass Ihre Mitarbeiter in ein altes Muster zurückfallen, sprechen Sie es an.	·	·	·	·	·

3.9.19 Die Digitalisierung meistern

Fakt ist, dass die Digitalisierung auch im Finanzbereich enorme Vorteile bieten kann – wenn sie denn richtig verstanden und in Arbeitsprozesse implementiert wird. Klar ist aber auch, dass der digitale Wandel eine enorme Herausforderung darstellt. Unternehmen aller Größen und Branchen stehen unter Zugzwang und wollen den Anschluss nicht verlieren. Der Wettbewerb verschärft sich.

Als CFO müssen Sie überlegen, in welchen Fällen Sie Daten zur Geschäftssteuerung schneller und vielleicht sogar in Echtzeit brauchen. Dabei müssen Sie differenzieren, was nur »schick« ist und was wirklich relevant ist und Mehrwert schafft. Denn für effizientes Arbeiten, Prozessoptimierung und Echtzeit-Lösungen müssen gewohnte und langjährige Prozesse und Routinen aufgebrochen werden. Der Zeitaufwand dafür kann je nach Aufgabe und Abteilung riesig sein. Denn letztlich stehen im Fokus der Umsetzung und Umsetzungsgeschwindigkeit Ihre Mitarbeiter sowie die für die Abteilungen verantwortlichen Führungskräfte. Diese müssen geschult und eingearbeitet, aber unter Umständen auch stärker kontrolliert werden.

Auch wenn dies oft als erstes Argument in Diskussionen angeführt wird, bedeutet Automatisierung nicht zwingend den Abbau von Arbeitsplätzen, sondern erlaubt es Unternehmen oftmals, die menschliche Arbeitskraft für Sinnvolleres einzusetzen. Statt hauptsächlich händisch Zahlen zu erstellen, kontrollieren und erklären die Mitarbeiter zukünftig Zahlen, was wesentlich wichtiger und für die Mitarbeiter auch viel interessanter ist.

Für die Umsetzung der digitalen Transformation brauchen sie ein klares Konzept. Und selbstverständlich auch Budget. Denn auch wenn die digitale Transformation – auch im Finanzwesen – Kosten einsparen soll und wird, sind die Investitionen und das investierte Kapital zu anfangs sehr hoch.

Die im Praxistipp aufgeführten 18 Schritte müssen Sie – mindestens – für eine erfolgreiche digitale Transformation angehen. In den folgenden Unterkapiteln werde ich auf einige dieser Themen genauer eingehen.

Praxistipp: 18 Schritte für eine erfolgreiche digitale Transformation

3.9.19.1 Eine digitale Vision entwickeln

Eine digitale Vision ist die motivierende, positiv formulierte Vorstellung des idealen digitalen Soll-Zustands Ihres CFO-Bereichs. Sie Vision bringt zum Ausdruck, wie Sie den CFO-Bereich nach Abschluss der digitalen Transformation idealerweise sehen. Jetzt werden Sie vermutlich einwenden: »Die digitale Transformation ist doch nie vorüber!« Da gebe ich Ihnen recht. Nichtsdestotrotz werden zumindest die Themen, die zukünftige und darauf aufbauende Weiterentwicklungen ermöglichen, nach unserem heutigen digitalen Verständnis zur Selbstverständlichkeit gehören. Die Vision verschafft Ihnen eine klare und plastische Vorstellung von der langfristigen Ausrichtung Ihres Bereichs. Sie dient allen Mitarbeitern als Leitfaden und unterstützt sie bei der Entscheidungsfindung.

Denken Sie an das Buch 1984 (Nineteen Eighty-Four) von George Orwell. Dieses wurde in den Jahren 1946 bis 1948 geschrieben und erschienen 1949. Doch das Jahr, über das Orwell schrieb, war erst 36 Jahre später. Doch als wie erschreckend realistisch erwiesen sich die Vorstellungen des Autors dann 1984 tatsächlich– und sind es heute noch. Der Titel enthält den Zifferndreher der Jahreszahl 1948 zu 1984 als Anspielung auf eine zwar damals noch fern erscheinende, aber doch eng mit der damaligen Gegenwart verknüpften Zukunft.

Auch bei der Entwicklung Ihrer Vision können Sie 10 bis 15 Jahre in die Zukunft gehen. Zunächst sollte Sie das für sich allein tun. Dabei heißt, eine Vision zu entwickeln, gezielt und strukturiert an die Sache heranzugehen, um die sich bietenden Chancen zu identifizieren. Dies beinhaltet insbesondere:

1. einen strukturierten Ansatz
2. das Einbinden von wichtigen Stakeholdern aus dem Senior-Management-Team

3. ein durchdachtes Vorgehen mit dem Ziel, Veränderungen und deren Auswirkung zu verstehen
4. eine strategische Stoßrichtung, um erfolgversprechende Felder zu identifizieren

Und machen Sie den Kuchen ruhig groß. Geben sie der Rezeptur alle Zutaten hinzu, die Sie schon immer einmal in Ihrem Kuchen haben wollten. Es ist Ihr Rezept – es ist Ihr Kuchen! Denken Sie nicht zu klein. Machen Sie die Dinge für Ihre Vision weit. Und hören Sie nicht auf Bedenkenträger und Neinsager.

Praxistipp

Seien Sie bei Ihrer Vision nicht nur ein bisschen digital! Seien Sie so digital, dass es digitaler nicht mehr geht – denn ein bisschen digital geht nicht.

PS: Es sei denn, Sie haben digitale Magenkrämpfe bekommen, womit wir wieder beim Thema Bazillus und seinen Folgen wären. Dann einfach nochmal Abschnitt 3.9.16 lesen.

Gleichzeitig müssen Sie sicherstellen, dass Ihr Kuchen auch anderen schmeckt. Es bringt nichts, wenn Sie schon immer einmal einen Chili-Digi-Kuchen backen wollten, der vielleicht lecker aussieht, vom dem aber außer Ihnen keiner kosten möchte. Dann sind Ihre investierte Zeit und die ganzen guten Zutaten umsonst gewesen. Am Ende verschimmelt Ihnen der Kuchen noch und Sie müssen ein großes Stück davon wegschmeißen. Das wäre dann wirklich ineffizient und mit Sicherheit nicht nach Ihrem Geschmack. Und schon gar nicht nach dem Geschmack Ihrer Stakeholder.

Und dann ist da auch noch der Preis, den Sie für die Änderungen an Ihrer Vision bezahlen. Denn: Im Leben ist nichts umsonst. Machen Sie sich auch Gedanken darüber, welchen Preis Sie und Ihr Unternehmen dafür bezahlen müssen und wie dieser Preis sich mit Ihrem Kuchen die Waage hält. Richtig blöd wäre natürlich, wenn keinem der Kuchen schmeckt und der Preis hoch ist.

Wichtig: Digitalisierungskuchen – und dessen Preis

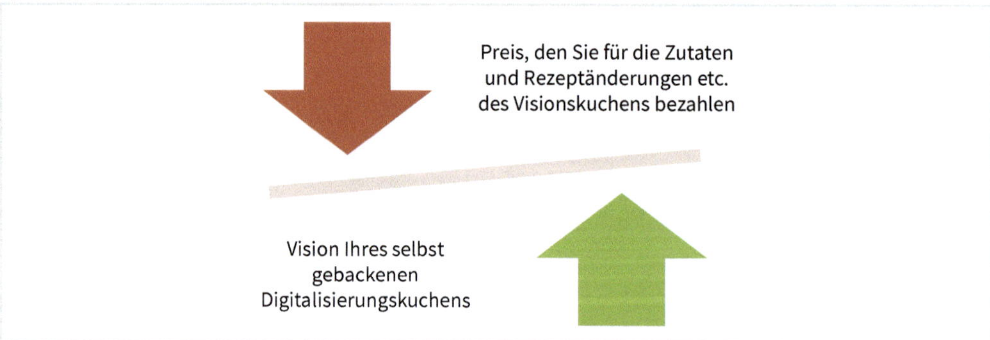

3.9.19.2 Eine Digitalisierungsstrategie entwickeln

Ihre Digitalisierungsstrategie ist einer der Schlüsselfaktoren für den Erfolg der digitalen Transformation. Zudem ist es Ihre Aufgabe, eine kontinuierliche Weiterentwicklung und ein angemessenes Monitoring der digitalen Unternehmensstrategie sicherzustellen. Sie sollten einen Planungshorizont von fünf bis zehn Jahren haben und bereit sein, die strategische Ausrichtung der Gesamtorganisation infrage zu stellen. Da sich die Technologien rasch entwickeln, ist dies als fortwährender Prozess zu etablieren.

Um die Umsetzung und den Erfolg der digitalen Strategie überwachen zu können, müssen Sie über die notwendigen Werkzeuge verfügen. Indikatoren zur Messung des Transformationsfortschritts sind oft schwer zu definieren. Die Anzahl an digitalen Transaktionen und deren Wert, die Kosten des digitalen Marketings, die Rendite sowie die Anzahl der Mitarbeiter, die an digitalen Projekten beteiligt sind, sind nur einige mögliche Indikatoren, die individuell festgelegt werden müssen. Und je integrierter der Digitalisierungsprozess, desto anspruchsvoller auch die Monitoring-Indikatoren.

Zur Erarbeitung Ihrer Digitalisierungsstrategie sollten Sie entscheidende Kernpunkte berücksichtigen und umsetzen.

Praxistipp: Schritte zur Umsetzung der Digitalisierungsstrategie

Digitale Transformation ist Chefsache

Dies ist eine der wichtigsten Kernaussagen, sowohl bezüglich der Entwicklung einer Strategie als auch hinsichtlich des gesamten Transformationsprozesses. Nehmen Sie diese sehr ernst. Belassen sie es nicht bei Lippenbekenntnissen und delegieren Sie wichtige Themen nicht einfach weg. Ihr eigenes Verhalten hat zum einen erhebliche Auswirkungen auf die Motivation Ihrer Mitarbeiter und die Richtung, die diese einschlagen. Zum anderen hat der Transformationsprozess einen erheblichen Einfluss auf Ihr zukünftiges Geschäftsmodell im CFO-Bereich und die dort verankerten operativen Geschäftsprozesse. Es werden große Veränderungen im Unternehmen in Gang gesetzt, bei denen auch grundlegende organisatorische Änderungen unabdingbar sind. Ganze Abteilungen können entstehen und wegfallen. Dies kann intern auf massiven Widerstand stoßen. Die Digitalisierungsstrategie muss somit Teil der Unternehmensstrategie werden, bei der Sie als CFO regelmäßig richtungsweisende Entscheidungen treffen müssen.

Sie sind als Enabler innovativer Ansätze nicht mehr der einsame Erfinder, sondern arbeiten mit einem intelligent zusammengestellten Team. Lernen Sie ständig dazu. Stellen Sie immer wieder Hypothesen auf, testen und bewerten Sie diese.

Datenstrategie

Eine Digitalstrategie muss zwangsläufig auch eine klare Aussage zur Datenstrategie enthalten. Dazu gehört, vorhandene Daten zu bewerten und festzulegen, welche Daten in Zukunft erhoben, genutzt und ggf. monetarisiert werden können. In punkto Datenstrategie sollten Sie kluge und zukunftsweisende Antworten auf die folgenden Fragen geben.

Arbeitshilfe: Datenstrategie

	Habe sehr gute Antwort	Habe gute Antwort	Habe mangelhafte Antwort	Habe ungenügende Antwort	Habe keine Antwort
Wie kann das aktuelle Geschäftsniveau aufrechterhalten und zusätzliches Geschäft vor dem Hintergrund der digitalen Transformation generiert werden?	.	.	.	.	.
Ist dies innerhalb der aktuellen Geschäftsstruktur/Bereichsstruktur möglich?	.	.	.	.	.
Wann könnte das aktuelle Geschäftsmodell betroffen sein?	.	.	.	.	.
Welche Digitalisierungsstrategie ist für Ihren Bereich angemessen?	.	.	.	.	.
Welche Veränderungen (kulturelle, strategische, organisatorische, technologische) sind notwendig, um den weiteren Erfolg des Unternehmens zu gewährleisten?	.	.	.	.	.
Welche Chancen und Risiken bietet die Digitalisierung für Ihren CFO-Bereich?	.	.	.	.	.
Was sind die Vorteile des Erwerbs von digitalem Know-how durch eine Transaktion?	.	.	.	.	.
Wie können Sie als CFO die erfolgreiche Integration mit einer anderen Unternehmenskultur sicherstellen?	.	.	.	.	.
Welche konkreten Ziele werden mit der Digitalisierung verfolgt?	.	.	.	.	.
Welche rechtlichen Vorgaben sind zu beachten?	.	.	.	.	.
Was ist beim Umgang mit der IT-Sicherheit zu beachten?	.	.	.	.	.
Wo steht der CFO-Bereich beim Thema Digitalisierung?	.	.	.	.	.
Wo liegen die Herausforderungen der Digitalisierung?	.	.	.	.	.
Was sind No-Gos?	.	.	.	.	.
Welche Abteilungen sind betroffen?	.	.	.	.	.

	Habe sehr gute Antwort	Habe gute Antwort	Habe mangelhafte Antwort	Habe ungenügende Antwort	Habe keine Antwort
Gibt es unternehmensübergreifende Ansätze und Lösungen?	·	·	·	·	·
Welche analogen Informationen sollen in digitale Daten umgewandelt werden?	·	·	·	·	·
Woran ist die Digitalisierung bislang gescheitert?	·	·	·	·	·
Welchen Status quo nimmt die IT bislang ein?	·	·	·	·	·
Wer ist für die IT verantwortlich?	·	·	·	·	·
Wer kümmert sich um die Digitalisierung?	·	·	·	·	·
Hat ihr CFO-Bereich einen digitalen Experten, der sich auf Technologiefragen konzentriert?	·	·	·	·	·

3.9.19.3 Konkrete Digitalisierungsziele definieren

Ziele – keine wirklich neue Idee. Schon im 6. Jahrhundert vor Christus soll der chinesische Philosoph Laotse gesagt haben: »Nur wer sein Ziel kennt, findet den Weg.« Auch heute gilt: Wer Erfolg haben will, braucht ein gut durchdachtes und klar formuliertes Ziel.

Seitdem Laotse die Wichtigkeit von Zielen in den Vordergrund stellte, hat sich viel getan bei der Suche nach der Formel, mit der man Ziele richtig formuliert. Und diese Formel schien dann mit der SMART-Formel (SMART = spezifisch, messbar, attraktiv, realistisch, terminiert) auch gefunden. Es stellt sich aber die Frage, ob wir in unserer heutigen agilen und dynamischen Zeit überhaupt noch konkrete Ziele brauchen. Und ob es bei der gestiegenen Änderungsrate und Änderungsdichte überhaupt möglich ist, Ziele in der herkömmlichen Form zu formulieren. Denn werden Ziele nicht dann obsolet, wenn das, was vor Kurzem noch galt, heute schon überholt ist? Wenn wir die Zukunft nur noch erahnen können, die Komplexität vieler Themen steigt und im Rahmen der Digitalisierung immer mehr Dinge in einer Art und Weise miteinander verknüpft werden, wie es noch vor ein paar Jahren oder Monaten undenkbar gewesen wäre?

Ja, wir brauchen Ziele. Aber andere als früher. Sie brauchen Ziele, die ein agiles, flexibles Handeln unterstützen und Spielräume ermöglich. Im heutigen digitalen und agilen Umfeld, in dem Sie sich bewegen, können Sie Ziele durch folgende Vorgehensweise definieren.

Wichtig: Zieldefinition im agilen und dynamischen Umfeld

Auf dem Weg zum Ziel sind bei der digitalen Transformation Spielräume sehr wichtig. Statt eines möglichst spezifischen, genau formulierten Ziels sollten Sie einen für Sie attraktiven Zielkorridor festlegen. Der Zielkorridor soll dabei Ihre Flexibilität und Akzeptanz des Korridors ausdrücken, aber auch Ihre Grenzen deutlich machen. Formulieren Sie alternative Handlungsweisen auf dem Weg zum Ziel, auch wenn diese ursprünglich nicht so geplant waren. Und betrachten Sie auf Ihrem Weg grundsätzlich auch zusätzliche Möglichkeiten, die zur Verfügung stehen.

Haben Sie einen Korridor definiert, legen sie im nächsten Schritt ein attraktives Ziel fest. Dieses sollte attraktiv für Sie und Ihr CFO-Team sein. Dabei dürfen die Ziele ruhig ein bisschen größer ausfallen und Sie dürfen sich fragen, ob das dann eigentlich noch realistisch ist. Kennen Sie BHAG? Dieses Akronym aus dem Amerikanischen steht für »Big hairy audacious goal«, also ein großes, haariges Monsterziel! Auch wenn selbstverständlich nicht jedes Ziel bei der digitalen Transformation ein BHAG sein kann und muss, sollten Sie diese Ziele einstreuen. Sollten Sie das BHAG später nicht vollständig erreichen können, ist das kein Problem, denn Sie haben ja Ihren Zielkorridor definiert. Die Erfahrung zeigt jedoch, dass Sie mehr erreichen werden, wenn Sie im Rahmen der Zielformulierung auch mal nach den Sternen greifen.

Und nun noch der letzte Punkt, ohne den es gerade bei der agilen und unsicheren Transformation nicht geht: Akzeptieren Sie Ungewissheit. Wenn Sie diese aushalten, werden sie und Ihr Team den Weg erfolgreich gehen. Starten Sie immer wieder neu, auch bei den kleinen Schritten und trotz der Unsicherheiten, die Ihnen begegnen könnten. Etablieren Sie bei sich und in Ihrem Team eine Fehlerkultur und begrüßen Sie exponentielle Lernkurven. Zur Erinnerung: Diese sind nur durch das Eingehen von Fehlerrisiken möglich.

In einem komplexen Umfeld gilt es, weder vorschnell zu handeln, noch in Schockstarre zu verfallen, sondern die Vielschichtigkeit wahrzunehmen, Kausalitäten nicht vorschnell abzuleiten und Handlungsalternativen zu erkennen. Und an all das müssen Sie Ihre Ziele fortwährend adaptieren!

Die nachfolgende Arbeitshilfe bietet Ihnen Schlüsselfragen zur Entwicklung und Ableitung Ihrer Digitalisierungsziele.

Arbeitshilfe: Schlüsselfragen – Digitalisierungsziele definieren

	Habe sehr gute Antwort	Habe gute Antwort	Habe mangelhafte Antwort	Habe ungenügende Antwort	Habe keine Antwort
Welche BHAGs haben Sie? Wie sehen diese konkret aus?	.	.	.	.	.
Welche Ziele haben A-Priorität?	.	.	.	.	.
Welche Themen müssen gelöst werden?	.	.	.	.	.
Was ist das Problem/der Problemkern, das/den die Ziele lösen sollen?	.	.	.	.	.
Welche Ziele haben Sie und Ihr Team?	.	.	.	.	.
Wo wollen Sie hin?	.	.	.	.	.
Wo will Ihr Team hin?	.	.	.	.	.
Kommen Sie am gleichen Ziel raus?	.	.	.	.	.
Welche Bedingungen müssen für eine Zielerreichung erfüllt sein?	.	.	.	.	.
Welche Fähigkeiten werden benötigt?	.	.	.	.	.
Welche Hypothesen gibt es?	.	.	.	.	.
Welche Prozesse werden benötigt?	.	.	.	.	.
Welche Systeme werden benötigt?	.	.	.	.	.
Welche Tests bauen Sie ein?	.	.	.	.	.

3.9.19.4 Eine digitale Roadmap erstellen

Die digitale Roadmap ist Ihr Aktionsplan, Ihre Agenda für die digitale Transformation im CFO-Bereich. Neben dem zeitlichen Aufwand stellt sich bei der Erstellung der digitalen Roadmap vor allem folgendes Problem: Idealerweise haben Sie zwar Ihre Ziele der Transformation festgelegt haben und können diese in die Roadmap übernehmen, doch der Weg dorthin ist durch so viel Ungewissheit geprägt, dass auch die Roadmap sehr flexibel gestaltet werden muss. Wir wünschen uns, ein Ziel in ein Navigationssystem eingeben zu können, und in Sekunden wird der schnellste Weg angezeigt. Dann würden die übliche Wegbeschreibung und ein Screenshot ausreichen, und wir könnten, selbst wenn das Navigationssystem abstürzen sollte, unseren Weg zielgerichtet finden.

Praxistipp

Stellen Sie sich eine Runde Golf auf einem neuen Platz vor, bei der sie zunächst einmal im Birdie-Book den bestmöglichen Weg zum Loch, alle Hindernisse und Begebenheiten studieren, um dann hoffentlich das dort beschriebene Birdie (einen Schlag unter Par) auch zu spielen.

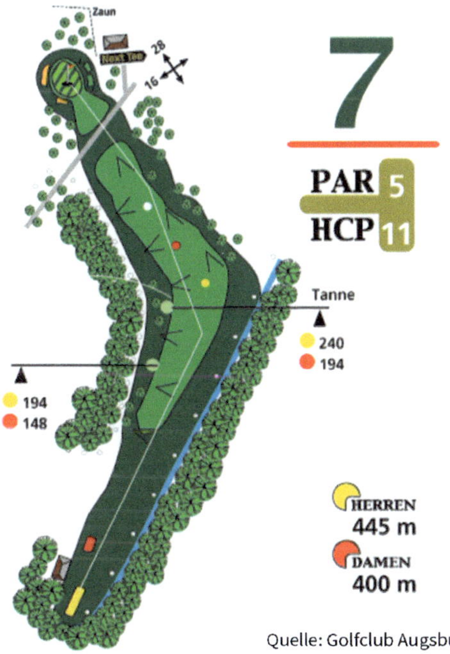

Quelle: Golfclub Augsburg e. V.

So wie hier der Weg zum Loch abgebildet und nachvollziehbar ist, funktioniert die digitale »Road« leider nicht. Ebenso wenig wie ein Navigationssystem. Eine digitale Roadmap muss sich ständig weiterentwickeln können, da der Weg Sie zu ständig neuen Unwägbarkeiten, Kreuzungen oder auch Sackgassen führt.

Deshalb sollte die Roadmap idealerweise ein Live-Dokument sein, das regelmäßig überprüft und wo erforderlich angepasst werden muss. Wichtig ist dabei, dass Sie für diese Roadmap einen »Besitzer« und einen stellvertretenden »Besitzer« benennen. Unabhängig von der Besitzherrschaft empfiehlt es sich, die digitale Roadmap in kollaborativen Workshops zu erstellen und zu pflegen. An diesen Workshops sollten alle relevanten Stakeholder teilnehmen.

Über den aktuellen Standort sollten Sie in Echtzeit Analysen und Informationen erhalten können. Dazu sollte die Roadmap Meilensteine und Kontrollpunkte zur Bewertung des momentanen Standorts und der noch zu gehenden Wegstrecke enthalten. Denn nicht jede Reise der digitalen Transformation kann so unverhofft – gut oder vollkommen am Ziel vorbei – enden wie die von Kolumbus 1492. Nun, Kolumbus hatte sich auch etwas verfahren. Eigentlich wollte er den westlichen Seeweg nach Indien finden, landete aber auf den Bahamas. Kolumbus selbst glaubte übrigens sein Leben lang, er hätte den Seeweg nach

Indien gefunden. Dass er einen neuen Kontinent entdeckt hatte, hat er nie erfahren. Ich wünsche Ihnen, dass Sie erfahren, wenn sie Ihren neuen Kontinent entdeckt haben.

Ähnlich unbekannt ist der Weg, den sie als Captain mit Ihrer Crew bei der digitalen Transformation finden und fahren müssen. Dabei müssen Sie zunächst vielleicht auch auf Sicht fahren. Wobei sich die Frage stellt, ob Sie überhaupt fahren sollten. Denn ist Fahren die geeignete Fortbewegung? So wie diese simpel klingende Frage sollten Sie gemeinsam mit Ihrem Team im übertragenen Sinne ein paar grundlegende Fragen zu Ihrem Weg der digitalen Transformation beantworten. Die nachfolgende Arbeitshilfe unterstützt Sie dabei.

Arbeitshilfe: Fragen zu Ihrem Weg der digitalen Transformation

	Habe sehr gute Antwort	**Habe gute Antwort**	**Habe mangelhafte Antwort**	**Habe ungenügende Antwort**	**Habe keine Antwort**
Was ist Ihr Startpunkt?	.	.	.	.	.
Was ist Ihr Reiseziel?	.	.	.	.	.
Wen wollen Sie mitnehmen?	.	.	.	.	.
In welche Richtung wollen Sie gehen?	.	.	.	.	.
Welchen Weg wollen Sie einschlagen?	.	.	.	.	.
Wollen Sie sich als Gruppe trennen?	.	.	.	.	.
Welches Reisemittel wollen Sie verwenden?	.	.	.	.	.
Welche Zeit haben Sie zur Verfügung?	.	.	.	.	.
Haben Sie das passende Equipment und Schuhwerk?	.	.	.	.	.
Wer kann Ihnen helfen und Sie als Sherpa begleiten?	.	.	.	.	.
Haben Sie genug Proviant dabei?	.	.	.	.	.
Was haben Sie alles in Ihrer Reiseapotheke?	.	.	.	.	.
Wie lautet die Notrufnummer bei schlimmen Unfällen?	.	.	.	.	.
Wer ist mutig und geht den unbekannten Weg voran?	.	.	.	.	.
Wer sichert das Seil?	.	.	.	.	.
Wird nur marschiert, oder wird auf der Reise auch einmal gefeiert?	.	.	.	.	.

Unabhängig von den Fragen und Antworten ist eines klar: Sie haben zur Reise eingeladen, also müssen Sie die Reise auch bezahlen und begründen, warum Sie die anderen eingeladen haben und ob Sie wieder zurückkommen. Dabei sollten Sie Ihre Leadership-Fähigkeit »Mustererkennung« im Gepäck haben. Denn Sie brechen in ein Gebiet auf, in dem von Ihnen noch keiner war. Es gibt keine Straßen, keine Wege, keine Landkarte. Sie müssen sich im Team den gemeinsamen Weg in Ihrer Roadmap kleinteilig, manchmal wie ein Puzzle, zusammenlegen. Da gilt es, die Muster des Weges zu lesen und auch einmal Ihr Ohr auf den Boden zu legen, um zu horchen, ob drohendes Unheil naht, so wie Sie es damals vielleicht als kleine Squaw oder kleiner Indianer getan haben.

Der folgende Praxistipp soll Ihre Sinne visuell für den Weg schärfen, den Sie vor sich haben und finden müssen. Ich habe Ihnen in die Digitalisierungslandschaft ein paar Wege eingezeichnet, wobei ich selbstverständlich die grüne Route bevorzuge.

Praxistipp: Mustererkennung als Leadership Challenge

Grün ist die nach mir benannte »Reinhart-Route«. Wie es auf dem Berg weiterging und was dahinter kommt, erzähle ich Ihnen einmal persönlich. Wenn Sie auch möchten, dass eine Route nach Ihnen benannt wird, müssen Sie sich auf den Weg machen.

Übrigens: »Die« von der blauen Route hat man nie wieder gesehen! War klar, wer geht auch dort hoch? Oder ist es dort so schön, dass Sie deshalb nie wieder zurückkamen? Man weiß es nicht.

3.9.19.5 Verantwortlichkeiten klären

Schlechte Leistungen und Ergebnisse hängen häufig mit unklaren Rollen und Verantwortlichkeiten zusammen. Ihre Aufgabe als CFO ist es, diese Verantwortlichkeiten zu klären und den jeweiligen Mitarbeitern zu übertragen. Auch hier stellt das sich schnell verändernde Umfeld eine Herausforderung dar. Die Anforderungen und Rahmenbedingungen für Sie und Ihre Mitarbeiter wandeln sich permanent. Die Vielzahl an neuen Technologien und neuen Projekte im Transformationsprozess führt zu neuen Aufgaben und Abläufen, wechselnden Zuständigkeiten sowie sich ändernden Beziehungen und Verantwortlichkeiten. In diesem Umfeld lösen sich die gewohnten Ordnungen und Orientierungen für Mitarbeiter und Führungskräfte regelmäßig auf, wovon auch die Rollen und Zuständigkeiten der Beschäftigten betroffen sind. Passen diese nicht mehr zusammen, können Anforderungen, Aufgaben und Verantwortlichkeiten unterschiedlich interpretiert und verortet werden, was zu Fehl- und Minderleistungen führen kann.

Aus diesen Gründen reichen für ein professionelles Zusammenspiel Mitarbeiterorganigramme, Stellenbeschreibungen, Prozessbeschreibungen oder schnell formulierte Ad-hoc-Aufträge nicht mehr aus. Setzen Sie die aus Ihrer Sicht gegebenen Rollen und damit verbundenen Verantwortungen nicht stillschweigend voraus. Ihrer Wahrnehmung und Erwartungshaltung könnte schlicht eine falsche Einschätzung zugrunde liegen. Prüfen Sie Verantwortlichkeiten auf ihre Aktualität und Stimmigkeit hin und passen Sie diese wenn erforderlich an (siehe hierzu auch den Abschnitt 3.4 zum Human Resource Management).

Das Allerwichtigste im Rahmen des Transformationsprozesses ist, dass Sie die festgelegten Verantwortlichkeiten einfach und unmissverständlich an jeden Einzelnen und das komplette Team kommunizieren und transparent festhalten.

Praxistipp

Das betrifft auch die Frage, wer im Ernstfall wem welches Feuer meldet. Dabei können Sie es halten wie dieser Feuermelder, der mich vor Jahren vor dem Schloss Bellevue in Berlin in Bezug auf diese Fragestellung animiert hat.

3.9.19.6 Den digitalen Reifegrad bestimmen

Sie müssen den aktuellen Digitalisierungsgrad, quasi die Digitalität Ihres Finanzbereichs und Ihrer Organisation beurteilen, die Reife verstehen, Priorisierungen vornehmen und unternehmensweite digitale Budgets und Investitionen initiieren, koordinieren und freigeben. Dabei nehmen Sie eine wichtige Schlüsselrolle bei der Koordination von Investitionen ein und schaffen so echten Mehrwert.

Dazu sollte der CDO gemeinsam mit Ihrem Digitalisierungsteam eine umfangreiche Analyse vorhandener Geschäftsprozesse, Geschäftsmodelle und Unternehmensbereiche erstellen. Die Analyse soll zum Ziel haben, den aktuellen Stand der Digitalisierung im Unternehmen zu erfassen und potenziell neue, vielversprechende Digitalisierungsprojekte und Verbesserungspotenziale zu identifizieren. Dabei ist es wichtig, einen erfahrenen CDO mit dieser Aufgabe zu beauftragen, da dieser durch seine Erfahrungen in der IT und sein aktuelles Know-how neues Wissen in Ihren Bereich einbringen und die Betriebsblindheit und die Lücke im IT-Know-how ausgleichen kann.

Indem Sie die digitale Reife Ihres CFO-Bereichs – und der gesamten Organisation – verstehen, digitale Prioritäten identifizieren und einen ganzheitlichen und strategischen Ansatz verfolgen, gewinnen Sie Klarheit darüber, wie weit der Weg noch ist. Und damit auch darüber, was der Weg kosten wird. Sie sind der Herr bzw. die Frau der Zahlen!

3.9.19.7 Entscheidungsprozesse klären

Im gesamten Transformationsprozess müssen Entscheidungen getroffen werden, viele Entscheidungen. Sehr oft sind die Themen neu und liegen außerhalb der eigentlichen Organisationsstruktur, weshalb Sie für eine erfolgreiche Umsetzung der Transformation klare Entscheidungsprozesse definieren müssen. Fehlen diese, kann es zu langwierigen Verzögerungen kommen. Sie sollten dabei insbesondere auch berücksichtigen, dass der Prozess der Entscheidungsfindung aus mehreren Phasen und Aufgaben besteht. Die Neuartigkeit und Komplexität der Themen, über die entschieden werden muss, machen es mitunter schwierig, die genaue Entscheidungssituation herauszuarbeiten.

Praxistipp: Entscheidungsprozesse klären

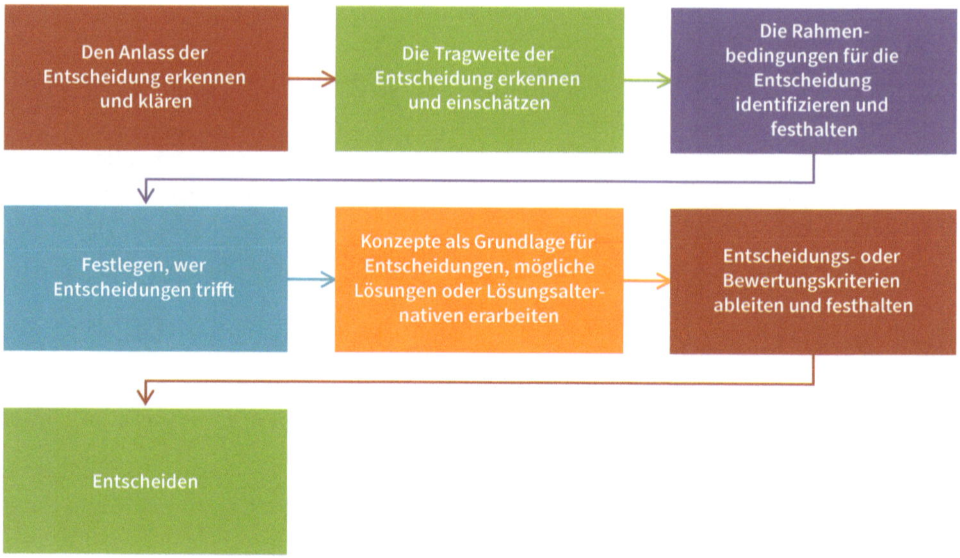

Einen Aspekt sollten Sie dabei nicht vergessen: Niemand weiß im Vorfeld, ob getroffene Entscheidungen richtig oder falsch sind. Das zeigt sich erst im Nachhinein. Aber Entscheidungen, die eine breite Basis haben und Mitarbeiter einbeziehen, laufen deutlich weniger Gefahr, von den Beschäftigten kritisiert zu werden, da diese eine Mitverantwortung an der Entscheidung und den daraus folgenden Konsequenzen tragen. Und falls sich getroffene Entscheidungen als falsch herausstellen, sollten Sie und Ihr Team schnell bereit sein, die getroffenen Entscheidungen zu revidieren und neue Entscheidungen zu treffen. Beziehen Sie Ihre Mitarbeiter also intensiv in Entscheidungen ein und sorgen Sie für ein gemeinsames, verbindliches Commitment bezüglich der Zielerreichung.

3.9.19.8 Klare Regeln schaffen

Für die erfolgreiche Umsetzung der Digitalisierung in Ihrem bilden sind klare Regeln die Leitplanke für Sie und Ihr Team. Wichtig ist, die Regeln maßvoll zu gestalten, sie mit freundlicher Entschlossenheit durchzusetzen und die Mitarbeiter im gesamten Prozess einzubeziehen. Denn nur wenn Ihr Team die Regeln nicht als Verbote auffasst, sondern sie gemeinsam trägt und versteht, wofür diese gut sind, werden sie auch im Alltag angenommen.

Gute Regeln gelten dabei für alle, also auch Sie. Gute Regeln sorgen für Strukturen. Sie beruhen auf einem gemeinsamen Prozess und beinhalten Rechte und Pflichten. Wenn Sie gemeinsam mit Ihrem Team Regeln für den Digitalisierungsprozess schaffen, sollten Sie miteinander ins Gespräch kommen und auf die bisherigen Erfahrungen zurückgreifen. Sie können sich zum Beispiel in Kleingruppen zusammensetzen, um gemeinsame Punkte, für die es einer Regelung bedarf, zu erarbeiten. Die daraus abgeleiteten und formulierten Regelungen sollten möglichst von allen mitgetragen werden.

Praxistipp: Grundsätze für das Formulieren von Regeln

Bildquelle: Pixabay/ElisaRiva

Ein Negativbeispiel aus dem Fußball veranschaulicht, wie man es nicht macht: die Handregel. Sie wird in der Praxis nicht einheitlich angewendet und jeder fühlt sich in der jeweiligen Situation zu einer anderen Auslegung berufen, nach dem Motto: Hand ist eben nicht gleich Hand.

Beispiel: Regel 12 – Fouls und unsportliches Betragen im Fußball

Es ist ein Vergehen, wenn ein Spieler …

- den Ball absichtlich mit der Hand/dem Arm berührt (einschließlich Bewegungen der Hand/des Arms zum Ball),
- in Ballbesitz gelangt, nachdem ihm der Ball an die Hand/den Arm springt und er danach …
  - direkt mit der Hand/dem Arm (ob absichtlich oder nicht) ins gegnerische Tor trifft (gilt auch für den Torhüter),
  - zu einer Torchance kommt.

Ein Vergehen liegt vor, wenn ein Spieler den Ball mit der Hand/dem Arm berührt und …

- seinen Körper durch die Hand-/die Armhaltung unnatürlich vergrößert,
- sich seine Hand/sein Arm über Schulterhöhe befindet (außer der Spieler spielt den Ball vorher absichtlich mit dem Kopf oder dem Körper – einschließlich des Fußes – und der Ball springt ihm dabei an die Hand/den Arm).

Ein Vergehen liegt auch vor, wenn der Ball in einer der obigen Situationen direkt vom Kopf oder Körper (einschließlich des Fußes) an die Hand/den Arm eines anderen, nahe stehenden Spielers springt. Abgesehen von diesen Vergehen liegt in folgenden Situationen, in denen der Ball an die Hand/den Arm eines Spielers springt, in der Regel kein Vergehen vor:

- Der Ball springt direkt vom eigenen Kopf oder Körper (einschließlich des Fußes) des Spielers an dessen Hand/Arm.
- Der Ball springt direkt vom Kopf oder Körper (einschließlich des Fußes) eines Spielers an die Hand/den Arm eines anderen, nahe stehenden Spielers.
- Die Hand ist nahe am Körper und die Hand-/Armhaltung vergrößert den Körper nicht unnatürlich.
- Ein Spieler berührt den Ball im Fallen mit der Hand/dem Arm, wobei sich seine Hand/sein Arm zum Abfangen des Sturzes zwischen Körper und Boden befindet und nicht seitlich oder senkrecht vom Körper weggestreckt wird.[14]

Übertragen auf Ihre Regelungen für den Digitalisierungsprozess ist eine derartige Regelformulierung mit Sicherheit unbrauchbar – und auch im Fußball, wo das (vermeintliche) Handspiel regelmäßig für Diskussionen sorgt und selbst der Videobeweis nicht wirklich bei der Auslegung und Anwendung der Regeln hilft. Aus arbeitsrechtlichen Gründen könnten Sie den Videobeweis bei sich im Unternehmen sowieso nicht verwenden.

Sie sollten also die Grundregeln beherzigen. Und damit erst gar kein Regelgewirr entsteht, auch nicht zu viele Regeln aufstellen. Wichtig ist, dass Sie und Ihr Team den Überblick behalten.

Im Unternehmensalltag hat es sich als hilfreich erwiesen, Regeln zu visualisieren und den Mitarbeitern in visualisierter Form zur Verfügung zu stellen.

Regeln aufzustellen ist vergleichsweise einfach, sie auch einzuhalten, eine ganz andere Herausforderung. Aus diesem Grund sollten Sie gemeinsam mit Ihrem Team Konsequenzen für den Fall eines Verstoßes formulieren. So weiß jeder, womit zu rechnen ist, wenn die Regeln nicht eingehalten werden.

Wenn Sie gemeinsam Regeln für den Digitalisierungsprozess erstellen, erhalten Sie am Ende sehr wahrscheinlich ein Ergebnis, mit dem Sie nicht gerechnet haben. Das liegt daran, dass sich in jeder Regel ein Bedürfnis äußert. Freuen Sie sich über die Vielfalt, die sich im Findungsprozess sowie in den endgültigen Regeln äußert. Sie spiegelt den Charakter Ihres Teams wider. Berücksichtigen Sie aber auch, dass sich jeder Mensch und jede Gruppendynamik verändert und weiterentwickelt. Im Laufe der Zeit werden neue Bedürfnisse hinzukommen, während alte, die einst als Regel festgehalten wurden, an Bedeutung verlieren. Halten Sie Ihre Regeln deshalb immer auf dem aktuellen Stand und bleiben Sie darüber im Gespräch.

14 Vgl. International Football Association Board. Regel 12: Fouls und unsportliches Betragen.

3.9.19.9 Bereitschaft schaffen und alle mit ins Boot holen

Je nach Umfang und Durchdringung der digitalen Transformation in Ihrem Unternehmen sind einige wenige bis alle Bereiche vom Change-Prozess betroffen. Als Organisation sind Sie auf Schlüsselpositionen und Schlüsselmitarbeiter angewiesen, um operativ aktiv und wirtschaftlich zu sein und Änderungen durchzuführen. Setzen Sie deshalb die wichtigsten Abteilungsleiter, Bereichsleiter und Mitarbeiter in ein Boot und gründen Sie ein Digitalisierungsteam, das vom CDO orchestriert, informiert und geführt wird. Statten sie den CDO mit ausreichend Kompetenzen aus, um auch unbequeme Änderungen durchsetzen zu können.

Konsens und Kooperation sind während des gesamten Prozesses essentiell. Um diesen Konsens zu stärken und alle mit ins Boot zu holen, bietet es sich an, diverse Veranstaltungen durchzuführen, zum Beispiel in den folgenden Formaten.

Praxistipp: Alle mit ins Boot holen – Veranstaltungsformate

Barcamp

Ein Barcamp – auch »Unkonferenz« genannt – hat vorab keine feste Agenda und keine geladenen Speaker. Es handelt sich um eine offene Tagung mit offenen Workshops, deren Inhalte und Ablauf von den Teilnehmern zu Beginn selbst entwickelt werden. Barcamps sind eine Moderationsmethode für Großgruppen und eignen sich für 30 bis 300 Personen. Dabei stehen die Teilnehmenden mit ihren Themen, Fragen und Beiträgen im Mittelpunkt der Veranstaltung. Je nach Barcamp gibt es ein Oberthema, zu dem sich die Teilnehmenden treffen.

Bei der praktischen Umsetzung der Barcamp-Methode sollten Sie folgende Schritte berücksichtigen[15].

15 Vgl. auch Theofel (o.D.).

Arbeitshilfe: So läuft ein Barcamp ab

1. **Vorstellungsrunde**
   Während der Eröffnung stellen sich alle Anwesenden der Reihe nach vor. Jeder nennt seinen Namen und drei Stichworte (»Hashtags«, siehe auch Abschnitt 3.1.5) über sich.
2. **Sessionplanung (Themenfindung)**
   Jeder Teilnehmer erhält die Möglichkeit, den anderen sich und sein Thema vorzustellen. Grundsätzlich werden alle Themen, die von Interesse sind, auf eine Themenwand aufgenommen und einem Raum und einer Uhrzeit zugeordnet. Wichtig ist, dass kein Thema nur aufgrund von geringem Interesse außen vor bleibt. Wenn derjenige, der das Thema eingebracht hat, damit einverstanden ist, können Themen, sofern überhaupt inhaltlich sinnvoll, zusammengefasst werden.
3. **Sessionphase**
   Die Barcamp-Methode hat keine fixen Zeitvorgaben. Sicherlich ist es ratsam, dies aber in Abhängigkeit der Relevanz und der Größe des einzelnen Themas, Sessions mit einer Dauer von ca. 45 bis 60 Minuten anzusetzen und dazwischen ausreichend Pausen vorzusehen. Die Session selbst wird vom jeweiligen Themensteller moderiert und geleitet. In allen Gruppen muss ein Protokollant gewählt werden.
4. **Abschlussrunde**
   Hier erfolgt eine offene Feedbackrunde, in der die Teilnehmer aus allen Sessions wieder zusammenkommen.
5. **Nach dem Barcamp**
   Im Anschluss an das Barcamp werden alle Protokolle zu einem großen Dokument zusammengeführt oder in einer speziell dafür vorgesehenen zentralen Software zugänglich gemacht. Wie bei jeder größeren Veranstaltung empfiehlt es sich, im Anschluss an ein Barcamp eine interne Rückschau durchzuführen, um sowohl inhaltlich als auch prozessual für das nächste Barcamp zu lernen.

Das gehört nicht zur Barcamp-Methode

1. Vordefinierte Themen, die auf jeden Fall auf das Sessionboard kommen.
2. Dies gilt auch für Impulsvorträge.
3. Abwählen von Themen. (Dies passiert nur, wenn sich auf die Frage nach dem Interesse wirklich niemand meldet. Das kommt in der Praxis fast nie vor.)
4. Zusammenlegen/Verschieben/Anpassen von Themen durch den Barcamp-Moderator. Dies geschieht immer nur durch die Teilnehmer in Abstimmung mit dem Moderator.
5. Moderation in den Sessions durch das Barcamp-Team.
6. Dokumentation der Sessions durch das Barcamp-Team.
7. Live-Streaming von Sessions, weil dies den geschützten Rahmen stört.
8. Ausschluss von Personen aus einzelnen Sessions (zum Beispiel CFO).[16]

FedEx-Day

Sie kennen den Namen FedEx. Der Kurierdienst wirbt damit, dass Pakete innerhalb von 24 Stunden ausgeliefert werden. Ein FedEx-Day ist ein Event-Format, bei dem die Teilnehmer 24 Stunden lang an einem

16 Alle Punkte entnommen aus: Theofel (o.D.).

bestimmten Thema, zum Beispiel der Digitalisierungsstrategie oder bestimmten Transformationsthemen, arbeiten.

Wichtig ist, dass Sie nicht von Ihrer täglichen Arbeit gestört werden, sondern sich 24 Stunden nur auf dieses eine Thema konzentrieren. Die Teilnehmer erhalten völlige Autonomie für die jeweilige Fragestellung. Einzige Regel: Am Ende des FedEx-Day werden alle Ergebnisse präsentiert.

Wichtig

Ein FedEx-Day

- liefert sofort greifbaren Nutzen,
- fördert Kreativität und Innovation,
- steigert die Motivation der Beteiligten,
- entfacht Leidenschaft durch Wettbewerb,
- fördert die Team-Bildung,
- unterstützt das Lernen im Team,
- macht großen Spaß!

Hackathon

Ein Hackathon ist eine kollaborative Entwicklungsveranstaltung. Ziel ist es, innerhalb der Dauer dieser Veranstaltung gemeinsam nützliche und kreative Lösungen für gegebene Probleme zu finden. Die Teilnehmer kommen üblicherweise aus verschiedenen Gebieten und bearbeiten ihre Projekte häufig in funktionsübergreifenden Teams. Hackathons haben immer ein spezifisches Thema oder sind technologiebezogen.

Ideen-Hackathon und Ideenmesse

Wenn Sie Ihren Mitarbeitern Raum für Ideen geben wollen, bietet sich ein Ideen-Hackathon bzw. eine Ideenmesse an. Auf dieser Ideenmesse können sich die Teilnehmer ungezwungen über ihre eigenen Ideen austauschen, Feedback einholen und Beispiele aus der Praxis miteinander verknüpfen.

Nacht des Scheiterns – FCKUP N8

Hinfallen, Aufstehen, Weitergehen ... – Bei einer FCKUP N8 berichten Teilnehmer und Gäste über eigene Misserfolge und erzählen Geschichten des Scheiterns und Aufstehens. Das Veranstaltungsformat soll zeigen: Scheitern ist normal. Fehler und Krisen können auch immer eine Chance sein und wer sich nicht traut, Fehler zu machen, bleibt stehen.

Townhall Meeting

Für ein Townhall Meeting werden mehrere Standorte per Videokonferenz miteinander verbunden. Von einem Hauptstandort aus – der »Townhall« wird das Meeting gesteuert und mit mehreren parallel stattfindenden, dezentralen Meetings verknüpft. Die Kommunikation läuft hierbei bidirektional, also in beide Richtungen. So kann ein Speaker auf dem Hauptevent die dezentralen Veranstaltungen adressieren, gleichzeitig können von dort aus Rückfragen gesendet werden. Ziel eines Townhall Meeting ist an erster Stelle die Vermittlung von konkreten Informationen. Das Format schafft Transparenz, insbesondere bei sensiblen Themen, die die Zukunft betreffen.

3.9.19.10 Widerstände überwinden

Das Leben könnte so schön sein. Ihre Mitarbeiter probieren mit Lust und Freude neue digitale Tools und Angebote des Unternehmens aus und bringen aktiv innovative Ideen für neue digitale Maßnahmen ein. Die Realität sieht leider etwas anders aus. Die Widerstände gegen digitale Veränderungen sind groß und meist auch sehr zäh. Das menschliche Gehirn ist auf Erhalten und Bewahren programmiert. Alles, was anders als ist als bisher, wird als potenzielle Bedrohung eingestuft, vor der es sich zu schützen gilt. Natürlich gibt es auch Ausnahmen – die Menschen in Ihrem Team, die eine offene Grundhaltung und eine gute Resilienz aufweisen.

Eines vorweg: Die Maßnahmen, die von vielen Führungskräften oft vergeblich eingesetzt werden, um die Mitarbeiter zur Digitalisierung zu bewegen, sollten Sie bitte nicht in Betracht ziehen: Zwang, Drohung und der Versuch, Ihr Team extrinsisch zu motivieren und ständig von der Notwendigkeit der Transformation zu überzeugen. Das funktioniert nur sehr begrenzt und ist obendrein für alle anstrengend und frustrierend.

Entscheidend ist vielmehr, dass die Widerstände nur durch die Mitarbeiter selbst überwunden werden können. Für Sie bedeutet das, die intrinsische Motivation Ihres Teams zu aktivieren. Sie müssen dafür sorgen, dass das emotionale Erfahrungsgedächtnis als Teil des menschlichen Bewertungssystems angesprochen wird und zu einer positiven Bewertung kommt. Das Erfahrungsgedächtnis ist unbewusst und bewertet ausschließlich nach dem Kriterium »Mag ich« oder »Mag ich nicht«. Mitarbeiter müssen auf dieser subjektiven Bewertungsebene einer Veränderung zustimmen, ansonsten entsteht keine Motivation.

Beschäftigte haben in dieser schwierigen Zeit des Umbruchs häufig das Gefühl, in eine unsichere Zukunft zu gehen. Diese Wahrnehmung kann irrational sein und auf Ängsten basieren. Mitarbeiter, die sich Veränderungen ausgesetzt sehen, sorgen sich insbesondere um drei Aspekte, die eng mit der Arbeitsumgebung verbunden sind:

- Werde ich weniger Kontrolle über meine Arbeitsbedingungen haben?
- Wird meine Position geschwächt?
- Wird meine Arbeitsbelastung steigen?

Ohne entsprechende Informationen durch Sie als CFO interpretieren Ihre Mitarbeiter die Vorgänge auf ihre ganz eigene Art. Aus diesem Grund ist die interne Kommunikation die beste Strategie, um Widerstände der Mitarbeiter zu überwinden. Ein weiterer Aspekt, der zur Entschärfung von Widerständen beitragen kann, ist Ihre eigene emotionale Kompetenz und die Fähigkeit, Ihre Mitarbeiter wahrzunehmen. Dies betrifft auch deren Sorgen, auch wenn diese für Sie selbst nicht nachvollziehbar sein sollten. Nehmen Sie sie ernst. Der dritte entscheidende Punkt für die Überbrückung von Widerständen ist die Einbindung Ihrer Mitarbeiter in die Entscheidungsprozesse. Sind Sie sich dieser drei Aspekte bewusst, können Sie Widerstände gegen Veränderungen abbauen und die Akzeptanz steigern.

Bei der Kommunikation sollten Sie immer wieder den Grund für die Veränderung erklären. Ebenso wichtig sind eine offene Kommunikation, die Bereitschaft aller Beteiligten, neue Ideen auszusprechen und zu überdenken, die Suche nach einer gemeinsamen Vision sowie gegenseitiger Respekt und Vertrauen zwischen Ihren Mitarbeitern und Ihnen als CFO.

Da Ihre Mitarbeiter durch die Transformation den Umgang mit neuer Technik, neuen Arbeitsabläufen und neuen Prozessen erlernen müssen, sollten Sie gemeinsam mit der IT eine Vermittlungsstrategie entwerfen, um so die Sorgen der Beschäftigten effektiv aufzufangen. Greifen Sie Bedenken hinsichtlich der Veränderung frühzeitig auf und richten Sie Ihre eigene Kommunikation darauf aus. Lassen Sie Beiträge der Mitarbeiter zum Design des neuen Systems zu und verschaffen Sie diesen Gehör. Ermuntern Sie Ihr Team, sich für das neue System zu engagieren. Das holt Ihre Mitarbeiter aus dem passiven Status heraus und bringt sie in aktives Handeln. So bauen Sie Widerstände ab.

Und was Sie bitte auf gar keinen Fall tun sollten, ist, davon auszugehen, dass alles, was Sie nicht verstehen, leicht zu tun ist, und Ihre Mitarbeiter diese »Kleinigkeiten« deshalb ohne große Mühe und ohne großen zeitlichen Aufwand umsetzen können.

Und dann noch ein Praxistipp, wie Sie vielleicht auch die größten Nörgler einbinden und zum Schmunzeln bringen können.

Praxistipp

So binden Sie Nörgler ein
Zum Einbinden von Nörglern und zur Auflösung einer Widerstandssituation bietet es sich an, gemeinsam mit Ihrem Team – zu dem natürlich auch die Nörgler gehören – nach typischen Kontraargumenten (Sprüchen) gegen die Digitalisierung zu suchen und diese zu visualisieren. Das könnten sein:

- Das geht eh nicht!
- Wir sind schon digitalisiert!
- Was soll das bringen?
- Die IT ist doof!
- Digitalisierung ist nutzlos!
- Das geht schon allein wegen des Datenschutzes nicht!
- Wir haben keine Zeit!
- Das kostet viel zu viel!
- Da steht unser CFO nicht dahinter!

Und wenn aller gute Wille nicht hilft, bilden Sie eine Selbsthilfegruppe »Anonyme-Anti-Digitalisierer«. Aber bitte ohne Aluhüte.

3.9.19.11 Aufgaben delegieren

Der Begriff »delegieren« muss an die digitale und agile Welt angepasst werden. Zum einen sind die Themen des Digitalisierungsprozesses sehr mannigfaltig und komplex. Zum anderen müssen Sie über eine ganze Bandbreite von Themen entscheiden, die Sie häufig nicht einmal vom Ansatz her beherrschen, die aber zentral für den Erfolg des Transformationsprozesses sind.

Wie ist ihr Verständnis von Delegieren? Eisenhower hat es für sich dahingehend ausgelegt, dass Aktivitäten, die zwar dringend sind, jedoch nicht wichtig genug, um sie selbst zu erledigen, delegiert werden sollten. Im Umkehrschluss bedeutet dies, dass Sie als Führungskraft beim Delegieren grundsätzlich nach der Wichtigkeit der Aufgabe vorgehen sollten. Dabei ist klar: Es gibt wie in allen Bereichen ein riesiges Spektrum an Weiß, Schwarz und Grau, wie Sie selbst mit dem Delegieren umgehen. Sie könnten sich zum Beispiel vornehmen, bei einzelnen Mitarbeitern das Maß an delegierten Aufgaben langsam zu erhöhen, um herauszufinden, wie der jeweilige Mitarbeiter damit umgeht und wie die Qualität der Umsetzung ist. So können Sie langsam Vertrauen aufbauen und immer weiter ausbauen.

Wichtig

Delegieren bedeutet nicht Kontrollverlust!

Der Personal-Kanban-Methode folgend empfiehlt es sich vielmehr, dringende und wichtige Aufgaben nicht selbst zu erledigen, sondern an zuverlässige Mitarbeiter zu delegieren. Die wahre Stärke von Ihnen als Führungskraft liegt in Vertrauen, Mitarbeiterbefähigung, Vorausschau, Pflichtbewusstsein und Offenheit gegenüber Veränderung. Das klassische Verständnis von Delegieren passt da nicht mehr ganz hinein, weil Sie eigentlich nicht mehr nur Aufgaben per se delegieren, sondern ganze Bereiche, die mitunter für die digitale Transformation auch von großer Bedeutung sind. Sie sollten deshalb, wenn nicht schon geschehen, lernen, neu zu delegieren. Durch die gewonnenen Freiräume können Sie dann beispielsweise die Zukunftsstrategie, aber auch die digitale Transformation, gezielter vorantreiben und den gesamten Verlauf überwachen.

Nachfolgender Praxistipp hilft Ihnen, auch anspruchsvollere Aufgaben und Zuständigkeiten künftig mit Erfolg zu delegieren.

Praxistipp: Fünf wichtige Schritte beim Delegieren

3.9.19.12 Ausreichend Ressourcen bereitstellen

Damit die digitale Transformation in Ihrem CFO-Bereich gelingen kann, ist eine Erkenntnis absolut unverzichtbar: Digitalisierung geht alle an – vom CFO bis zum Auszubildenden. Diesen Punkt kann man gar nicht oft genug betonen. Nach meiner Wahrnehmung kommen Transformationsprozesse häufig deshalb nicht voran, weil sie innerhalb des Unternehmens nicht ernsthaft genug angegangen werden. Sie als CFO müssen sich deutlich zu dem Projekt bekennen und allen Teilnehmern kommunizieren, dass es sich um ein strategisches Projekt handelt, das entsprechende Priorität hat. Der Transformationsprozess verlangt viele Planungsaufgaben, Koordinationstätigkeiten und Entscheidungen innerhalb kurzer Zeit.

Um dies gewährleisten zu können, sollten Sie als CFO ausreichend Ressourcen einplanen und bereitstellen. Beispielhaft möchte ich hier einen Projektleiter (Digital Transformation Manager) anführen, der sich voll und ganz auf das Thema konzentriert und den CFO berichtet. Dieser Projektleiter sollte zum einen die nötige Zeit habe – also eventuell während der Transformationsphase von anderen Aufgaben befreit sein –, zum anderen aber auch über die nötige fachliche Kompetenz verfügen. Und nein, dieser Projektleiter ist keinesfalls der Auszubildende oder der Praktikant. Schließlich würden Sie ihnen auch nicht den Aufbau eines neuen Umsatzsteuersystems überlassen.

Sehr hilfreich bei der Koordination des Mammutprojekts Digitalisierung ist zudem eine Außensicht, beispielsweise in Form eines externen Dienstleisters, der seine Erfahrung aus anderen Digitalisierungsprojekten einbringen und frühzeitig vor typischen Stolpersteinen warnen kann. Das kann auch in Form von Workshops geschehen, mit denen alle Mitglieder an Schlüsselstellen auf einen Stand gebracht werden. In ein paar Workshop-Tagen lässt sich oft viel mehr erreichen als in zahllosen internen Meetings.

Einer der größten Fehler, den die Verantwortliche bei der digitalen Transformation begehen, ist die unzutreffende Einschätzung des Aufwands. Immer noch herrscht in vielen Unternehmen die Überzeugung vor, man müsse nur neue Systeme installieren, und der Rest laufe dann von allein. Tatsächlich ist die eigentliche Software – und was alles dazu gehört – in den meisten Projekten das geringste Problem. Viel wichtiger und ungleich schwerer zu bewerkstelligen ist der Wandel, den die Beteiligten an ganz unterschiedlichen, aber sehr vielen Stellen durchleben müssen. Dies hat auch enorme Folgen auf die Gesamtdauer des Transformationsprozesses, der schon für sich selbst gestellt ebenfalls häufig unterschätzt wird.

Stellen Sie Ihrem Team deshalb in jeglicher Hinsicht ausreichende und angemessene Ressourcen zur Verfügung. Denn nichts ist für Ihre Mitarbeiter frustrierender und demotivierender als der Umstand, dass die digitale Transformation neben dem Alltagsgeschäft und ohne ausreichende Ressourcen umgesetzt werden soll.

3.9.19.13 Die Kooperation mit der IT-Abteilung gestalten

Auch die IT-Abteilung in Ihrem Unternehmen steht vor einer grundlegenden Neudefinition. Die IT treibt nicht mehr nur die Geschäftsprozesse des Unternehmens voran, sie wird zum Kern des Business. Im Zuge der Digitalisierung gilt es, die IT-Abteilung umzubauen und fit für die neuen Herausforderungen zu machen.

Sie sitzen also im selben Boot mit der IT. Wohl dem, der einen Außenbordmotor dabei hat. Jetzt ist Kooperation gefragt, denn Sie möchten schließlich nicht, dass einer von Ihnen seinen Motor am Heck des Bootes anbringt, während der andere den Bug bevorzugt. Ich selbst begleite seit nun mehr als über 25 Jahren Transformationsprozesse. Das erste, was ich mir bei jedem Projekt gesucht und aufgebaut habe, waren Freunde und Verbündete in der IT-Abteilung. Denn egal, ob es sich um die konzernweite Umstellung auf IFRS, Eingliederungsprojekte in Konzerne oder den Aufbau komplexer Reporting-Systeme handelt: Ohne Unterstützung aus der IT geht es nicht.

Dabei sollten Sie gemeinsam mit der IT Industrialisierungsmaßstäben und Faktoren wie Planbarkeit, Standardisierung und geringe Kosten, die bislang wichtig waren, hinter sich lassen und diese durch Individualität, Innovation und Time-to-Market zu ersetzen.

Nutzen Sie die Erfahrungen der IT im Demand Management und im Management agiler Teams und Projekte sowie die Fähigkeiten der Enterprise- und Solution-Architekten. So können interdisziplinäre Teams die Veränderung nicht nur begleiten, sondern vorantreiben.

3.9.20 Persönlicher Check: Digitalisierung

Diese Arbeitshilfe unterstützt Sie bei der Selbstreflektion zum Thema Digitalisierung und hilft Ihnen, Prioritäten zu setzen:

Arbeitshilfe: Persönlicher Check – Digitalisierung

	Sehr relevant	Relevant	Nicht relevant	Möchte ich umsetzen/ verbessern	Priorität (A/B/C)
Ihre persönliche Definition von Digitalisierung	.	.	.	.	.
Innovation versus Disruption	.	.	.	.	.
Ihr persönliches Why	.	.	.	.	.
Das Spiel gewinnen wollen	.	.	.	.	.
Den Spagat üben	.	.	.	.	.
Ein Digital Mindset entwickeln	.	.	.	.	.
Ihren Digital IQ erweitern	.	.	.	.	.
Die Beziehung zu CIO und CDO gestalten	.	.	.	.	.
Mit dem CMO zusammenarbeiten	.	.	.	.	.
Der CFO als Impulsgeber	.	.	.	.	.
Modelle zur Umsetzung der digitalen Transformation	.	.	.	.	.
Die digitale Transformation top-down umsetzen	.	.	.	.	.
Bereitschaft für Digitalisierung schaffen	.	.	.	.	.
Die Rollenbilder im Finanzwesen wandeln sich	.	.	.	.	.
Alte Welt – neue Welt	.	.	.	.	.
Digitale Transformation – Bazillus im Unternehmensblut	.	.	.	.	.
Ashby's Law – die Handlungsvarietät erhöhen	.	.	.	.	.
Mit Fehlern umgehen	.	.	.	.	.
Die Digitalisierung meistern	.	.	.	.	.

4 Ihren Tellerrand erweitern

4.1 Vom CFO zum CEO

Bayer hat es getan, Deutsche Telekom und BASF ebenso, genau wie K+S, Fresenius Medical Care, Dachser, Siemens und Lanxess: Sie haben ihre ehemaligen Finanzvorstände zu Vorstandsvorsitzenden befördert. Die CFO-Position ist oft ein Karrieresprungbrett an die Unternehmensspitze. Das belegen auch die Zahlen: Ca. 20 % aller aktuellen CEOs im Dax, MDax, SDax und TecDax waren einmal Finanzvorstände.

Viele halten diesen Schritt für ein Wagnis, gilt der Finanzchef in Deutschland doch eher als zweiter Mann hinter dem CEO und schlimmstenfalls als gut ausgebildeter Kassenwart.

International ist das anders und die Sicht auf den CFO wird sich in den nächsten Jahren auch in Deutschland verändern. Viele CEOs verlassen sich tatsächlich mehr und mehr auf ihre Finanzchefs, wenn es darum geht, Geschäftsentscheidungen zu treffen, Strategien zu entwickeln und das Unternehmen bei den Stake- und Shareholdern zu repräsentieren. In den vergangenen Jahren ist dadurch eine neue Generation von Finanzexperten herangewachsen, die über diese Schiene zum Vorstandsvorsitzenden reifen will, darunter einige, die auch die dafür nötige Persönlichkeit mitbringen. Geht der CEO von Bord, liegt es geradezu auf der Hand, den CFO zum neuen Steuermann zu machen, schließlich kennt er das Unternehmen wie seine Westentasche.

Wenn Sie diesen Karriereschritt anstreben, helfen Ihnen vier Eigenschaften auf Ihrem Weg.

Praxistipp: Vom CFO zum CEO

Qualifizieren Sie sich für den Chefposten, indem Sie wissen, was hinter den Zahlen steckt. Zeigen Sie, dass Sie das Geschäftsmodell und die Wertschöpfungskette des Unternehmens komplett durchdrungen haben und Ihren Blick über das Headquarter hinausrichten.

Berücksichtigen und akzeptieren Sie, dass Sie bereits einige Jahre als CFO für das Unternehmen tätig gewesen sein müssen, bevor Sie zum CEO aufsteigen können.

Zeichnen Sie sich durch starke kommunikative Fähigkeiten aus. Ein CEO, der sich und das Unternehmen nicht gut verkauft, ist kaum vorstellbar.

Stärken und nutzen Sie so früh wie möglich Ihre rechte Gehirnhälfte im Sinne von emotionaler Intelligenz und Empathie. Hören Sie zu, kommunizieren Sie, stellen Sie diverse Teams zusammen, entwickeln Sie Konzepte, und beurteilen Sie. Ein guter CEO ist immer auch ein kreativer Kopf, der hinter den Zahlen die Ideen erkennt.

Fazit

CEO – ein Karriereziel für sich. Meinen Segen haben Sie.

4.2 Die Zukunft beherrschen

Das Geschäftsumfeld für Sie als CFO ist komplexer und unvorhersehbarer denn je. Aufgrund von Digitalisierung, Daten, Stakeholder-Überprüfung und Risiko-Volatilität ändern sich die Spielregeln ständig. Ihrer DNA als digitaler CFO hilft Ihnen, diese zunehmende Komplexität zu beherrschen, eine klare Sicht auf die Dinge zu haben und die eigenen Kompetenzen und Strategien an Ihre dynamische Rolle anzupassen. Bauen Sie Abwehrkräfte und präventive Maßnahmen in Ihrem Unternehmen, Ihrem Team und bei sich auf, um Ihre jeweiligen Rollen zukunftssicher zu machen und Chancen nutzen zu können. Und seien Sie dabei proaktiv!

Die moderne Welt wird vom Tempo der Computer beherrscht. Und deren Geschwindigkeit nimmt stetig zu. Die Rechnerkapazität der Geräte verdoppelt sich etwa alle 18 Monate. Wir werden von Computern umzingelt sein. Allerdings sehen diese überhaupt nicht mehr aus wie Computer. In jedem Gegenstand, jeder Wand, jeder Tapete, in allem, was uns umgibt, wird ein rechnender Chip sein, der mit dem Internet bzw. dessen Weiterentwicklung verbunden ist. Computer gehen in unserer Umgebung auf und werden unsichtbar und lautlos unsere Befehle ausführen, weil wir sie mit unseren Gedanken steuern können. Unsere Gesprächspartner bei Telefonaten werden als 3 – D-Hologramme mit uns an einem Tisch sitzen und Universal-Übersetzer werden dafür sorgen, dass wir uns mit Menschen aus aller Welt verständigen können.

Die Intelligenz von Robotern und Maschinen nimmt stetig zu. Das menschliche Gehirn ist im Gegensatz zum Computer unendlich langsam. Aber es kann Dinge, die dem Computer aus heutiger Sicht schwerfallen. Es behandelt viele Probleme gleichzeitig, es kann sehr schnell Muster erkennen, und es lernt ununterbrochen. Forscher scheinen sich darüber einig zu sein, dass spätestens Mitte dieses Jahrhunderts genügend Rechenleistung zur Verfügung steht, um das menschliche Gehirn zu simulieren, auch wenn wir selbst bis heute nicht vollständig verstanden haben, wie der Mensch denkt.

Wohin gehen wir? Was ist das Ziel dieser Entwicklungen? Kein Land kann es sich mehr erlauben, seine Wirtschaft isoliert zu betrachten und zu betreiben. Innerhalb einer Generation ist ein planetares Wirtschaftssystem entstanden. Die Kultur ist heute schon global. Junge Menschen in Moskau, Berlin, New York und Tokio hören die gleiche Musik, kleiden sich ähnlich, konsumieren das gleiche Essen und sehen dieselben Filme. Nachrichten, Sportereignisse, Umweltprobleme, Tourismus und Krankheiten sind längst globale Erscheinungen.

Heute entstehen Reichtum und Wohlstand aus Information. Davon gibt es derzeit mehr, als wir verarbeiten können. Schon bald wird der Speicherplatz nicht mehr ausreichen, um all die Daten zu verarbeiten, die wir in nie da gewesener Menge weltweit produzieren.

Fazit

Beherrschen Sie die Zukunft. Ihre eigene. Die Ihrer Mitarbeiter. Und die Ihres Unternehmens. Und lassen Sie mich durch Ihr Feedback daran teilhaben! Schreiben Sie mir, was Sie bewegt und vor welchen Herausforderungen Sie in Ihrem Unternehmen stehen. Lassen Sie uns Erfahrungen austauschen, uns gegenseitig inspirieren und gemeinsam der Zukunft entgegengehen.

5 100 strategische Imperative für Ihren Erfolg als digitaler CFO

Vor dem Hintergrund der praxisorientierten Ausrichtung dieses Buches möchte ich Ihnen 100 strategische Imperative mit auf Ihren Weg zum erfolgreichen digitalen CFO geben. Die pointierte Zusammenstellung basiert auf den Inhalten dieses Buches und soll Ihnen Orientierung bei Ihrer täglichen Arbeit bieten.

So wünschenswert es wäre: Hierbei handelt es sich weder um allgemeingültige, mit der Mathematik ableitbare Gesetze noch um eine lückenlose To-do-Liste, nach deren Abarbeitung Sie am Ziel wären.

Nutzen Sie die Möglichkeiten, die Sie als Mensch der künstlichen Intelligenz voraushaben, und spüren Sie in Abhängigkeit von Ihrer individuellen Situation, ob Ihnen der ein oder andere dieser Ratschläge behilflich sein kann.

Praxistipp: 100 strategische Imperative für Ihren Erfolg als digitaler CFO

1. Definieren Sie, was Sie bereit sind, Ihrer Organisation zu geben, und was Ihre Organisation von Ihnen erwartet!
2. Bestimmen Sie den Rahmen und die Inhalte Ihrer Work-Life-Balance!
3. Strukturieren sie Ihre persönlichen Themen!
4. Bestimmen sie die drei # Ihrer Visitenkarte!
5. Lassen Sie sich von einem Coach unterstützen!
6. Stärken sie Ihren Umgang mit komplizierten und komplexen Situationen!
7. Machen Sie sich wesentliche Glaubenssätze in Ihrer Organisation und deren Auswirkungen bewusst!
8. Seien Sie lösungsorientiert!
9. Stellen Sie keine problemorientierten Fragen!
10. Gewinnen Sie internationale Erfahrung!
11. Arbeiten sie Ihren Beitrag als CFO heraus!
12. Schärfen sie ihr Personal Expert Branding!
13. Entwickeln Sie Szenarien, wie Sie das Finanzwesen für die Zukunft ausrichten!
14. Optimieren Sie die Unternehmensabläufe!
15. Fördern Sie Transparenz!
16. Seien Sie proaktiv!
17. Stellen Sie die Finanzierung der Digitalisierung sicher!
18. Managen Sie Ihre treuhänderische Verantwortung für das Unternehmensvermögen!
19. Definieren Sie existenzgefährdende Risiken!
20. Führen Sie aussagekräftige Analysen zur Verbesserung wichtiger Geschäftsentscheidungen durch!
21. Antizipieren und lösen Sie Probleme frühzeitig!
22. Definieren Sie Bereiche und Aufgaben, in die Sie stärkere operativ eingebunden sein möchten!

23. Erstellen und verabschieden Sie Richtlinien zur kontinuierlichen Verbesserung der IT!
24. Initiieren und führen Sie ggf. M&A-Aktivitäten!
25. Bestimmen Sie, welche Tätigkeiten der Mensch und welche die Maschine übernehmen soll!
26. Betrachten Sie Ihre Mitarbeiter stets als wichtigsten Erfolgsfaktor!
27. Ermöglichen Sie Ihren Mitarbeitern kontinuierliches Lernen!
28. Gliedern Sie Ihre Teamorganisation nach »administrative und transaktionale Aufgaben«, »Spezialisten« und »Kern-Finanzteam«!
29. Hinterfragen Sie Ihr bestehendes CFO-Geschäftsmodell!
30. Definieren Sie Ihr zukünftiges CFO-Geschäftsmodell!
31. Passen Sie Ihr CFO-Geschäftsmodell an und erweitern Sie es um neue Anforderungen!
32. Bauen Sie Rückkopplungsschleifen in Ihr CFO-Modell ein!
33. Definieren und beseitigen Sie potenzielle Stressfaktoren bei Ihnen und Ihren Mitarbeitern!
34. Definieren und leben Sie Ihre Rolle als Digital Leader!
35. Nutzen Sie Ihre linke und Ihre rechte Gehirnhälfte gleichermaßen!
36. Verhalten Sie sich wie ein Leader!
37. Stellen Sie sicher, dass Sie wirklich führen wollen!
38. Entwickeln Sie sich kontinuierlich weiter!
39. Reflektieren sie Ihr Leadership-Verhalten!
40. Stiften Sie Sinn – für sich und andere!
41. Sorgen Sie für das Empowerment Ihres Teams!
42. Zeigen Sie Ihren Mitarbeitern gegenüber Verbindlichkeit!
43. Entwickeln und verfolgen Sie Ihre eigene Personalstrategie!
44. Kommunizieren Sie Ihre Personalstrategie effektiv und verbindlich!
45. Planen sie Ihr Personal in allen Facetten!
46. Erweitern Sie Ihre Digitalkompetenz kontinuierlich!
47. Betreiben Sie nachhaltiges Talentmanagement!
48. Planen und fördern Sie Führungsentwicklungsprogramme!
49. Verbessern Sie Ihre Kommunikationsskills kontinuierlich!
50. Steigern Sie Ihre internen und externen kommunikativen Interaktionen effektiv!
51. Reflektieren und verbessern Sie Ihre Stakeholder-Kommunikation!
52. Stärken sie Ihre Medienkommunikation!
53. Installieren Sie ein Business Partnership Management!
54. Bauen Sie Ihre Zusammenarbeit mit dem CEO stetig aus!
55. Reflektieren Sie Ihre internen Schlüsselbeziehungen und managen Sie diese proaktiv!
56. Definieren Sie Ihre externen Schlüsselbeziehungen und managen diese proaktiv!
57. Planen und fokussieren Sie Ihre Beziehungen zu Investoren und Private-Equity-Gesellschaften!
58. Fördern Sie Ihr Beziehungsmanagement zu Beirat und Aufsichtsrat!
59. Stärken sie Ihr Beziehungsgeflecht zu Banken!
60. Definieren Sie die Felder für Ihren strategischen Beitrag als CFO!
61. Entwickeln Sie eine Zielpyramide für Ihren strategischen Beitrag!
62. Denken und handeln Sie strategisch!
63. Bestimmen Sie Prioritäten der digitalen Transformation!
64. Führen Sie die digitale Transformation und gehen Sie voran!

65. Definieren Sie für sich den Begriff »Digitalisierung«!
66. Legen Sie fest, in welchen Bereichen Ihres CFO-Geschäftsmodells Sie innovativ sein werden!
67. Analysieren Sie Bereiche Ihres CFO-Geschäftsmodells, in denen Sie disruptive Maßnahmen umsetzen werden!
68. Erwerben Sie einen B 2-Disruption-CFO!
69. Bestimmen Sie ihr persönliches Why für die digitale Transformation!
70. Laden Sie zum Spiel der digitalen Transformation ein, bestimmen Sie die Spielregeln und die Spielteilnehmer!
71. Haben Sie den Willen, das Spiel zu gewinnen!
72. Reflektieren und schärfen Sie Ihr Digital Mindset!
73. Erweitern Sie Ihren Digital IQ!
74. Klären und managen Sie Ihre Beziehung zu CIO, CDO und CMO!
75. Seien Sie stets Impulsgeber!
76. Verwenden sie Modelle zur Strukturierung und Umsetzung der digitalen Transformation!
77. Schaffen Sie eine gewinnbringende Balance zwischen Alignment und Autonomy!
78. Treiben Sie die digitale Transformation in einer Top-Down-Umsetzung voran!
79. Schaffen Sie Bereitschaft für die digitale Transformation!
80. Folgen Sie in Ihrem Führungsverhalten dem Gedanken der Ambidextrie!
81. Seien Sie in Bezug auf die Digitalisierung der Bazillus im Unternehmensblut!
82. Passen Sie auf, dass der »Unternehmenskörper« Sie nicht ausscheidet!
83. Etablieren Sie ein Fehlermanagement und eine Fehlerkultur!
84. Reflektieren und definieren Sie, wie Sie die digitale Transformation am besten meistern!
85. Entwickeln Sie eine digitale Version!
86. Entwickeln Sie eine digitale Strategie!
87. Machen Sie die digitale Transformation zur Chefsache!
88. Legen Sie klare Digitalisierungsziele fest und kommunizieren Sie diese verständlich!
89. Entwerfen Sie eine digitale Roadmap!
90. Erkennen Sie Muster auf Ihrem Weg der Digitalisierung und ziehen Sie daraus die notwendigen Schlüsse für Ihre Roadmap!
91. Klären Sie Entscheidungsprozesse für den Transformationsweg und kommunizieren Sie diese eindeutig!
92. Schaffen Sie klare Regelungen und verankern Sie diese!
93. Entwickeln und fördern Sie die Bereitschaft Ihrer Mitarbeiter, den Transformationsweg mit Ihnen zu gehen!
94. Überwinden Sie Widerstände!
95. Binden Sie Nörgler ein und trennen Sie sich von Low-Performern!
96. Delegieren Sie Aufgaben!
97. Stellen Sie ausreichend Ressourcen für die digitale Transformation zur Verfügung!
98. Kooperieren Sie umfassend mit der IT-Abteilung und bauen Sie eigenes IT-Know-how in Ihrem Team auf!
99. Beherrschen Sie die Zukunft für Ihre Mitarbeiter!
100. Beherrschen Sie Ihre eigene Zukunft!

6 Schlusswort

Zuletzt möchte ich Sie noch an meiner eigenen Maxime teilhaben lassen.

Wichtig: Meine Maxime

Ein Spiel ist erst mit dem Schlusspfiff zu Ende!

In diesem Sinne: Schießen Sie Ihr persönliches Siegtor als starker digitaler CFO – wenn es sein muss, auch in der fünften Minute der Nachspielzeit.

Finden Sie Ihre Maxime, bauen Sie auf Ihre Stärken und seien Sie der Beste!

Ich wünsche Ihnen viel Spaß und Erfolg auf Ihrem Weg!

Ihr Dr. Alexander Reinhart

Literaturverzeichnis

Agile Scrum Group B.V.: https://agilescrumgroup.de/spotify-modell/. Abrufdatum: 21.07.21.

Astheimer, Sven/Kotowski, Timo (2020): Lufthansa-Großaktionär Thiele stimmt für die Rettung. In: faz.net. https://www.faz.net/aktuell/wirtschaft/unternehmen/lufthansa-grossaktionaer-thiele-stimmt-fuer-die-rettung-16830897.html. Abrufdatum: 21.07.21.

bildwerkk GbR: https://www.bildwerkk.de/culture-tools/corporate-culture-canvas/. Abrufdatum: 20.07.21.

Bürgisser, Sarah (2011): Zusammenarbeit zwischen Vorstand und Geschäftsführung in Verbänden und anderen Nonprofit Organisationen. In: Fachzeitschrift für Verbands- und Nonprofit-Management, 37. Jg, 2/2011, S. 38 ff.

de Graaf, Marjolijn/de Graaf, Edwin (2020): Decisions by Design.

de Shazer, Steve/Dolan, Yvonne (2020): Mehr als ein Wunder.

Dweck, Carol (2017): Mindset: Changing The Way You think To Fulfil Your Potential. London.

Fuchs, Martina (2020): Digital Expert Branding. Freiburg im Breisgau.

Grassmann, Günther/Grolman, Florian (o.D.): Strategieprozesse richtig durchführen. https://organisationsberatung.net/vorgehen-strategieentwicklung-strategieprozess/. Abrufdatum: 20.07.21.

Have, Ten (2019): Change Canvas. Stuttgart.

International Football Association Board (2020/2021): Laws of the game. Zürich.

Jehn, K. A. (1995): A Multimethod Examination of the Benefits and Detriments of Intragroup Conflict. In: Administrative Science Quarterly, Vol. 40 (2/1995), S. 256 – 282.

Kor, Rudy/Bos, Jo/van der Tak, Theo (2018): Project Canvas. Stuttgart.

Kratzmeier (2007): Das große Weltlexikon. Band 14, Brockhaus, F A; 1.

Petry, Thorsten (2019): Digital Leadership. Freiburg im Breisgau.

Stöger, Roman (2017): Toolbox Digitalisierung. Stuttgart.

Theofel, Jan (o.D.): https://www.theofel.com/barcamp-methode.html. Abrufdatum: 20.07.21.

Watzlawick, Paul (2021): Wie wirklich ist die Wirklichkeit?: Wahn, Täuschung, Verstehen. München.

Watzlawick, Paul (2016): Menschliche Kommunikation: Formen, Störungen, Paradoxien. Göttingen.

Literaturempfehlungen

Adamski, Kathrin/Prüfig, Katrin/Klager, Stefan (2018): Workbook Medientraining. Stuttgart.

Athanas, Christoph/Graf, Nele (2013): Innovative Talentstrategien. Freiburg im Breisgau.

Bartscher, Thomas/Nissen, Regina (2019): Change Management für Personaler. Freiburg im Breisgau.

Bensmann, Dieter (2018): Netzwerke. Freiburg im Breisgau.

Berlage, Jan (2020): Zukunft sichern durch Strategic Foresight. Freiburg im Breisgau.

Berndt, Christian/Wierzchowski, Bernd (2018): Systematische Bewerberinterviews. Freiburg im Breisgau.

Berthel, Jürgen/Becker, Fred (2021): Personal-Management. Stuttgart.

Bittlingmaier, Torsten (2019): Talent Management erfolgreich implementieren. Freiburg im Breisgau.

Bleiber, Reinhard (2018): Digitalisierung in der Finanzbuchhaltung. Freiburg im Breisgau.

Böck, Josef (2019): Digitalisierung und Führungspraxis. Stuttgart.

Bösenberg, Christina (2021): Künstliche Intelligenz: die Zukunft im Unternehmen. Freiburg im Breisgau.

de Molina, Karl-Maria/Kaiser, Stephan/Widuckel, Werner (2018): Kompetenzen der Zukunft – Arbeit 2030. Freiburg im Breisgau.

de Molina, Karl Maria (2015): Komplexität im Führungsalltag reduzieren. Freiburg im Breisgau.

Disselkamp, Marcus/Heinemann, Swen (2018): Digital-Transformation-Management. Stuttgart.

Dweck, Carol: Selbstbild (2017): Wie unser Denken Erfolge oder Niederlagen bewirkt. München.

Edelkraut, Frank/Mosig, Heiko (2019): Schnelleinstieg Agiles Personalmanagement. Freiburg im Breisgau.

Elger, Christian (2013): Neuroleadership. Freiburg im Breisgau.

Eppler, Martin/Hoffmann, Friederike/Pfister, Roland (2017): Creability. Stuttgart.

Eppler, Martin/Kernbach, Sebastian/Pfister, Roland: Dynagrams – Denken in Stereo. Stuttgart.

Eppler, Martin/Kernbach, Sebastian (2018): Meet up! Stuttgart.

Eppler, Martin/Pfister, Roland (2017): Sketching at work. Stuttgart.

Gloger, Boris/Margetich, Jürgen (2018): Das Scrum-Prinzip. Stuttgart.

Graf, Nele/Gramß, Denise/Edelkraut, Frank (2019): Agiles Lernen. Freiburg im Breisgau.

Haake, Klaus/Seiler, Willi (2020): Strategie-Workshop. Stuttgart.

Häusel, Hans Georg/Henzler, Harald (2018): Buyer Personas. Freiburg im Breisgau.

Häusel, Hans-Georg (2019): Neuromarketing. Freiburg im Breisgau.

Häusling, André / Fischer, Stephan (2019): Der Weg zur agilen HR-Organisation. Freiburg im Breisgau.

Häusling, André/Römer, Esther/Zeppenfeld, Nina (2019): Praxisbuch Agilität. Freiburg im Breisgau.

Heidbrink, Marcus/Debnar Daumler, Sebastian (2019): Self-Leadership. Freiburg im Breisgau.

Keite, Lothar (2019): Corporate Identity im digitalen Zeitalter. Freiburg im Breisgau.

Keller, Bernhard (2020): Touchpoint Culture. Freiburg im Breisgau.

Keller, Bernhard (2018): Touchpoint Management. Freiburg im Breisgau.

Kemper, Jürgen (2019): Aufbruch in die neue Arbeitswelt. Freiburg im Breisgau.

Keuchel, Peter (2019): Personalmanagement in der Cloud. Freiburg im Breisgau.

Kittel, Frank (2015): Verhandeln. Freiburg im Breisgau.

Klein, Andreas/Gräf, Jens (2017): Reporting und Business Intelligence. Freiburg im Breisgau.

Klinkhammer, Margret/Hütter, Franz/Stoess, Dirk/Wüst, Lothar (2018): Change happens. Freiburg im Breisgau.
Krizanits, Joana/Eissing, Martina/Stettler, Kurt (2017): Reinventing Leadership Development. Stuttgart.
Lauff, Werner (2019): Perfekt schreiben, reden, moderieren, präsentieren. Stuttgart.
Lewkowicz, Eva Maria/Neukom, Marius (2019): Kompetent führen. Stuttgart.
Lorenz, Michael/Rohrschneider, Uta (2019): Praxishandbuch Mitarbeiterführung. Freiburg im Breisgau.
Lüngen, Sven (2018): Management Master. Freiburg im Breisgau.
Mautsch, Friedrich/Metzger, Jan (2019): Gut führen! Stuttgart.
Michalk, Silke/Ney, Marina (2018): Personalentwicklung als Führungsaufgabe. Freiburg im Breisgau.
Million, Christian (2019): Crashkurs Blockchain. Freiburg im Breisgau.
Müller, Eva (2013): Innovative Leadership. Freiburg im Breisgau.
Müller Stewens, Günter (2019): Die neuen Strategen. Stuttgart.
Müller-Vorbrüggen, Michael/Radel, Jürgen (2016): Handbuch Personalentwicklung. Stuttgart.
Nowotny, Valentin (2017): Agil verhandeln mit Telefon, E-Mail, Video, Chat & Co. Stuttgart.
Oleinek, Philipp (2019): Kybernetisches Management von Projekten. Stuttgart.
Osterchrist, Renate/Clasvogt, Claus/Hüter, Michael (2019): Wirksame Change-Impulse. Stuttgart.
Peipe, Sabine (2019): Visualisieren in Workshops, Meetings und Präsentationen. Freiburg im Breisgau.
Petry, Thorsten/Jäger, Wolfgang (2021): Digital HR. Freiburg im Breisgau.
Pfannenberg, Jörg/Tessmer, Anne/Wecker, Manuel (2019): Die Kommunikationsstrategie entwickeln. Stuttgart.
Pispers, Ralf/Rode, Joanna/Fischer, Benjamin (2018): Neuromarketing im Internet. Freiburg im Breisgau.
Prieß, Arne (2019): Digital Overload Management. Freiburg im Breisgau.
Radtke, Burkhard (2015): Führend führen. Freiburg im Breisgau.
Ramming, Markus (2019): Neuro Change. Freiburg im Breisgau.
Raslan, Nadja/Hölzl, Franz (2019): Crashkurs Mitarbeiterführung. Freiburg im Breisgau.
Remdisch, Sabine/Schumacher, Lutz (2021): Wirksam führen auf Distanz. Freiburg im Breisgau.
Sassenrath, Marcus (2020): New Management. Freiburg im Breisgau.
Scharnhorst, Julia (2019): Psychische Belastungen am Arbeitsplatz vermeiden. Freiburg im Breisgau.
Schermuly, Carsten (2021): New Work – Gute Arbeit gestalten. Freiburg im Breisgau.
Schulz von Thun, Friedemann (2014): Miteinander reden 1: Störungen und Klärungen: Allgemeine Psychologie der Kommunikation. Hamburg.
Schulz von Thun, Friedemann (1989): Miteinander reden 2: Stile, Werte und Persönlichkeitsentwicklung: Differentielle Psychologie der Kommunikation. Hamburg.
Schulz von Thun, Friedemann (1998): Miteinander reden 3: Das »Innere Team« und situationsgerechte Kommunikation. Hamburg.
Schulz von Thun, Friedemann (2012): Miteinander reden von A bis Z: Lexikon der Kommunikationspsychologie. Hamburg.
Schwuchow, Karlheinz/Gutmann, Joachim (2016): HR-Trends 2019. Freiburg im Breisgau.
Stöger, Roman (2019): Digitalisierung umsetzen. Stuttgart.
Straßer, Ulrike/Lütkehaus, Isabell (2020): Cross Generational Intelligence. Freiburg im Breisgau.
Strauß, Ralf (2019): Digitale Transformation. Stuttgart.
von Hehn, Svea (2016): Systematisches Talent Management. Stuttgart.

Weiand, Achim (2016): Toolbox Change Management. Stuttgart.
Wolf, Gunther (2020): Mitarbeiterbindung. Freiburg im Breisgau.
Zillner, Sonja/Krusche, Bernhard (2012): Systemisches Innovationsmanagement. Stuttgart.
Zimbardo, Gerrig (2018): Psychologie. München.

Stichwortverzeichnis

Der Autor

Dr. Alexander Reinhart, Jahrgang 1970, ist selbstständiger Wirtschaftsprüfer, Steuerberater, Systemischer Trainer und Executive Coach. Er studierte von 1990 – 1995 an der Universität Augsburg Betriebswirtschaftslehre und Wirtschaftssoziologie [Diplom-Kaufmann (Univ.)], promovierte 1998 an der Universität Augsburg bei Herrn Prof. Dr. Dr. h. c. mult. Adolf G. Coenenberg zum Thema der Auswirkungen einer Umstellung der Rechnungslegung auf International Accounting Standards (IAS) auf die erfolgswirtschaftliche Jahresabschlussanalyse. Von 1995 – 2001 war er Prokurist der Arthur Andersen WPG StGB mbH in München. 1999 legte er das Steuerberaterexamen ab, 2000 das Examen zum Wirtschaftsprüfer. Seit 2001 ist er freiberuflich tätig. Er absolvierte die jeweils einjährigen Ausbildungen zum Systemischen Trainer (Univ.) sowie zum Strategischen Coach (Univ.), beides an der Universität Augsburg. Zudem absolvierte er Ausbildungen zum ›Zertifizierten Digital Transformation Manager‹ sowie zum ›Zertifizierten Blended Learning Trainer‹.

Seine Haupttätigkeitsschwerpunkte sind die Beratung von CFOs, sowie die Durchführung von Trainings und Coachings in der von ihm initiierten und geleiteten CFO-Akademie (www.cfoakadmie.de) für CFOs und deren Umfeld. Hierzu gehört auch die interimistische Übernahme von CFO-Aufgaben und Führungspositionen im CFO-Bereich bei Vakanzen und Sondersituationen, wie bspw. nationalen oder internationalen Käufen/Verkäufen und Carve-Outs. Er ist zudem spezialisiert auf die Aufnahme und Optimierung von Prozessen und Kontrollsystemen im Rahmen der digitalen Transformation, sowie den Aufbau und die Optimierung von Reporting-Systemen.

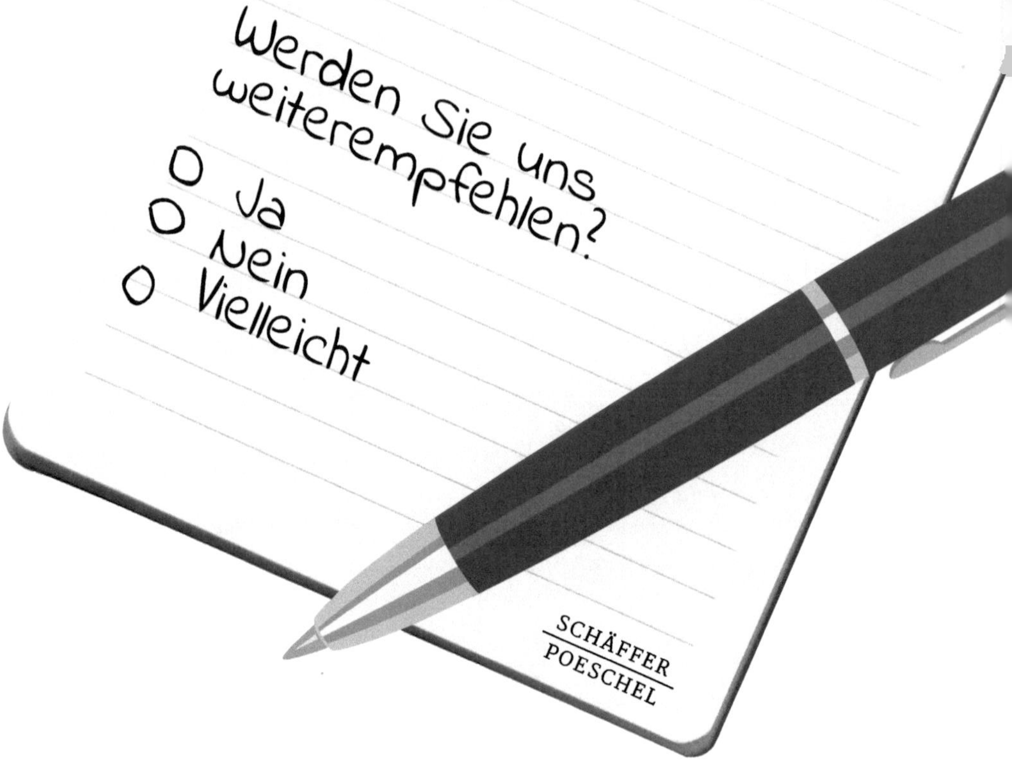
Werden Sie uns weiterempfehlen?
O Ja
O Nein
O Vielleicht
SCHÄFFER POESCHEL

NOTIZEN

NOTIZEN

NOTIZEN

NOTIZEN